DE KUNST VAN DE BIJBEL

VERLUCHTE MANUSCRIPTEN UIT DE MIDDELEEUWEN

SCOT McKENDRICK KATHLEEN DOYLE

Aan onze ouders,
James en June McKendrick
Patrick en Shirley Doyle

TOELICHTING

De afmetingen die bij de beschrijving van elk manuscript staan vermeld, verwijzen naar het formaat van het originele blad (hoogte x breedte), tot op 5 millimeter afgerond.

Op p. 331 staan een zorgvuldig gekozen bibliografie en een kort overzicht van meer literatuur.

In de tekst staan, indien bekend, de geboorte- en sterfdata vermeld van individuele personen. Ambtsaanvaarding, ambtsperioden van abten/abdissen en episcopale data worden voorafgegaan door een 'r'. Bijbelse citaten komen uit de Douay-Rheims versie van de Bijbel. Er wordt verwezen naar de Vulgaat.

Afkortingen:

f. of ff.	folium of folia
MS(S)	manuscript(en) (met de signatuur van een andere bibliotheek dan de British Library)
v	verso zijde
BAV	Biblioteca Apostolica Vaticana, Vaticaanstad
BnF	Bibliothèque nationale de France, Parijs
KB	Koninklijke Bibliotheek, Den Haag
KBR	Koninklijke Bibliotheek van België, Brussel
Morgan	Morgan Library and Museum, New York
ÖNB	Österreichische Nationalbibliothek, Wenen
PG	*Patrologica Graeca*, red. J.-P. Migne, 166 dln. (Parijs, 1857-1866).
PL	*Patrologica Latina*, red. J.-P. Migne, 221 dln. (Parijs, 1844-1865)

p. 2: God schept de dieren, in de *Bible Historiale* van Eduard IV, no. 42 (handboek), Royal 18 D. ix, f. 5 (detail).

p. 5: De geboorte van Jezus, uit het *Egerton Evangelielectionarium*, no. 17, f. 1v.

INHOUD

DE BIJBELS

DUIZEND JAAR KUNST EN SCHOONHEID

Twee millennia lang is de Bijbel een inspiratiebron geweest voor het scheppen van kunst. De tekst heeft onderwerpen verschaft voor de prachtigste kunstuitingen. Het centrale belang voor de christelijke kerk heeft ervoor gezorgd dat de beste kunstenaars voortdurend verzekerd waren van ondersteuning voor geïnspireerde werken. De meeste kerken en andere gebedshuizen weerspiegelen deze lange traditie in hun voortdurende koestering van en donaties aan kunst. Musea en kunstgaleries over de hele wereld hebben schilderijen, beeldhouwkunst, textiel en bewerkt metaal naar onderwerpen uit de christelijke Bijbel in overvloed.

Deze opmerkelijke erfenis, zoals verluchte manuscripten die vooral zijn te vinden in grote onderzoeksbibliotheken, is het beste materiaal om christelijke schilderijen en artistieke interpretaties van de Bijbel van vroeger tot nu te leren begrijpen, want dan kunnen we hun betekenis voor dit soort kunst beginnen te waarderen. Slechts een grote investering van bronnen, zoals uren hard werken en heel veel geld, maakte dit soort werk mogelijk. Elk manuscript was handgemaakt (Latijn: *manu scriptus*: 'met de hand geschreven') en elke illustratie vereiste dagen- of zelfs wekenlang toegewijd werk door een hoogst bekwaam persoon, of personen.

Voor elk ervan werden aanzienlijke kosten gemaakt qua materiaal en de tijd die het vergde om het te maken. Het is dan ook geen wonder dat zo veel geïllustreerde manuscripten van de Bijbel destijds om meer dan hun materiële waarde werden gekoesterd, en geschenken werden voor godvruchtigen of koningen. Het is ook geen wonder dat zo veel handschriften bewaard zijn gebleven, want ze werden liefdevol behouden voor volgende generaties.

Dit boek onderzoekt een selectie van prachtige bijbels uit de schatkamer van de British Library. Zelf rijkelijk geïllustreerd probeert het boek de lezer onder te dompelen in de wereld van geïllustreerde manuscripten van de Bijbel. Via de afbeeldingen reizen we door een periode van duizend jaar. We richten ons vooral op de middeleeuwse periode, maar we staan ook stil bij de constante productie van geïllustreerde Bijbelse manuscripten in sommige tradities in het vroegmoderne tijdperk. We reizen geografisch door veel belangrijke centra van de christelijke wereld. We beginnen in Constantinopel in het oosten, en de reis gaat door naar Lindisfarne in het noorden, naar keizerlijk Aken, naar Canterbury, daarna naar het Karolingische Tours. Later bekijken we een paar rijkdommen van Winchester, Spanje, Jeruzalem, de Maasvallei, Noord-Irak, Parijs, Londen, Bologna, Napels, Bulgarije, de Lage Landen,

Fig. 1 | Salomo geeft instructies aan het begin van Spreuken, in de *Bible historiale* van Karel van Frankrijk, no. 40, additioneel 18857, f. i (detail).

Rome en Perzië. Onze reis eindigt in Gondar, de hoofdstad van keizerlijk Ethiopië. 45 opmerkelijke boeken bieden een reisbeschrijving door tijd en ruimte van kenmerkende variëteit en samenhang. Elk boek is een unieke schat op zichzelf. Door deze werken kunnen we de buitengewone kunst en schoonheid van geïllustreerde manuscripten van de Bijbel onderzoeken.

De christelijke Bijbel

De christelijke Bijbel heeft een lange en complexe ontwikkeling gehad. De term 'bijbel' stamt af van het Griekse woord *βιβλία* (boeken), dat op zijn beurt is gebaseerd op het Griekse woord voor papyrus (*βύβλος* of *βίβλος* = *byblos*, een Fenicische plaats waar veel papier werd geproduceerd). (Papyrus was het hoofdbestanddeel voor boekproductie.) Zoals ook al te zien is in de naam, is de christelijke Bijbel een boek dat bestaat uit vele boeken. Een groot aantal Joodse geschriften zijn erin opgenomen en vormen het eerste deel, het Oude Testament (van het Latijnse woord *testamentum*, in de betekenis van 'verbond'). Het tweede deel, oftewel het Nieuwe Testament bestaat uit een kleiner aantal christelijke teksten. Hoewel de christelijke kerk beide Testamenten beschouwt als geïnspireerd, houdt ze ook vast aan het beginsel dat het Nieuwe Testament bewijzen bevat van de vervulling van beloften uit het Oude Testament.

De eerste christenen kozen vooral voor een Griekse versie van de Joodse geschriften die was gemaakt voor Joden die in Egypte en andere Grieks-sprekende gebieden woonden en minder bekend waren met Hebreeuws. Deze vertaling, die bekend staat als de Septuagint (van het Latijnse 'zeventig'), werd altijd toegeschreven aan zeventig of meer rabbijnen die in Alexandrië werkten voor Ptolemaeus II Philadelphus (308-246 v.C.). De kern van de Septuagint bevat de drie belangrijke elementen van de Hebreeuwse Bijbel. De eerste (Thora) wordt toegeschreven aan Mozes, en bestaat uit de vijf boeken van Genesis tot en met Deuteronomium. De tweede bestaat uit de 21 boeken van de profeten (*Nevi'im*), waaronder de twaalf kleine profeten. De derde, de geschriften (*Ketuvim*), bestaat uit dertien boeken: Psalmen, Spreuken, Job, Hooglied, Ruth, Klaagliederen, Prediker, Ester, Daniël, Ezra, Nahum, en 1 en 2 Kronieken. De ontwikkeling van deze 39 boeken heeft bijna duizend jaar geduurd. De Septuagint bevat ook enkele teksten die niet in de canon van de Hebreeuwse Bijbel staan, zoals Tobit, Judith, Wijsheid, Sirach, Baruch en de twee boeken van de Makkabeeën. Deze teksten werden gebruikt door christenen uit de begintijd van het christendom die bij hun canon niet uitgingen van de Joodse geschriften maar van het Grieks. Ondanks dat Hiëronymus ze bestempelde als apocrief (van *ἀπόκρυφος*: 'verborgen'), blijven deze aanvullende boeken onderdeel van de rooms-katholieke en orthodoxe Bijbels. Omdat de protestantse hervormers van de zestiende eeuw als basis voor hun vertalingen kopieën gebruikten van de Joodse canon van de Hebreeuwse Bijbel, zijn dezelfde teksten geen onderdeel van protestantse Bijbels en zijn ze ook niet opgenomen als apocriefe of deuterocanonieke boeken (van het Griekse *δεύτερος*: 'tweede canon').

De canon van het christelijke Nieuwe Testament heeft zich in een veel kortere periode ontwikkeld dan de Joodse geschriften, maar ook deze bestaat uit verschillende teksten. De kern van het Nieuwe Testament zijn de vier evangeliën, waarvan elk het verhaal van het leven van Jezus vertelt. Het woord 'evangelie' stamt af van het Latijnse woord evangelium, dat op zijn beurt is afgeleid van het Griekse *εὐαγγέλιον* ('goed nieuws'). Hierdoor is ook de term voor de auteurs van deze teksten ontstaan, de evangelisten. Eerst waren er veel versies van het evangelie in

Fig. 2 | Versierde letters aan het begin van Hiëronymus' brief *Novum opus*, in het Lindisfarne Evangeliarium, no. 2, f. 3.

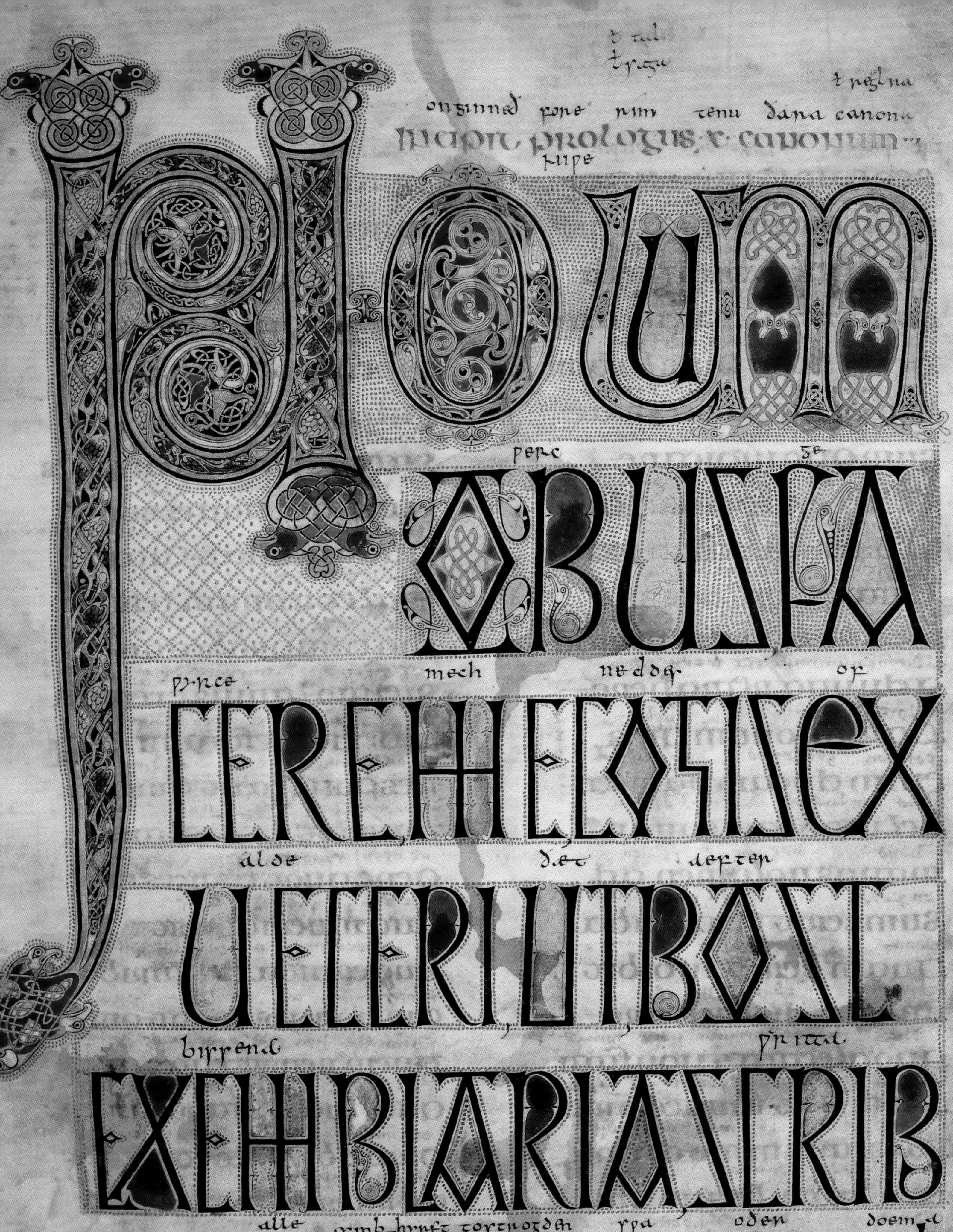

NOVUM
OPUS FA
CERE ME COGIS EX
UETERI UT POST
EXEMPLARIA SCRIB
TURARUM TOTO ORBE DISPERSA QUASI QUIDAM ARBI
TER

omloop, en sommige, zoals het evangelie van Nikodemus (zie de Grote Bijbel voor de koningen van Engeland, no. 39), werden in de middeleeuwen populair. Maar de vier evangeliën van Matteüs, Marcus, Lucas en Johannes vond men al in een vroeg stadium toonaangevend. Hun boeken bevatten individuele getuigenissen van het leven, de leer, de dood en opstanding van Jezus van Nazaret, en van zijn status als de Christus (de Gezalfde), of Messias, zoals voorspeld in het Oude Testament. De andere 23 boeken van het Nieuwe Testament bevatten Handelingen, waarin Lucas vertelt over het leven van de kerk vlak na de opstanding van Jezus, brieven van Paulus en andere vroegchristelijke leiders (de katholieke en pastorale brieven)[1] aan vroegchristelijke gemeenschappen of individuele personen, en een apocalyptisch relaas, of Openbaring, toegeschreven aan de apostel Johannes. Hoewel de kern van de canon van het Nieuwe Testament, de vier evangeliën en de dertien brieven van Paulus, halverwege de tweede eeuw inburgerde, werd de volledige canon van 27 boeken pas in de vierde eeuw formeel bevestigd. Tot dan toe werden sommige boeken die er in eerste instantie deel van hadden uitgemaakt, zoals Hebreeën en Openbaring, in twijfel getrokken, en andere die waren verworpen, zoals de Brief van Barnabas en de Herder van Hermas, werden voor sommige christenen toonaangevend. Omdat het evangelische doel van het Nieuwe Testament gericht was op de niet-joden en de dominante hellenistische cultuur van geletterden die door de veroveringen van Alexander de Grote zich had uitgebreid in het oostelijk Middellandse Zeegebied, werden alle boeken van het Nieuwe Testament in het Grieks geschreven.

Tegen de vierde en vijfde eeuw was de taal van de Bijbel veranderd. Omdat het christelijk geloof zich verspreidde over andere regio's en naties, werden de Bijbelse geschriften vertaald, te beginnen in de taal van de eerste bekeerlingen. Deze vertalingen, die door Bijbelgeleerden erkend worden als belangrijke bewijzen van de vroegste vormen van de Bijbeltekst, zijn in het Koptisch, Syrisch, Armeens, Georgisch en Ethiopisch. Door het werk van Syrische zendelingen werden de Syrische vertalingen wijdverspreid in Perzië, Arabië, India en Centraal-Azië. Bovendien waren ze aanleiding tot de vroegste versies in andere talen die in deze gebieden werden gesproken, zoals Armeens. Het Syrische evangelielectionarium uit het begin van de dertiende eeuw, het Armeense Evangeliarium uit het begin van de zeventiende eeuw en de Ethiopische Octateuch en het evangeliarium uit het eind van de zeventiende eeuw, die ook in dit boek zijn opgenomen (no. 25, 44 en 45), tonen het gebruik van deze Bijbelvertalingen door de eeuwen heen. De Bijbelvertalingen bevatten ook een paar aanvullende boeken, zoals de derde brief aan de Korintiërs, geciteerd door Gregorius de Verlichter († 332), die opgenomen werden in vele latere kopieën van het Armeense Nieuwe Testament.

In het Westen veranderde ook veel. Tegen het eind van de tweede eeuw circuleerden ook in Gallië en Noord-Afrika Latijnse vertalingen, die nu bekend staan onder de verzamelnaam *Vetus Latina* (Oud Latijn). Maar invloedrijker voor de toekomst was dat de vroegchristelijke geleerde Hiëronymus met volledige pauselijke toestemming begon aan een vertaling van de complete Bijbel in Latijn, destijds de meest gebruikelijke taal in het Westen. Hij werkte rechtstreeks vanuit Hebreeuwse en Griekse teksten, maar hij gebruikte ook de eerdere Latijnse versies. Hiëronymus besteedde de helft van zijn leven aan zijn vertaling, eerst in Rome en daarna in Bethlehem, maar toch kwam hijzelf waarschijnlijk niet verder dan de evangeliën in het Nieuwe Testament. (Het begin van de brief Novum opus van Hiëronymus aan paus Damasus († 384), zijn opdrachtgever voor de vertalingen, zien we aan het begin van het Lindisfarne Evangeliarium, no. 2,

NOTEN

[1] De zeven katholieke brieven zijn Jakobus, 1 en 2 Petrus, 1-3 Johannes en Judas; de brieven van Paulus zijn Romeinen, 1 en 2 Korintiërs, Galaten, Efeziërs, Filippenzen, Kolossenzen, 1 en 2 Tessalonicenzen, 1 en 2 Timoteüs, Titus, Filemon en Hebreeën.

fig. 2). Een aantal van de boeken van het Oude Testament heeft hij niet vertaald, omdat hij ze apocrief vond. Maar zijn erfenis aan de kerk was cruciaal. Eeuwenlang bleef men weliswaar de versies van *Vetus Latina* aanhouden, zoals het Silos Beatus manuscript (no. 15) uit het eind van de elfde eeuw. Sommige manuscripten bevatten teksten met vertalingen van de *Vetus Latina*, ingevoegd in die van Hiëronymus. Hiëronymus' uitsluiting van apocriefe boeken werd ook herroepen, en men gebruikte versies van de *Vetus Latina* om de daardoor ontstane leemtes te vullen. De gehele tekst moest ook op een paar punten worden gecorrigeerd. Bijvoorbeeld door Alcuinus van York voor Karel de Grote (zie de Moutier-Grandval Bijbel, no. 6). Toch werd meer dan duizend jaar de Vulgaat ('de gewone versie') waarmee Hiëronymus was begonnen het enige, officiële referentiepunt voor de christelijke Bijbel in West-Europa.

Tijdens deze periode stamden alle Bijbelvertalingen in de westerse streektalen af van de Vulgaat. Geen enkele ervan werd net zo officieel erkend als het voorbeeld. Dus waren het, net als de tussen de regels geschreven Oudengelse teksten in het Lindisfarne Evangeliarium, het Vespasiaanse Psalter en het Tiberius Psalter (no. 2, 3 en 13), slechts commentaren op het Latijn. Daarom werden uitgebreidere latere versies in andere talen dan Latijn beschouwd als hulpmiddel om de Bijbel te begrijpen, niet als de Bijbel zelf; zie hiervoor de Hexateuch in Oudengels, de Paduaanse Platenbijbel (*Bibbia istoriata*) in het Italiaans, het Psalter, Apocalyps, het Bijbels prentenboek en *Bibles historiales* in het Frans, en de Utrechtse Bijbel in het Nederlands (no. 11, 37, 20, 31, 32, 36, 40, 42, en 41). Maar tijdens de reformatie kwamen er nieuwe betrouwbare westerse vertalingen van de volledige Bijbel, gebaseerd op de originele Hebreeuwse en Griekse teksten. Ironisch genoeg waren deze vertalingen gebaseerd op manuscripten die in vergelijking met die van Hiëronymus een inferieure kwaliteit hadden, zoals een samenvoeging van drie aparte versies van Psalmen.[2] Pas later gebruikte men oudere manuscripten voor de vertalingen.

Manuscripten van de christelijke Bijbel

Handgeschreven kopieën van delen die wij kennen als het Nieuwe Testament, begonnen aan het eind van de eerste eeuw te circuleren onder de gelovigen. De inhoud van deze kopieën, gebaseerd op de apostolische brieven van Paulus aan bepaalde vroegchristelijke gemeentes en op verhalen van het leven en de leer van Jezus, werd dankzij het geheugen van de eerste christenen mondeling doorgegeven en opgeschreven door de evangelisten. Het waren eenvoudige kopieën, ongeveer net zo groot als moderne pockets. Ze bestonden voornamelijk uit aparte Bijbelboeken en soms uit een kleine reeks boeken zoals de vier evangeliën. Grieks-Romeinse boeken waren geschreven op papyrusrollen, maar christelijke boeken onderscheidden zich doordat ze gebruikmaakten van de codex, dat wil zeggen: losse vellen aan elkaar genaaid papier. Daardoor onderging de geschiedenis ervan een aanmerkelijke verandering; de traditionele papyrusrol die millennia lang door alle geletterde culturen in de mediterrane wereld werd gebruikt, werd vervangen door het boek. Hoewel elektronische tekst een herleving van de tekstrol teweeg heeft gebracht, bepaalt het boekformaat nog steeds veel van de tekst die we tegenwoordig lezen.

Het succes van de codex is heel duidelijk te zien in de vierde-eeuwse Codex Sinaiticus (fig. 3). Het was in eerste instantie de bedoeling om het volledige Oude en Nieuwe Testament weer te geven, maar dit omvangrijke werk wilde voorbij elk discussiepunt vaststellen welke teksten deel uitmaakten van de canon van de Heilige

NOTEN

[2] Voor de Hiëronymus versies zie het Vespasiaanse Psalter, no. 3, het Lotharius Psalter, no. 7 en de Arnstein-bijbel, no. 23.

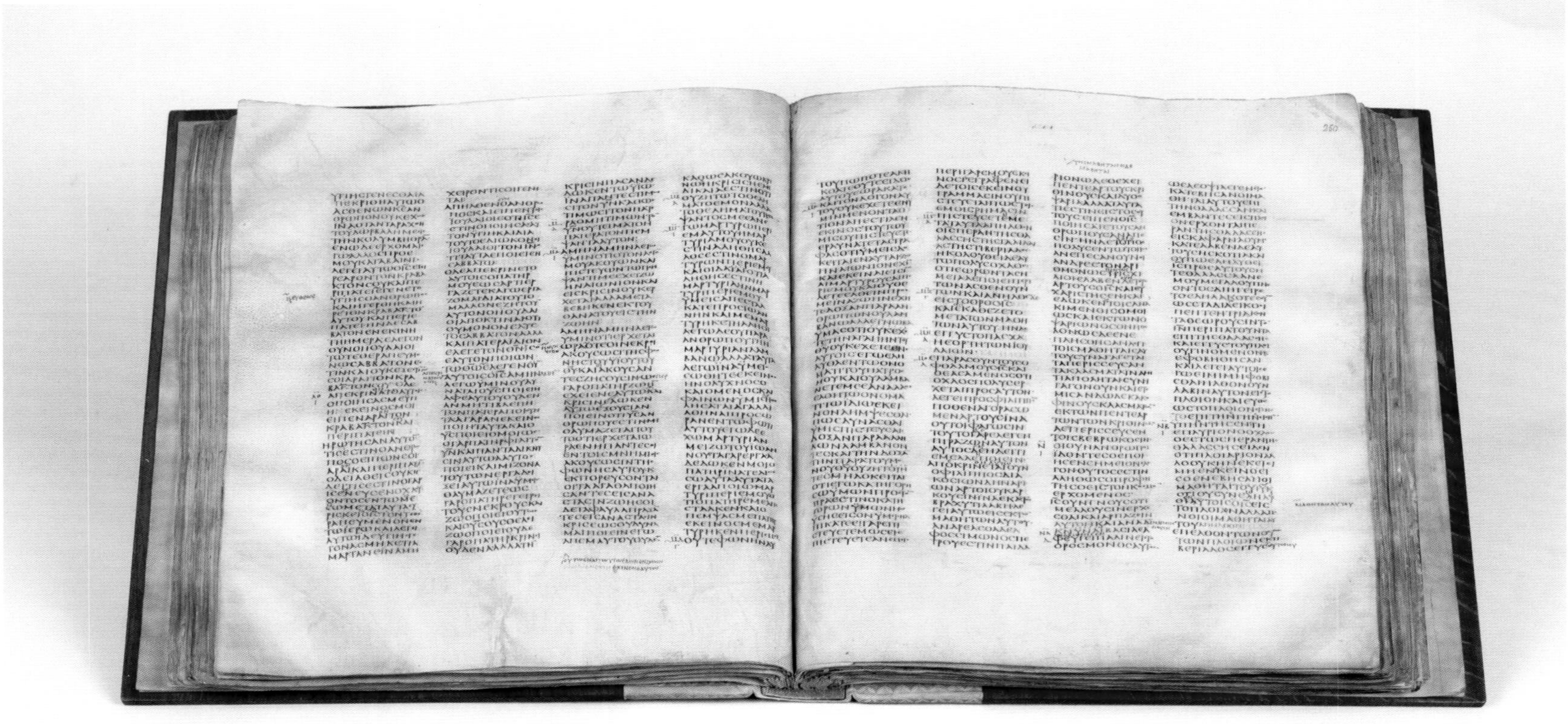

Fig. 3 | Het oudste bewaard gebleven volledige Nieuwe Testament, met de Griekse tekst in vier kolommen op elke pagina (Johannes 5-6). Codex Sinaïticus, Egypte of Palestina?, 4e eeuw, additioneel 43725, ff. 249v-250.

Schrift. De inhoud van dit manuscript gaf aan wat door de christelijke kerk was goedgekeurd, zoals opnieuw vastgesteld door keizer Constantijn de Grote in de eerste helft van de vierde eeuw. Na zo veel jaren van vervolging door de Romeinse autoriteiten en dreigingen van een intern schisma, hadden de christenen eindelijk een fysiek én principieel boek van de heilige Schrift. Om deze belangrijke stap in de geschiedenis van de Bijbel te laten slagen moest ook de technologie van het boek zich verder ontwikkelen; papyrus werd vervangen door het stevigere perkament en de boekbanden werden complexer en veerkrachtiger. Door deze vooruitgang kon de canon van de Heilige Schrift in daaropvolgende eeuwen verder worden gereviseerd.

Het gebruik van perkament had vooral belangrijke gevolgen voor het uiterlijk van Bijbelse manuscripten. Omdat perkament was gemaakt van dierenhuid, was het oppervlak gladder dan dat van papyrus en kon je er niet alleen op schrijven maar ook pigment op aanbrengen. Bijbelse teksten konden door de zorgvuldige lay-out van elke bladzijde, de verfijnde kalligrafie en verwoording plechtiger gepresenteerd worden. Een scherpe punt gaf aan waar regels moeten worden gelinieerd, ofwel in een droge punt (zonder een inktlijn), ofwel in grafiet, lood of inkt. Daarna werd de Bijbelse tekst geschreven met de veren van ganzen, zwanen of andere vogels. Van de veer werd een stuk afgesneden om een puntig uiteinde te krijgen. Schrijvers gebruikten ook een mes om fouten van het perkament te schrapen. De inkt was gemaakt van roet, ijzerzout of tannine van galappels (uitwas ontstaan door de steek van de galwesp), vermengd met gom en water. Deze facetten van het werk van de schrijver zien we op de portretten van de evangelisten die in dit boek staan, van Matteüs in het Lindisfarne Evangeliarium (zie ill. 2.1) tot Marcus en Johannes in het Evangeliarium van kardinaal Gonzaga (zie ill. 43.1-43.2)

Een bijbel in groot formaat met een of meerdere delen, zoals de Codex Sinaiticus en

verschillende andere bijbels die in dit boek zijn beschreven, was echter niet de meest voorkomende vorm van de Bijbel die tijdens het manuscriptentijdperk werd vervaardigd. Het meest voorkomende boek tijdens deze periode van vijftienhonderd jaar was niet de volledige Bijbel, maar een deel ervan. Dit vindt de moderne eigenaar van een bijbel misschien vreemd. Toch was in die periode regelmatig gebruik belangrijker bij de bepaling welke boeken werden vervaardigd, want elk woord werd nauwgezet met de hand gekopieerd, en er waren hoge kosten en hard werk mee gemoeid. Alleen de rijkste leden van de adel of notabelen konden zich de prijs veroorloven die koning Eduard IV betaalde voor de Bijbelse manuscripten die in circa 1479 (zie no. 42) voor hem werden voltooid. Naar huidige maatstaven zou het kopiëren, verluchten en het binden van deze delen tweemaal het jaarloon van een vakman hebben gekost. Hoewel gevoelig voor traditionele overdrijving en individuele speciale betogen hebben veel schrijvers voor zichzelf sprekende verklaringen nagelaten over de persoonlijke lasten bij het maken van een manuscript. In de Silos Beatus uit het eind van de elfde eeuw (no. 15) bijvoorbeeld, lezen we:

> Mijn boek is voltooid … Het was voor de schrijver zwoegen; voor de lezer zal het opbeurend en verfrissend zijn. Het schrijven kost de schrijver kracht, terwijl de lezer zijn geest voedt. Dus als u ook maar iets verwerft door dit werk, vergeet dan niet de hardwerkende schrijver … Degenen die niet kunnen schrijven, denken dat het geen moeite kost. Maar als u wilt weten hoeveel werk het is, zal ik u zeggen hoe zwaar de last is. Het brengt duisternis in je ogen, breekt je rug, vernielt je ribben en maag, je nieren doen pijn en je krijgt een hekel aan je lichaam … Zo zoet als thuis de port is voor de zeeman, is de laatste regel voor een schrijver. Het einde. Voor altijd dank aan God.

De vervaardiging van Bijbelse manuscripten moest passen bij het gebruik ervan en dat resulteerde in duizenden kopieën van de meest gangbare Bijbelse teksten. De vier evangeliën was het meest voorkomende christelijke boek, of om de verschillende fragmenten van elke tekst te behouden of om geselecteerde passages te herschikken zodat ze gelijk waren aan de versies die in het kerkelijk jaar werden gebruikt om een lectionarium te vormen. (Alleen al van de Griekse evangeliën zijn meer dan tweeduizend kopieën overgebleven.) De vier evangeliën werden ook samengevoegd tot een enkele beschrijving die bekend staat als een evangeliënharmonie of diatesseron. Hoewel de Diatessaron van Tatianus in de tweede eeuw als ketters werd beschouwd, deden samengevoegde versies van de evangeliën de ronde tijdens de middeleeuwen; ze zijn bewaard gebleven in werken als de *Bible historiale* van Eduard IV (no. 42). Ook psalters zijn talrijk. Kopieën van de Psalmen geven het dagelijks gebruik in de monastieke liturgie weer. In dit boek staan negen voorbeelden, variërend van het Vespasiaanse Psalter (no. 3) van de achtste eeuw tot het sint Omer Psalter (no. 33) uit de veertiende eeuw. Openbaring of Apocalyps verscheen ook in aparte delen of werd samengevoegd met verschillende Bijbelse of niet-Bijbelse teksten. Van de circa driehonderd overgebleven kopieën van de Griekse tekst van Openbaring, staan er meer dan veertig in niet-Bijbelse compilaties. Het boek Openbaring in het elfde-eeuwse Silos Beatus (no. 15) werd samen met het boek Daniël gekopieerd; in de Welles Apocalyps uit de veertiende eeuw (no. 31) verscheen het tegelijkertijd met een religieuze verhandeling. Net zoals in deze twee werken en een dertiende-eeuwse Apocalyps (no. 27) werd Openbaring in het Westen meestal

tie achaie. et in ministerium sanctorum ordinaverunt se ipsos. ut et vos subditi sitis eiusmodi et omni cooperanti et laboranti. Gaudeo autem in presentia stephane et fortunati et achaici. quoniam id quod vobis deerat ipsi suppleverunt. Refecerunt enim et meum spiritum et vestrum. Cognoscite ergo qui eiusmodi sunt. Salutant vos ecclesie asie. Salutant vos in domino multum aquila et prisca cum domestica sua ecclesia apud quos et hospitor. Salutant vos omnes fratres. Salutate vos invicem in osculo sancto. Salutatio mea manu pauli. Si quis non amat dominum nostrum ihesum christum: sit anathema. Gratia domini nostri ihesu christi vobiscum. Caritas mea cum omnibus vobis in christo ihesu amen.

fortunati et achaici. i. quia plures apud vos fecerunt exemplum nobis est. per sed non subditi. quoniam ipsi suppleverunt. deerat. id quod vobis deerat et multo gaudeo. refecerunt enim et meum spiritum et vestrum. meum utique letitia: vestrum caritate. Et ita. Gaudeo in presentia stephane et fortunati et a. i. quia tu venerunt, pro hoc ministraverunt mihi quod non fecistis et vestro. gaudeo. et e. f. in. quia sancti pavit et vestrum. quibus apostolum suaverunt. Cognoscite ergo. i. ignorare nolite los. quia sancti ei sunt. Salutant vos ecclesie asie. qui quod ego scribo omnes desiderant. Salutant vos multum in domino. aquila et prisca. apud quos et hospitor. c. d. s. e. i. fratrum congregatione. apud quos et hos. salu. u. f. o. Salutate. in signum pacis et hoc in os. s. s. vos condere et ut sciant eius hanc esse epistolam: subditur. Salutatio mea. scripta est manu. per hoc salutatio est. ubi gratia domini. hoc per mittere similiter in manu sua scripturam. Si quis. et c. qui fideles salvo. hoc sicut non amat. dominum nostrum ihesum christum sit anathema. i. separatus a deo christo condempnatus maranatha. i. donec veniat dominus in adventu domini. Maranatha enim interpretatur. dominus venit et est compositum ex siro et greco. magis per siro est quod hebraicum. Anathema vero grece interpretatur condempnatus et separatus. similiter grece ex siro et siro intelligitur. deinde sequitur salutatio. Gratia d. n. ihesu christi. sit vobiscum et caritas mea

sit cum omnibus vobis. i. et caritate vos invicem domini diligite. quia vos ego in domino diligo et hoc facite. in christo ihesu. i. per amorem christi. amen. hic sermo confirmatio est benedictionis.

ostendit. penitentiam consolationem scribit eis adde per tantum et collaudans hortatur ad meliora. contristatos quidem eos. hoc emendatos ostendens.

Paulus apostolus ihesu christi per voluntatem dei. et timotheus frater ecclesie dei que est corinthi cum sanctis omnibus qui sunt in universa achaia. gratia vobis et pax a deo patre nostro et domino ihesu christo.

Paulus et c. hanc epistolam scribit apostolus corinthiis quia quidam per precedentem epistolam et si primo contristati. postea tamen emendati fuerant et multa pro nomine christi passi. aliqui vero eorum adhuc pertinaciter apostolum despiciebant et eius pseudo apostolos preferebant. Quibusdam ergo corinthiorum per primam epistolam correptis. ea reliquis scribit hanc epistolam secundam. repellens pseudo apostolos ostendendo deceptionem predicationis eorum et se in multis in omnibus commendans. Notat et illos in elemosinis pastores. precipit quod correctum fornicatorem recipiant. quod sathane tradidit. et quia in tribulationibus sibi tulerit. se eis in exemplum patientie proponit. docens eos non debere egre ferre. quod ipse pastor salute predictis cotidie et morti subiaceat. Est igitur intentio eius in hac epistola incorrectos corrigere. et correctos ad utilia provocare. et pseudo cum sui commendatione deprimere. Modus tractandi talis est. more solito salutationem premittit. deinde bonis per gratiam collatis gratias deo agit. loquens perfectis. postea ad passionis tolerantiam suo exemplo invitat. postea pseudo apostolos deprimendo redarguit. detegens vitia eorum et se in multis in omnibus commendat. tandem subditur moralis admonitio. cum tractatione benedictionis premittens a salutatione. contra pseudo scribit paulum et contra eorum presumptionem. apostolum se notat. dicens. Paulus apostolus christi ihesu. non usurpative. sed per voluntatem dei. non hominum quia non ab hominibus fuit electus et missus. et thimotheus frater. qui fuit cum prima epistola ad corinthios et renuntiavit apostolo omnia. quod fiebant apud illos.

Fig. 4 | Glos brieven. Paulus houdt een rol vast met de titel van zijn brief *Ad Corinthos*, aan het begin van 2 Korintiërs, in Petrus Lombardus, commentaar op de Paulus' brieven, Parijs?, ca. 1200, Royal 4 E. ix, f. 84v.

gekopieerd met en in hetzelfde werk als een verklarend commentaar, als het niet was gekopieerd met de rest van de Vulgaat. De meeste overgebleven Griekse kopieën van Openbaring bevatten ook of staan in verband met een commentaar. In het Westen hadden veel kopieën van een apart boek of een aantal boeken van de Bijbel, zoals de Psalmen, de evangeliën of de brieven van Paulus, ook een commentaar. Twee van de meest voorkomende commentaren zijn de *Glossa Ordinaria* en *Magna Glossatura* (fig. 4), maar kopieën van deze teksten zijn zelden zo verlucht als de boeken die in dit boek staan.

Andere manuscripten bevatten kleine tekstuele groepjes, zoals de eerste vijf, zes of acht boeken van het Oude Testament, die bekend staan als Pentateuch, Hexateuch en Octateuch, naar het Grieks voor het relevante nummer, gevolgd door *τεῦχος* ('deel'). In dit boek staan voorbeelden van de Oudengelse Hexateuch uit de elfde eeuw tot de Ethiopische Octateuch uit het eind van de zeventiende eeuw (no. 11 en 45). In de Byzantijnse traditie zijn er vierhonderd manuscripten die alleen Handelingen en de katholieke brieven bevatten. Net zo algemeen zijn delen die bekend staan als *Praxapostoloi*, waarin alleen Handelingen, de katholieke brieven en de brieven van Paulus staan. Lezingen uit het Oude Testament en Profeten werden samengevoegd in een deel dat de *Prophetologion* heet, en in het Apostolos lectionarium staan lezingen uit Handelingen en de brieven. In het Westen stonden lezingen uit verschillende boeken uit het Nieuwe Testament in een apart deel, een zogenoemd epistolarium. Veel wetenschappelijk commentaar concentreerde zich ook op geselecteerde Bijbelse teksten, zoals in de *Historia scholastica* van Petrus Comestor († 1178) en de oudste versie van de *Bible historiale* (zie no. 36). En zelfs als het werk zowel tekst uit het Oude als het Nieuwe Testament overnam, bevatten sommige kopieën slechts een bepaald deel van de tekst, zoals in de vijftiende-eeuwse Nederlandse Historiebijbel (no. 41). Eigenlijk zijn veel van de zogenaamde Bijbels met veel illustraties slechts omschrijvingen. De teksten van de *Bible moralisée* en *Biblia pauperum* bijvoorbeeld richten zich op de moraliserende en typologische interpretaties van de Bijbel (no. 26 en 38). Bij de illustraties in de Holkham Bijbels prentenboek en de Paduaanse Platenbijbel (of *Bibbia istoriata*) staan slechts korte bijschriften (no. 32 en 37).

Als we manuscripten tegenkomen waarin de volledige Bijbel staat, dan moeten we de reden achter de vervaardiging ervan leren begrijpen. De grote eendelige Bijbels, of verzamelwerk, gemaakt in Northumbrië in opdracht van abt Ceolfrid en in Tours in opdracht van keizer Karel de Grote en zijn opvolgers, kwamen tot stand om de politieke ambities van hun geldschieters in gang te zetten en om de Bijbelse tekst te behouden (zie de Moutier-Grandval Bijbel, no. 6). Als je met zulke toonbeelden van hoog artistiek niveau en culturele elegantie wordt geconfronteerd, moet je wel onder de indruk raken van en bewondering hebben voor de makers ervan. De enorme Romaanse bijbels getuigen van de macht en welvaart van de grote kloosters waarvoor ze werden vervaardigd, en van het belang van de Bijbel in het leven van de monniken (zie no. 16, 21-23). De Grote Bijbel in de bibliotheek van het Engelse koningshuis, met bladzijden van ruim 60 centimeter, is heel bijzonder, en doet denken aan de ambitie en rijkdom van het Huis van Lancaster (no. 39).

Kleine bijbels moeten we heel anders uitleggen. De zogenoemde zakbijbels die werden gemaakt in de dertiende eeuw, lijken te zijn ontstaan om zich te richten op de specifieke context van de preek en de evangelische missie van de fraters. Een volledige en draagbare bijbel was een groot voordeel. Een bijbel die je kon meenemen

was belangrijk, dus was de druk klein en het papier licht en dun, net zoals bij moderne bijbels. Hoewel er veel illustraties in deze zakbijbels staan, zijn ze aanzienlijk kleiner en meer gericht op massaproductie. Daarom maken ze geen deel uit van dit boek. Maar hun invloed is te zien in grotere bijbels in Bologna en Napels uit de dertiende en veertiende eeuw (zie no. 28 en 34). Het is opvallend dat de vervaardiging van volledige bijbels alleen ontstond in West-Europa. Uit de Byzantijnse wereld bijvoorbeeld zijn slechts zeven volledige Griekse bijbels bekend. Hoewel de Armeense traditie een groter aantal van zulke boeken vervaardigde, is het totale aantal volledige bijbels van de oosterse kerk te verwaarlozen in vergelijking met dat van het Latijnse Westen.

Tegenwoordig vinden we het Bijbelse verwijzingssysteem met hoofdstuk- en versindeling heel gewoon, maar dit systeem werd in het tijdperk van manuscripten nauwelijks gebruikt. De nummering van evangeliedelen werd in een vroege periode geïntroduceerd en verder ontwikkeld door de christelijke schrijver Eusebius († 340). Zijn tien canontafels hadden het nummeringssysteem dat wordt toegekend aan Ammonius van Alexandrië, zodat dezelfde episodes in de vier teksten konden worden vergeleken, zoals we hebben gezien in het gouden Harley Evangeliarium (zie fig. 6), de Londense Canontafels, het Lindisfarne Evangeliarium, de Royal Canterbury Bijbel en het Armeense Evangeliarium (zie no. 1 en ill. 2.4-2.5, 5.2 en 44.1). Ook Psalmen werd al vroeg genummerd, en dankzij een redactioneel systeem, dat wordt toegekend aan Euthalius, werden in Griekse manuscripten van Handelingen en de brieven hoofdstuknummers gezet (zie het Guest-Coutts Nieuwe Testament, no. 9). Andere indelingssystemen van Bijbelse teksten door koppen of nummers werden in individuele kopieën gezet of gebruikt door individuele commentatoren maar ze konden gezien de verschillende toegepaste methoden, nauwelijks worden gebruikt als vergelijkingsmateriaal. Pas in het begin van de dertiende eeuw begonnen leraren en studenten aan de Universiteit van Parijs met het ons bekende gestandaardiseerde systeem van hoofdstuknummering (zie de Bolognezer Bijbel, no. 28). Dit verwijzingssysteem van Bijbelse teksten, vaak toegeschreven aan Stephen Langton († 1228), de aartsbisschop van Canterbury, bleef het belangrijkste middel tot de introductie van versnummers. Robert Estienne gebruikte de versnummers voor zijn Franstalige editie van de Bijbel, die in 1553 in Genève werd gedrukt.

Net zoals moderne bijbels werden Bijbelse manuscripten voor verschillende doeleinden gebruikt. In de mis werden de voorgeschreven passages uit de evangeliën en de brieven gelezen door de voorganger uit evangeliaria, evangelielectionaria, de brieven of, in het Westen, uit toepasselijke delen van misboeken. Belangrijk voor de wekelijkse recitatie van alle psalmen tijdens het westerse heilige officie waren het psalter of dat andere boek met de volledige psalmen, het brevier. In kloosterrefters in heel Europa werd de dagelijkse maaltijd begeleid door voorgeschreven lezingen uit de Bijbel om het spirituele welzijn van de gemeenschap te voeden. Grote bijbels zoals de moderne kanselbijbels konden gemakkelijk worden gelezen bij de liturgie, bijeenkomsten, maaltijden en onderricht. Kleine manuscripten, die gemakkelijk in de hand lagen, kon men waar dan ook gebruiken voor bezinning of studie of om zelf iets te lezen. Bovendien kon men ze gebruiken om bij formele of informele bijeenkomsten te preken. Die draagbaarheid zorgde ook voor een directe verbinding tussen een individuele tekst en een kopie van de Bijbelse tekst. Deze intieme relatie moedigde volgende generaties soms aan om een talisman-achtige kracht aan een bepaald manuscript toe te kennen, zoals in het geval van het sint Cuthbert evangelie van Johannes (fig. 5) uit het begin van de achtste eeuw. Het oudste boek uit West-Europa dat met een onbeschadigde band is overgebleven, dankt zijn staat aan de associatie met de grote heilige uit Northumbrië, en het verslag van de ontdekking toen zijn kist in 1104 in Durham werd geopend.

Fig. 5 | Het oudste ongeschonden Europese boek, met zijn originele leren omslag waarop een gestileerd ontwerp. Het st. Cuthbert evangelie, Wearmouth-Jarrow, vroeg-achtste eeuw, additioneel 89000, voorplat (op ware grootte).

De verluchting van de Bijbel

In de christelijke wereld hebben schrijvers en kunstenaars meer dan duizend jaar lang Bijbelse manuscripten verfraaid en geïllustreerd om de heilige tekst in detail uit te werken. De rijkelijkst uitgevoerde werken worden nu 'verlucht' genoemd als ze zijn verlevendigd met gouden of zilveren applicaties en geschilderde of getekende decoraties of illustraties. In de vroegmiddeleeuwse periode waren de meeste schrijvers en illuminatoren monniken of klerken: een paar die de boeken hebben geschreven die in dit boek staan, worden bij naam genoemd (Eadfrith, no. 2; Theodorus, no. 14; Dominicus en Munnio, no. 15; en Goderannus en Ernesto, no. 16). In de latere middeleeuwen werden deze werkzaamheden meestal overgenomen door commerciële lekenschrijvers en -kunstenaars, waarvan in grote steden velen samenwerkten in een los genootschap of partnerschap. Het bewijs voor deze samenwerking is duidelijk voor de meeste latere manuscripten in dit boek door de verschillende stijlen in hetzelfde manuscript, of zelfs in dezelfde miniatuur. Deze artistieke partnerschappen komen duidelijk naar voren in manuscripten uit veel belangrijke boekproducerende centra: Londen (De Grote Bijbel, no. 39); Parijs (de *Bible historiale* van Karel van Frankrijk, no. 40); Utrecht (de Nederlandse Historiebijbel, no. 41; Rome (het evangelieboek van kardinaal Francesco

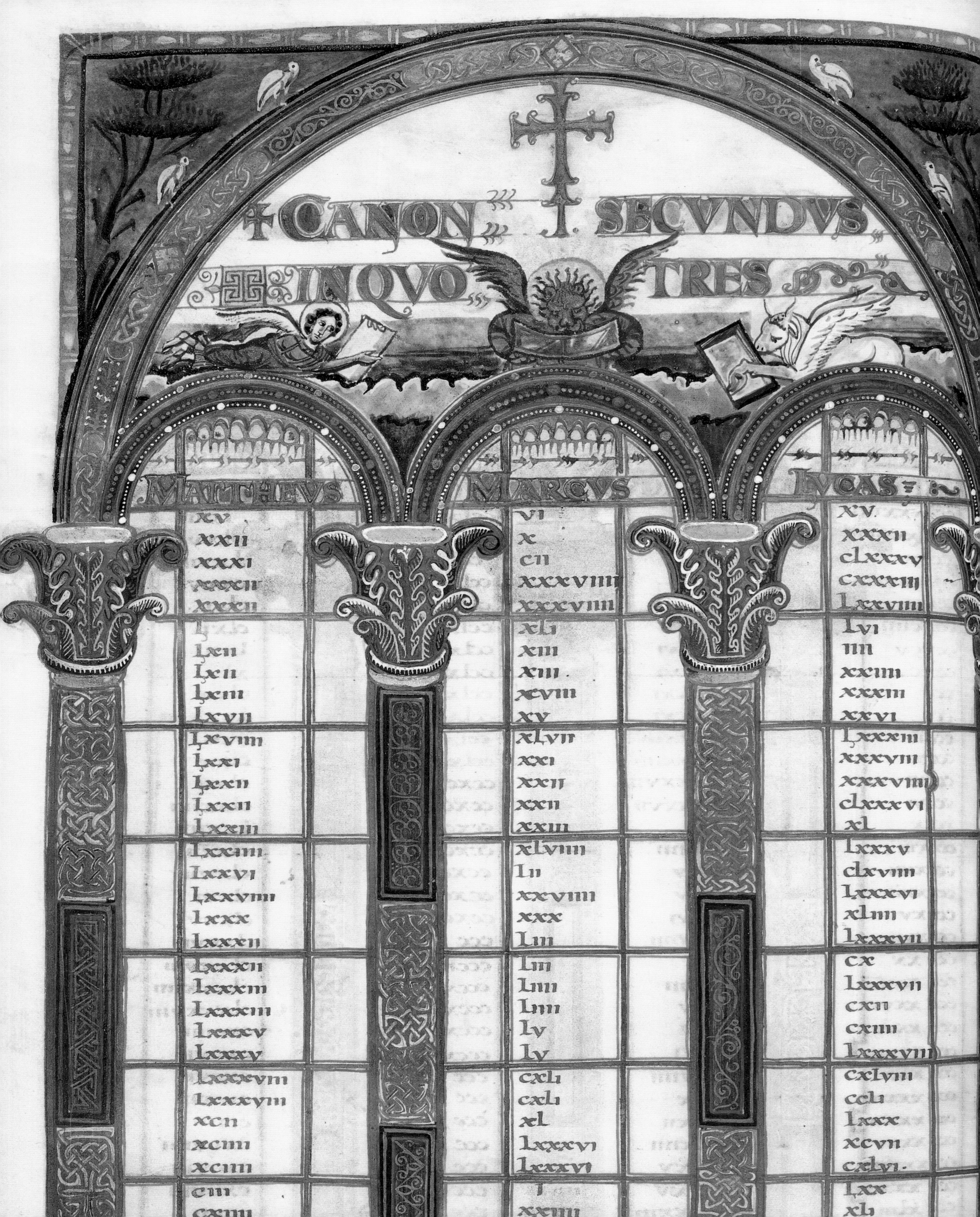

MATTHEUS	MARCUS	LUCAS
xv	vi	xv
xxii	x	xxxii
xxxi	cii	clxxxv
xxxii	xxxviii	cxxxiii
xxxii	xxxviii	lxxviii
[illegible]	xli	lvi
lxii	xiii	iiii
lxii	xiii	xxiiii
lxiii	xviii	xxxiii
lxvii	xv	xxvi
lxviii	xlvii	lxxxiii
lxxi	xxi	xxxviii
lxxii	xxii	xxxviii
lxxii	xxii	clxxxvi
lxxiii	xxiii	xl
lxxiiii	xlviii	lxxxv
lxxvi	lii	clxviii
lxxviii	xxviii	lxxxvi
lxxx	xxx	xliiii
lxxxii	liii	lxxxvii
lxxxii	liii	cx
lxxxiii	liiii	lxxxvii
lxxxiii	liiii	cxii
lxxxv	lv	cxiiii
lxxxv	lv	lxxxviii
lxxxviii	cxli	cxlviii
lxxxviii	cxli	ccli
xcii	xl	lxxx
xciiii	lxxxvi	xcvii
xciiii	lxxxvi	cxlvi
ciii	i	lxx
cxiiii	xxiiii	xli

Fig. 6 | Canontafel 2, getiteld *Canon secundus in quo tres*: de drie symbolen van een man, een leeuw en een os staan boven de kolommen van hun respectievelijke evangelisten, Matteüs, Marcus en Lucas, met vogels en planten in de boogvullingen. Het gouden Harley Evangeliarium, no. 4, f. 7v (detail).

Gonzaga, no. 43); en het centrum van luxe boekproductie aan het eind van de vijftiende eeuw: Brugge (de *Bible historiale* van Eduard IV, no. 42). Documenten bewijzen dat veel van deze kunstenaars werkten met een verscheidenheid aan middelen, maar het is vooral hun schilderkunst in boeken die overleeft en ons een glimp geeft van de grote kunstzinnigheid van de middeleeuwen. Een van de opvallendste aspecten van bijbeldecoratie is het gebruik van verschillende soorten gestileerde kalligrafie om de tekst te versieren waarbij individuele letters, en soms hele woorden, elementen van ontwerp worden. In veel Latijnse manuscripten wordt de initiaal van elk Bijbels boek vergroot en versierd, vaak met decoratieve panelen en vormen, zoals in het Lotharius Psalter (zie ill. 7.4), en het Melisende-Psalter, gemaakt in Jeruzalem (zie ill. 19.2). Een heel opvallend voorbeeld van deze detaillering is te zien in het bekende Lindisfarne Evangeliarium. Hierin vullen de eerste woorden van elk evangelie en van Hiëronymus' brieven bijna de hele bladzijde, en ze zijn gedecoreerd met complexe patronen (zie fig. 2 en ill. 2.3). Deze stijl hield men aan tot in de vroegmoderne tijd, zoals we zien aan de initiaal gemaakt van de evangelistensymbolen aan het begin van het Johannesevangelie in een zeventiende-eeuws Armeens Evangeliarium (ill. 44.4). Zo worden hele woorden soms ook verfraaid als 'woordpanelen', vooral in Angelsaksische manuscripten, zoals het Vespasiaanse Psalter (zie ill. 3.2-3.5), maar ook in het Armeense Evangeliarium (zie ill. 44.4).

Het gebruik van kostbare materialen

In de meest luxueuze codices wordt de Bijbelse tekst verlevendigd door goudinkt of bladgoud. De inkt was een mengsel van poedergoud met gom, ook wel bekend als 'schelpgoud' omdat het net als andere pigmenten vaak werd bewaard in mosselschelpen. Schelpgoud werd gebruikt om de tekst te kopiëren, zoals in twee handschriften waarin de gehele tekst met goud is geschreven: het Lotharius Psalter (no. 7) en het gouden Harley Evangeliarium (no. 4). In het Griekse psalter beschrijft Theodorus zijn boek als geschreven (*γραφὲν*) en geschreven met goud (*χρυσογραφηθέν*). In andere werken werd soms ook zilverinkt gebruikt. In de Angelsaksische Canterbury Royal Bible (zie ill. 5.1) zijn zilver en goud op paars geschilderde bladen gebruikt om belangrijke stukken te markeren. En in de Londense Canontafels (no. 1) lijkt het goud op het perkament te zijn geschilderd.

In de meeste manuscripten komt goud vaker voor dan bladgoud. Het werd geplakt met kalk of gom en gepolijst met een gladde steen of dierentand. Het resultaat is spectaculair, zoals we zien op de achtergrond en in de details van de verluchte bijbels uit de Karolingische tijd. Deze illustraties zijn niet dof geworden en glanzen eeuwen nadat ze werden gemaakt, nog steeds. In een christelijke context onderstreept het gebruik van waardevolle materialen het belang en de kostbaarheid van de tekst. De gouden achtergrond schept een hemelse omgeving en plaatst de figuren in een spirituele sfeer. De glanzende achtergrond van de evangelisten en andere portretten van auteurs in Byzantijnse en westerse manuscripten benadrukken de goddelijke inspiratie van de teksten, zoals in het Guest-Coutts Nieuwe Testament (no. 9), het Harley Echternach Evangeliarium (no. 12) en het Burney Evangeliarium uit Constantinopel (no. 18).

De pigmenten die als verf werden gebruikt, konden duur en zeldzaam zijn. Mesrop van Hizan (bloeitijd 1603-1652), die het prachtige Armeense Evangeliarium in Isfahan verluchtte (no. 44), schreef dat hij 'lapis lazuli en allerlei pigmentsoorten' gebruikte. In de middeleeuwen was lapis lazuli alleen verkrijgbaar in wat nu

ΑΥΤΟΝΑΥΤΟΥΣΔΙΕΣΤΗΑΠΑΥ
ΤΩ̄ΚΑΙΑΝΕΦΕΡΕΤΟΕΙΣΤΟΝ
ΟΥΝΟΝ·ΚΑΙΑΥΤΟΙΠΡΟΣΚΥΝΗ
ΣΑΝΤΕΣΑΥΤΟΝΥΠΕΣΤΡΕΨΑ
ΕΙΣΙΛΗΜΜΕΤΑΧΑΡΑΣΜΕΓΑΛΗΣ
ΚΑΙΗΣΑΝΔΙΑΠΑΝΤΟΣΕΝΤΩΙΕΡΩ
ΤΕΣΚΑΙΕΥΛΟΓΟΥΝΤΕΣΤΟΝ
ΘΝ ΑΜΗΝ

ΕΥΑΓΓΕΛΙΟΝ · ΚΑΤΑ ΛΟΥΚΑΝ

Fig. 7 | De oudst bekende kopie van de gehele canon in het Grieks. Gestileerde bomen bij het slot van het Lucasevangelie, in Codex Alexandrinus, Constantinopel of Klein-Azië, 5e eeuw, Royal 1 D. viii, f. 41v (detail).

Afghanistan is, niet ver van Isfahan. Het stond ook bekend als ultramarijn (letterlijk: 'overzee'), wat duidde op de exotische bron ervan. Tot de komst van niet-invasieve technologieën zoals de Raman spectroscopie was het moeilijk te bepalen of het blauw dat werd gebruikt in manuscriptillustraties lapis, het goedkopere azuriet of de plant was in plaats van het mineraal. Met het blote oog is daartussen geen onderscheid te zien. Misschien hebben kunstenaars vanwege de gelijkenis met en de kosten van lapis het blauw uit verschillende bronnen vermengd om kleurlagen aan te brengen in hetzelfde miniatuur.[3] Wellicht was het in de eerdere periode ook moeilijk om aan lapis te komen en was het duurder. Het blauw in het Lindisfarne Evangeliarium (no. 2) bijvoorbeeld is gemaakt van de wede of indigoplant, en niet van een mineraal.[4]

Het doel van illuminatie

Decoratieve en verluchte kalligrafie is in heilige teksten van andere religies aanwezig, maar onder de abrahamitische godsdiensten zijn in grote kopieën alleen de christelijke geschriften ook uitgebreid geïllustreerd. Binnen de joodse traditie is figuratieve kunst beperkt gebleven tot bepaalde boeken en Bijbelse commentaren (nooit de Thora), gebaseerd op een strikte interpretatie van het tweede gebod tegen afgodsbeelden en gelijkenis (Exodus 20:4). Ook de kunst in de Koranmanuscripten is uitgedrukt in heilige kalligrafie en decoratieve patronen en motieven in plaats van menselijke of dierlijke afbeeldingen. Maar in zowel het westerse als het oosterse christendom is bijna elk type decoratie mogelijk, of het nu gaat om individuele verhalende beelden in brieven, letterlijke of allegorische afbeeldingen, of een verhalend Bijbels prentenboek waarin de tekst minimaal is.

Bovendien lijkt deze illuminatiemethode al vroeg te zijn begonnen. De eerste decoratie in een christelijke bijbel komt voor in de oudst overgebleven complete kopie van de gehele canon: Codex Alexandrinus, die dateert uit de vijfde eeuw.[5] In deze Griekse bijbel bevatten de 'slotstukken' of decoratieve panelen aan het eind van elk boek gestileerde afbeeldingen van planten en bomen (fig. 7) of een eucharistiesymbool zoals een kelk met druiven erin. Een ander vijfde- of zesde-eeuws Grieks manuscript (de Cotton Genesis, nu zeer beschadigd door brand, fig. 8) moet, met meer dan driehonderd illustraties, oorspronkelijk een van de rijkst geïllumineerde teksten van het boek Genesis zijn geweest. De Londense Canontafels (no. 1) werden geschilderd omstreeks de tijd dat paus Gregorius de Grote (ca. 540-604) de bisschop van Marseille kastijdde voor de vernieling van heiligenbeelden in diens kerk. Inderdaad, Gregorius moedigde het gebruik van afbeeldingen actief aan; hij stelde afbeeldingen gelijk aan boeken die ongeletterden konden lezen (*in ipsa legunt qui litteras nesciunt*).[6] En misschien kunnen we dit argument gebruiken voor geïllustreerde manuscripten die werden gemaakt voor weldoeners die zich niet helemaal thuis voelden in het Latijn, zoals de Harley *Bible moralisée*, met honderden afbeeldingen (no. 26), of de Engelse Apocalyps, met zijn grote en prachtige illustraties van de Bijbelse tekst Openbaring (no. 27). Maar belangrijker nog was dat Gregorius duidelijk maakte dat er onderscheid is tussen 'een beeltenis vereren en leren wat er moet worden vereerd door het verhaal ervan' (*aliud est enim picturam adorare, aliud per picturae historiam quid sit adorandum addiscere*). Daarmee rechtvaardigde hij de verwerking van afbeeldingen in bijbels, Bijbelse commentaren en devotionele en liturgische werken.

Maar in het oosten was dit punt meer omstreden. In 726 verklaarde de Byzantijnse keizer Leo III de Isauriër (r. 717-741) dat

NOTEN

3 Spike Bucklow, 'A Tale of Two Blues', in *The Cambridge Illuminations*: The Conference Papers, red. Stella Panayotova (Londen, 2007), pp. 205-214.

4 Katherine Brown, 'Pigment Analysis by Raman Microscopy', in Michelle Brown, *The Lindisfarne Gospels: Society, Spirituality and the Scribe* (Londen, 2003), appendix I.

5 Royal 1 D. v–viii.

6 *PL*, 77, 1128.

alle beeltenissen afgodsbeelden waren en hij beval hun vernietiging in wat nu bekend staat als iconoclasme (letterlijk: het breken van iconen). Na perioden waarin dit beleid tijdelijk minder streng werd opgevolgd of ingetrokken, kwam er in 842 definitief een eind aan toen keizerin Theodora de troon besteeg (r. 842-856). Zij gaf toestemming om beelden of beeltenissen te vereren. Deze gebeurtenis wordt in de oosterse kerk nog steeds op de eerste zondag van de vastentijd gevierd als de Triomf van de Orthodoxie. De reden van de herintroductie van beeldenverering werd in 787 bekend gemaakt tijdens het Tweede Concilie in Nicea, dat verklaart dat:

> men ze [iconen] verering mag verlenen; niet de ware verering van ons geloof, dat slechts de goddelijke aard toekomt, maar dezelfde verering die wordt geboden aan de vorm van het kostbare levengevende kruis, aan de heilige evangeliën en aan andere aan heiligheid toegewijde voorwerpen.[7]

Het uitermate verfijnde schilderwerk in het tiende-eeuwse Guest-Coutts Nieuwe Testament (no. 9) is een sprekend staaltje van de kwaliteit van geïllumineerde Bijbelse boeken die na deze gebeurtenissen in de oosterse hoofdstad werden gemaakt. Een ander voorbeeld van het succes van iconenvereerders is het Theodorus Psalter, waarin zelfs portretten staan van de belangrijke figuren die in de marge discussiëren (zie ill. 14.2). Bovendien tonen beide boeken de conservatievere benadering van de stilistische verandering in het Oosten, in vergelijking met de veel grotere variëteit aan onderwerpen en voorstellingen in de westerse voorbeelden in dit boek.[8]

Soorten illuminaties

Deze theologische acceptatie van afbeeldingen in beide tradities ondersteunt de ontwikkeling van een grote verscheidenheid aan decoratievormen in bijbels. Bovendien kon kalligrafische verfraaiing, zoals de eerste letters van woorden, vooral aan het begin van Bijbelse boeken of belangrijke psalmverdelingen, worden 'gehistorieerd' met illustraties die het verhaal van de tekst weergeven of becommentariëren. Het eerste westerse voorbeeld hiervan komt voor in het Vespasiaanse Psalter, dat werd gemaakt in Kent, waarin afbeeldingen van dieren tussen de letters werden geplaatst (zie ill. 3.4-3.5) en van David in de vorm van de letter zelf (zie ill. 3.2-3.3). Deze gehistorieerde initialen werden in de achthonderd jaar erna al snel gemeengoed in luxe Bijbelse codices, bijvoorbeeld in het twaalfde-eeuwse Winchester Psalter (zie ill. 20.2) en de grote vijftiende-eeuwse Grote Bijbel (zie ill. 39.1-39.6). Sommige letters, zoals de 'I' leenden zich voor gehistorieerde initialen met meerdere lagen oftewel 'ladder' initialen. Dat gold ook voor meerdere scènes, zoals in de 'I'(*n*) voor het boek Genesis in de Stavelot en Worms bijbels (zie ill. 16.2-16.3, 21.2), of sterk verkleind in Parijse zakbijbels, of vergroot in de 'I'*(n) illo tempore* ('In die tijd') waarmee elke lezing in het Sainte-Chapelle evangelielectionarium begint (zie ill. 29.1-29.4). In codices zonder bladzijdenummering heeft deze decoratie ook een functie als zoekmiddel voor de verschillende boeken of verdelingen van de tekst.

Stilistisch gezien putten veel van deze bijbels uit het erfgoed van de Griekse en Romeinse oudheid. Dit is vooral te zien aan het hoogstaande schilderwerk in de vroegchristelijke periode, dat we nu kennen door de restanten van luxe codices zoals de Londense Canontafels (no. 1) en de Cotton Genesis (zie fig. 8). Ook qua inhoud namen de oosterse en westerse kerk het traditionele antieke auteursportret op voor afbeeldingen van de evangelisten die de evangeliën inleidden. Het Angelsaksische Lindisfarne Evangeliarium (zie ill. 2), het prachtige

NOTEN

7 Definitie van het Tweede Concilie van Nicea, het zevende oecumenische Concilie, Engelse vertaling in Daniel J. Sahas, *Icon and Logos: Sources in Eight-Century Iconoclasm*, Toronto Medieval Texts and Translations, 4 (Toronto, 1986), p. 179.

8 Zie hiervoor John Lowden, 'Illustration in Biblical Manuscripts', in *The New Cambridge History of the Bible*, 4 dln. (Cambridge, 2012-2015), II: From 600 to 1450, red. Richard Marsden en E. Ann Matter (2012), pp. 446-481.

Fig. 8 | Een oude geïllustreerde Genesis. Abraham met engelen in de Cotton Genesis, Egypte?, 5e of 6e eeuw, Cotton Otho B. vi, f. 26v.

Burney Evangeliarium die in Constantinopel in de twaalfde eeuw werden gemaakt (zie ill. 18.1-18.4), en het Evangeliarium van kardinaal Francesco Gonzaga (zie ill. 43.1-43.2) bevatten portretten van de evangelisten die, gekleed in gestileerde klassieke gewaden, hun boek inleiden. De evangelisten worden vaak met leesbare beginwoorden in hun open boeken al schrijvend afgebeeld. Ze houden hun pen vast, en hebben messen om te corrigeren. In de Arnstein-Bijbel zijn afbeeldingen van de evangelisten opgenomen in de initialen van hun evangelie (zie ill. 23.1-23.2). Een groot verschil tussen de Griekse en Latijnse tradities is dat in het Westen de evangelisten gewoonlijk worden afgebeeld met hun symbolen, die op hun beurt zijn afgeleid van de vier levende wezens uit de visioenen van Ezechiël en Johannes.[9] Dus in het Æthelstan Evangeliarium staan de evangelisten in direct contact met hun symbolen (zie ill. 8.1-8.2, 8.4), en in het gouden Harley Evangeliarium houden de symbolen de beginverzen van de tekst vast (ill. 4.1-4.2). Maar in het Griekse Guest-Coutts Nieuwe Testament, het Burney Evangeliarium en het Griekse Harley Evangeliarium verschijnen de evangelisten alleen, of in het geval van Johannes, met zijn assistent Prochorus, een zeldzame figuur in

NOTEN

[9] Voor de evangelistensymbolen zie het gouden Harley Evangeliarium, no. 4.

de westerse traditie (zie ill. 9.1-9.2, 18.1-18.4, 24.1).

Bovendien werden tijdens deze christelijke eeuwen andere uitgebreidere en meer verhalende of exegetische series van illustraties in de bijbels toegepast. De grote Karolingische Moutier-Grandval Bijbel bijvoorbeeld bevat een hele pagina illustraties van gebeurtenissen in Genesis en Exodus, maar ook gecompliceerde visuele commentaren op de relatie tussen het Oude en het Nieuwe Testament (zie ill. 6.1-6.4). Soms werden deze illustratieseries in de tekst zelf gezet, zoals in het dertiende-eeuwse evangelielectionarium, gemaakt in Mosul, dat uitgebreide verhalende scènes bevat van het leven van Christus (zie ill. 25.1-25.3), en in het voortreffelijke Queen Mary Psalter uit het veertiende-eeuwse Londen (zie ill. 30.2-30.5). Eigen aan geïllustreerde psalters is dat de tekst van de psalmen wordt ingeleid door afbeeldingen van het leven en lijden van Christus. Daarmee bieden ze ook een spiritueel en meditatief kader en benadrukken ze hun profetische aard. De eerste uitgebreide cyclus inleidende afbeeldingen verscheen in het Westen in het elfde-eeuwse Tiberius Psalter, gemaakt in Winchester (no. 13). Het gebruik ervan was in luxe psalters wijdverspreid door de gehele westerse christelijke wereld. Een ander prachtig voorbeeld is dat van het Psalter van koningin Melisende een eeuw later, geschilderd in Jeruzalem door de kunstenaar Basilios (zie ill. 19.4-19.6). Dit psalter toont ook de interculturele stilistische invloed die in veel geïllumineerde manuscripten te zien is, omdat de inleidende cyclus in Byzantijnse stijl is geschilderd, en de buitengewone ivoren boekbanden figuren in Byzantijns keizerlijk gewaad tonen (zie ill. 19.1). Het Engelse Winchester Psalter uit de twaalfde eeuw bevat een 'Byzantijns tweeluik' in zijn inleidende cyclus (zie ill. 20.4-20.5). Beide boeken herinneren ons eraan dat boeken en andere liturgische of devotionele voorwerpen zoals iconen, kelken en hostiedoosjes draagbaar waren, en als gevolg daarvan in de roulatie waren als een koninklijk geschenk en kostbare voorwerpen voor persoonlijke devotie.[10]

Een andere illustratiemethode is opgenomen in het Harley Psalter (no. 10), een kopie van een beroemd Karolingisch manuscript, waarin de begeleidende afbeeldingen rechtstreeks overeenkomen met de verzen van de psalmen; ze zijn praktisch zin voor zin vertaald in beeld. In andere boeken, die waarschijnlijk zijn ontworpen voor leken, overheersen de afbeeldingen en wordt de Bijbelse tekst omschreven, of er staan bijschriften bij. In een belangrijk vroeg exemplaar, de Oudengelse Hexateuch (no. 11), staan veel of alle bladzijden vol met afbeeldingen, begeleid door de oudste overgebleven vertaling in het Engels van sommige delen van het Oude Testament. Tegen de veertiende eeuw bevat een ander Engels exemplaar, het Holkham Bijbels prentenboek, bijschriften in het Frans (no. 32), terwijl deze in de Paduaanse Platenbijbel (no. 37) in het Italiaans zijn geschreven. Andere veertiende- en vijftiende-eeuwse bijbels met uitgebreidere Bijbelse of omschreven tekst verschenen ook in de landstaal. De overgebleven kopieën van de zeer populaire Franse *Bibles historiales* zijn bijna altijd rijk geïllustreerd, zoals te zien is op de drie geweldige kopieën in dit boek; alle staan in verband met koninklijke huizen (de *Bibles historiales* van Karel V (no. 36), Karel van Frankrijk (no. 40, zie fig. 1) en Eduard IV (no. 42)).

Toch tonen andere manuscripten zelfs nog hoogstaandere Bijbelse illustratiekunstmethoden. Een paar van deze complexe illustraties werden voor een monastiek of klerikaal publiek gemaakt, zoals de symbolische interpretaties die we zien in de grote Bijbel van Floreffe, ontworpen voor het premonstratenzer klooster van Floreffe in de Maasvallei (no. 22). Maar de extreemste complexe 'typen' en 'anti-typen' van de *Biblia pauperum*

Fig. 9 | Emaillen boekbeslag uit Limoges, met Christus en de vier evangelistensymbolen, additioneel 27927, bovenkant.

NOTEN

[10] Voor geschenken in de vroegmiddeleeuwse periode zie het Aethelstan Evangeliarium, no. 8.

(no. 38) en de Bijbelse scènes met hun 'moraal' in de Harley *Bible moralisée* (no. 26) waren gemaakt en geïllustreerd voor leken, misschien om te lezen of samen met de kapelaan te interpreteren.

Kostbaar boekbeslag

Afbeeldingen waren niet beperkt tot de binnenkant van christelijke bijbels. Veel Bijbelse teksten hadden gedetailleerde boekbanden die waren gedecoreerd met kostbare materialen zoals goud, zilver en ingelegde edelstenen, ook wel 'prachtband' genoemd. Op evangelieboeken stond 'Christus in majesteit' regelmatig centraal afgebeeld, omringd door de symbolen van de vier evangelisten, zoals op het Guest-Coutts Nieuwe Testament (zie ill. 9.4), en een twaalfde-eeuws Duits evangeliarium met een emaillen boekband uit Limoges (fig. 9). Jammer genoeg konden de kostbare materialen van deze middeleeuwse boekbanden worden hergebruikt, dus er zijn weinig exemplaren overgebleven. We weten bijvoorbeeld dat koning Æthelstan een met juwelen versierd evangelieboek schonk aan de christelijke kerk, en dat Billfrith een gouden en zilveren boekband toevoegde aan het Lindisfarne Evangeliarium (no. 2). Geen van beide bestaan nog. Soms onthullen de boekbanden van bijbels het bewijs dat er oorspronkelijk plakkaten op zaten, zoals in het geval van het Bulgaarse tetraevangelion van tsaar Ivan Alexander (no. 35). De paar kostbare overgebleven exemplaren geven een indicatie van hoe weelderig deze boekbanden konden zijn. Een bijzonder kostbaar exemplaar is de originele boekband van het Melisende-Psalter, met een zijden rug, waarop met zilver- en gekleurde draden kruisen zijn geborduurd, en een ivoren voor- en achterplat met een overzicht van het leven van David, afgewisseld door de deugden en ondeugden (zie ill. 19.1) en de genade en goede werken. De iconografie van deze boekbanden is geschikt voor een openbare of persoonlijke sfeer, zoals liturgische processies in een kerk, of om de welvaart en status van de individuele eigenaar te tonen.

Ter afsluiting

Het grote publiek heeft van alle soorten middeleeuwse kunst waarschijnlijk het minst vaak verluchte manuscripten gezien. Ze worden meestal bewaard in bibliotheken en zijn de afgelopen paar eeuwen bekeken in speciale leeskamers en incidenteel te zien tijdens tijdelijke tentoonstellingen. Pas sinds kort hebben gedigitaliseerde versies op websites de toegang tot zulke werken aanzienlijk vereenvoudigd. Het merendeel van de middeleeuwse schilderkunst van de hoogste artistieke kwaliteit blijft hoofdzakelijk in boeken voortbestaan. Het spectaculaire Psalter van Queen Mary (no. 30, fig. 10) alleen al bevat meer dan duizend tekeningen en geschilderde afbeeldingen. Dit boek probeert de betrokkenheid met die groeiende digitale bron aan te moedigen (bijna alle bijbels in dit boek zijn online te vinden). Bovendien kan het een bijdrage zijn bij de interpretatie en het begrip van zowel de digitale als de fysieke versies van kunst in de bijbel.[11]

In dit boek tonen we de grootst mogelijke reeks geïllustreerde christelijke bijbels van heel Europa en daarbuiten. Daarom benutten we de ongeëvenaarde collecties van de British Library om geïllustreerde Bijbelse manuscripten uit een periode van meer dan duizend jaar te laten zien. We hebben de gedecoreerde tekst in een variëteit aan vormen opgenomen: evangeliaria, psalters, hexateuchs en octateuchs, versies van het Nieuwe Testament, apocalypsen, prentenboeken en verzamelwerken met vertalingen in het Grieks, Latijn en de landstaal. Deze manuscripten vertegenwoordigen een van de hoogtepunten van menselijke artistieke prestaties in elk medium en in elke periode. Bij elkaar tonen ze de uitzonderlijke variëteit, vindingrijkheid en schoonheid van geïllumineerde bijbels.

Fig. 10 | God schept de dieren, in het Queen Mary Psalter, no. 30, f. 2 (detail).

NOTEN

[11] Zie de website van de British Library voor gedigitaliseerde manuscripten, <http://www.bl.uk/manuscripts/>.

1

DE LONDENSE CANONTAFELS

Een glimp van de vroegchristelijke pracht en praal in Constantinopel

Canontafels van Eusebius van Caesarea, in het Grieks. Constantinopel, 6e of 7e eeuw.

- 215 × 175 mm
- ff. 2
- Additioneel 5111/1 (ff. 10–11)

Meer dan duizend jaar lang stond Constantinopel (nu Istanboel) synoniem voor adembenemende pracht en praal. De stad, vernoemd naar keizer Constantijn de Grote (r. 306-337), die in 324 Constantinopel tot de hoofdstad van het Romeinse Rijk verklaarde, werd ook de christelijke hoofdstad van de wereld. De Londense Canontafels zijn bewijzen van de opmerkelijke kwaliteit van schilderkunst ter verfraaiing van christelijke teksten. Voor een hedendaagse deskundige zijn ze 'misschien de kostbaarste fragmenten van oude christelijke manuscripten'.[1] Het zijn nu slechts overblijfselen, maar ze doen vermoeden welke oude Bijbelse manuscripten wellicht verloren zijn gegaan. Overigens moeten we voorzichtig zijn met overhaaste generalisaties die zijn gebaseerd op de manuscripten die bewaard zijn gebleven.

Als tekst zijn de canontafels al eeuwen de basis voor christelijke kopieën van heilige geschriften. Van de ongeveer tweeduizend manuscripten die de vier evangeliën in het Grieks bevatten (het 'tetraevangelion'), begint het merendeel met deze tabellen. Een paar honderd kopieën van de evangeliën in Latijn en andere vroege vertalingen beginnen op dezelfde manier.[2] Deze tafels, bedacht door de kerkvader Eusebius († 340), waren een samenbundelende ingang tot de fundamentele maar veelvoudige beschrijvingen van de evangelisten Matteüs, Marcus, Lucas en Johannes. Zoals Eusebius uitlegt in een inleidende brief aan zijn vriend Carpianus, stelde hij de tien tafels (of in het Grieks 'canons') samen om de lezer te laten 'weten waar elke evangelist passages schreef waarbij ze werden geleid door liefde voor de waarheid om over dezelfde dingen te spreken'.[3] Canon 1 bevat gemeenschappelijke passages in de vier evangeliën, Canons 2-9 zijn de verschillende combinaties van twee of drie evangeliën, en Canon 10 vermeldt de passages die slechts in één evangelie staan. Vanuit een systeem dat de tekst van de evangeliën in verzen verdeelt en dat hij toekende aan Ammonius van Alexandrië, gaf Eusebius opeenvolgende nummers aan de secties in elk evangelie en gebruikte hij deze nummers in zijn tafels om verwante passages te verbinden. Daardoor herhaalde hij de eenheid van

1.1 | Twee gedecoreerde bogen met een busteportret; canontafels 8-10 van Eusebius' canontafels, f. 11 (detail).

ΚΑΝΩΝ
Η
ΕΝ Ω ΟΙ ΔΥΟ
ΚΑΝΩΝ
Θ
ΕΝ Ω ΟΙ ΔΥΟ
ΚΑΝΩΝ
Ι
ΤΕΛΟϹ ΚΑΝΟ
ΝΟϹ Ο ΓΔΟΟΥ
ΕΝ Ω ΟΙ ΔΥΟ

1.2 | Twee gedecoreerde bogen met een busteportret, canontafel 1 van Eusebius' canontafels, f. 10v (detail).

de vier beschrijvingen zonder te proberen ze in een enkele tekst te laten passen. De huidige bladen zijn zeldzame bewijzen van een oude herziening van Eusebius' canontafels.

De Londense Canontafels zijn bij toeval overgebleven. Gescheiden van de tekst van de vier evangeliën waarvan ze ooit een inleiding waren, werden ze toegevoegd aan een manuscript van de Griekse evangeliën die vóór 1189 zijn geschreven.[4] Samen met dat manuscript lijken ze te zijn bewaard in het Simonopetra-klooster op de berg Athos, het orthodoxe spirituele centrum in Noord-Griekenland. Aan het begin van de achttiende eeuw zijn ze, dankzij Antonios Trifillis, een Grieks inwoner van Londen, naar Engeland gekomen. (Na Trifillis kwamen het boek en de Londense Canontafels in het bezit van de welgestelde Londense arts Anthony Askew (1722-1774).) Omdat ze bewaard zijn gebleven, bevatten de tafels het slot van Eusebius' brieven (ill. 1.3), een deel van canon 1 (ill. 1.2), alles van canons 8-9 en een deel van canon 10 (ill. 1.1). Waarschijnlijk zijn de twee bladen ongeveer twee keer zo groot geweest. Zowel de brief als de tafels zijn geschreven in een imponerend majuskelschrift (of hoofdletter) op perkament dat ervoor helemaal met schelpgoud was beschilderd.[5] Elke tafel is gekaderd door geweldig geïllumineerde kolommen en bogen die nauwkeurige geometrie en lineaire vormen combineren met opmerkelijk naturalistische kenmerken. Zorgvuldig getekende omtreklijnen en

ΚΑΝΟΝΩΝ ΕΙ ΒΟΥΛΗ ΑΝΑΠΤΥΞΑΣ ΕΝ ΤΙ
ΕΥΑΓΓΕΛΙΣΤΩΝ ΟΠΟΙΟΝΔΗΠΟΤΕ Π
ΣΤΗΣΑΙ ΤΙΝΙ Ω ΒΟΥΛΕΙ ΚΕΦΑΛΑ
ΝΕΣ ΤΑ ΠΑΡΑΠΛΗΣΙΑ ΕΙΡΗΚΑΣ
ΟΥΣ ΕΚΑΣΤΟΥ ΤΟΠΟΥΣ ΕΥΡΕΙ
ΑΥΤΩΝ ΗΝΕΧΘΗΣΑΝ ΗΣ ΕΠΕΧ
ΑΝΑΛΑΒΩΝ ΤΟΝ ΠΡΟΚΕΙΜΕΝΟ
ΖΗΤΗΣΑΣ ΤΕ ΑΥΤΟΝ ΕΝ ΤΩ Κ
ΚΙΝΝΑΒΑΡΕΩΣ ΥΠΟΣΗΜΙΩΣ
ΕΙΣΙΝ ΜΕΝ ΕΥΘΥΣ ΕΚ ΤΩΝ ΕΠ
ΚΑΝΟΝΟΣ ΠΡΟΓΡΑΦΩΝ ΠΟ
ΠΕΡΙ ΟΥ ΖΗΤΕΙΣ ΕΙΡΗΚΑΣΙ

1.3 | Gedecoreerde kolom en boog met een busteportret, in de brief van Eusebius aan Carpanius, f. 10 (detail).

regelmatig aangebrachte verf benadrukken de oppervlaktekwaliteit van de gehele architecturale ordening. Ergens anders richt kwistig en energiek penseelwerk zich op driedimensionale, natuurlijke vormen, inclusief weelderige bloemen en kleurrijke vogels. De brief is omringd door een enkele wijde boog, die eens de hele bladzijde besloeg, en de tafels door twee smallere bogen op elke bladzijde.

In de tafels staat boven elke boog het canonnummer en is hij eronder onderverdeeld in nog smallere bogen; bovenaan staat de afgekorte naam van de relevante evangelist. Onder elk van deze kleinere bogen staan de parallellijsten van sectienummers voor elk evangelie, geschreven in Griekse letters en in groepjes van vier. In de overgebleven bogen staan vier complete medaillons met mannelijke busteportretten, waarvan drie met een aureool. Elk van deze medaillons verwijst naar een Romaanse vorm van portretkunst die bekend staat als *imago clipeata* ('portret op een rond schild'); overledenen werden geëerd met een buste op een ronde schildachtige vorm.[6] De vis, het christelijke symbool, staat ook in de gedecoreerde boog direct boven het busteportret bovenaan de canons 8 en 9 (ill. 1.1). De complete Londense Canontafels bevatten waarschijnlijk twaalf busteportretten. Er is over gediscussieerd of deze busteportretten de apostelen herdenken en of ze waren geïnspireerd op gelijksoortige bustes die stonden in de bogen van het ronde mausoleum van Constantijn de Grote in Constantinopel, gelegen naast de Kerk van de Heilige Apostelen.[7]

Literatuur

Carl Nordenfalk, *Die spätantiken Kanontafeln* (Göteborg, 1938), pp. 127–146.

Carl Nordenfalk, 'The Apostolic Canon Tables', *Gazette des Beaux-Arts*, 62 (1963), 17–34 (pp. 19–21).

Kurt Weitzmann, *Late Antique and Early Christian Book Illumination* (Londen, 1977), pp. 19, 29, 116, pl. 43.

Byzantium: Treasures of Byzantine Art and Culture from British Collections, red. David Buckton (Londen, 1994), no. 68.

John Lowden, 'The Beginnings of Biblical Illustration', in *Imaging the Early Medieval Bible*, red. John Williams (University Park, PA, 1999), pp. 9–59 (pp. 24–26).

Noten

1 Weitzmann, *Illumination* (1977), p. 116.

2 Zie het Lindisfarne Evangeliarium, de Canterbury Royal Bible, het Harley Echternach Evangeliarium, en het Armeense Evangeliarium, ill. 2.4, 2.5, 5.2, 12.4, 44.1; zie ook fig. 6.

3 *PG*, 22, 1276C.

4 Nu additioneel 5111, 5112.

5 Voor schelpgoud zie 'One Thousand Years of Art and Beauty', p. 21.

6 Voor de *imago clipeata* zie ook het Theodorus Psalter, no. 14.

7 Nordenfalk, 'Canon Tables' (1963).

2

HET LINDISFARNE EVANGELIARIUM

Spectaculaire Angelsaksische decoraties

Vier evangeliën, in Latijn, met interlineair commentaar in Oudengels.
Lindisfarne, ca. 700, (toegevoegd commentaar, Chester-le-Street, ca. 970).

- 365 × 275 mm
- ff. 259
- Cotton Nero D. iv

Het Lindisfarne Evangeliarium is bepalend voor ons begrip van Angelsaksische boekproductie in een van de belangrijkste centra van het christendom in het vroegmiddeleeuwse West-Europa. Na het *Book of Kells* is dit rijk verluchte manuscript misschien de bekendste kopie van de vier evangeliën die bewaard is gebleven. Wat bekend is over de makers, de schoonheid van de illustraties en het commentaar dat eind tiende eeuw is toegevoegd, maken dit boek zo belangrijk. Het is bovendien de oudste overlevering van de evangeliën in de Engelse taal.

Over de datum en plaats van oorsprong van de evangeliën is veel gediscussieerd, omdat beide zijn gebaseerd op de interpretatie van een colofon of inscriptie die in dezelfde tijd, tegen het eind van de tiende eeuw, als Oudengels commentaar is toegevoegd, en op de stijl van de versiering van de tekst. De inscriptie was gemaakt door de priester die de interlineaire vertaling erbij had gezet, Alfred (bloeitijd ca. 970). In die tijd was hij de proost van de gemeenschap in Chester-le-Street, ongeveer tien kilometer ten noorden van Durham. In de lege kolom aan het slot van het boek schreef Alfred:

> Eadfrith, bisschop van de kerk van Lindisfarne, schreef dit boek het eerst, voor God en sint Guthbert en voor alle volksheiligen die op het eiland zijn.
> En Aethilwald, bisschop van de Lindisfarne-eilandbewoners, heeft het ingebonden, omdat hij wist hoe dat moest.
> En Billfrith de kluizenaar smeedde de ornamenten die aan de buitenkant zitten en belegde het met goud en edelstenen en met een overvloed aan versierd puur zilver.[1]

Eadfrith was een monnik in Lindisfarne, of 'heilig eiland', die circa 698 bisschop werd en dat bleef tot zijn dood in circa 722. In het colofon staat duidelijk dat Eadfrith de tekst 'schreef' (*avrát*), maar de illuminatie wordt niet genoemd. Andere betrokkenen bij de productie van het boek

2.1 | Portret van Matteüs, zittend, en schrijvend in een opengeslagen boek, met zijn symbool van een gevleugeld mens; een andere figuur verschijnt vanachter een gordijn; aan het begin van zijn evangelie, f. 25v.

OMMEZIJDE
2.2–2.3 | Tapijtpagina met vlechtdecoratie in de vorm van een kruis, en (ertegenover) het begin van het Matteüsevangelie, met een grote versierde hoofdletter 'L'(*iber*) ('Boek'), ff. 26v-27.

imago homi nis
O AGIOS
MATT
HEUS

+ ihs xps · Matheus homo

ongunned godspelles

incipit euangelii

genelogia mathei

boc

LIBER

cynnreccenisse

GENERA

TIONIS

cneurisse

IHU XPI

haelendes cristes

FILII DAVID

dauides sunu

FILII ABRAHAM

abrahames sunu

I
II
XIIII
I

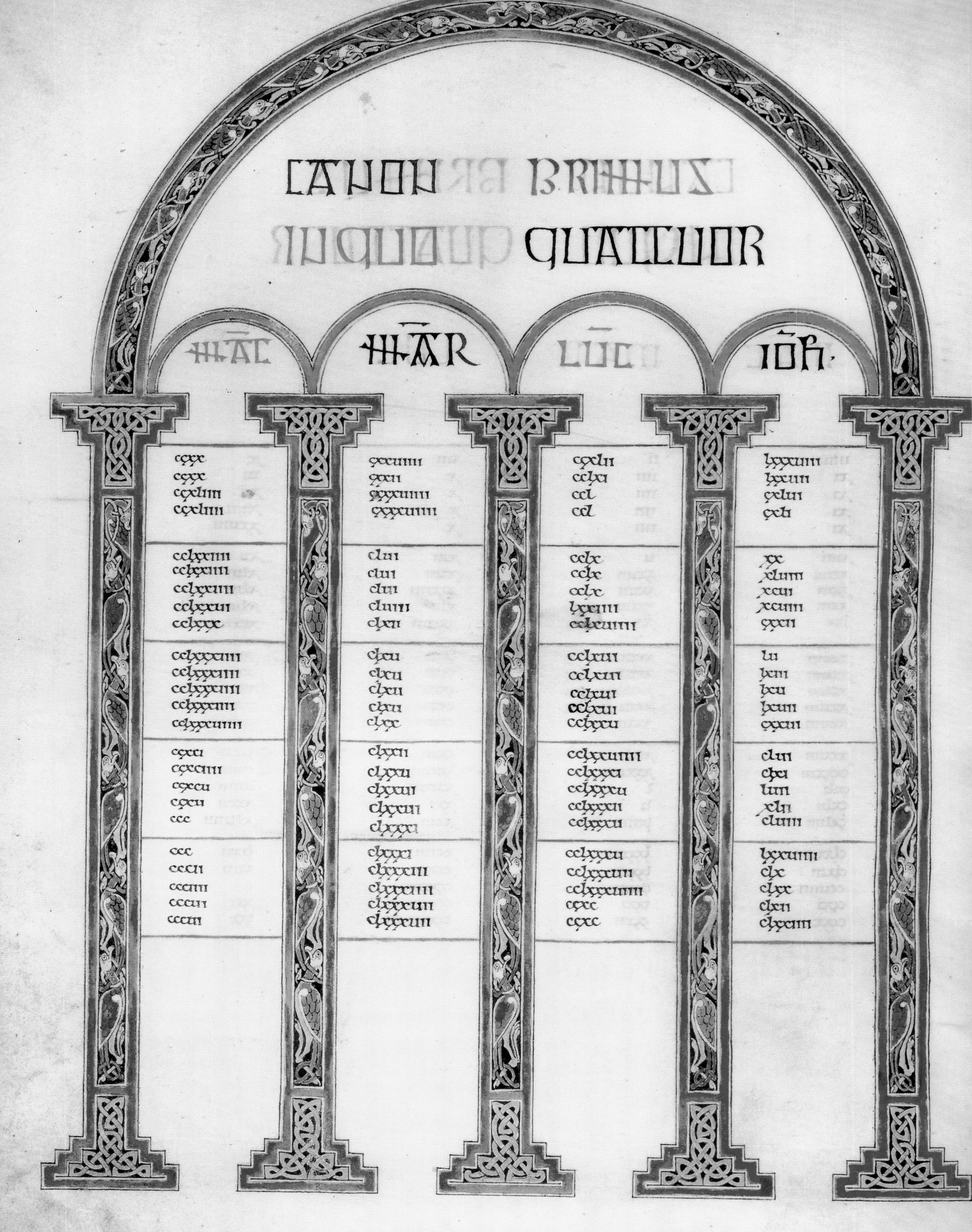
CANON
QUATTUOR
MAT
MAR
LUC
IOH

2.4 | Canon 1, met de kop *Canon primus in quo quattuor*, passages die in de vier evangeliën voorkomen, te zien bovenaan de kolommen *Mat[thaeus]*, *Mar[cus]*, *Luc[us]* en *Ioh[annes]*, f. 10v.

zijn wel genoemd (Æthilwald, de boekbinder, en Billfrith, de maker van wat oorspronkelijk een prachtband of omslag van juwelen en kostbare metalen was). Het feit dat de schilder of kunstenaar niet in de lijst stond, leidde bij wetenschappers tot de conclusie dat Eadfrith de kunstenaar was die niet alleen het schrift maar ook de gedetailleerde en complexe verluchting verzorgde. Dat de naam van de kunstenaar is weggelaten, komt misschien door het feit dat de decoratie van letters in die tijd vaak een uitbreiding van de kalligrafie was.[2] Het afschrift en de versiering van de evangeliën tonen een opmerkelijk artistieke prestatie. Het boek omvat vijf zeer gedetailleerde tapijtpagina's (ill. 2.2), die zo worden genoemd door hun gelijkenis met oriëntaalse tapijten (sommige wetenschappers hebben inderdaad gediscussieerd over de directe invloed van tapijten op hun ontwerp). Vier van de tapijtpagina's zien we aan het begin van een evangelie; het vijfde opent het inleidende materiaal van het boek. Dit materiaal omvat de gerelateerde teksten die onderdeel zijn van het evangelieboek, zoals de brieven van Hiëronymus († 420) (zie fig. 2, ill. 2.6), de hoofdstukkenlijst en de tien canontafels.[3]

Elke tapijtpagina heeft een kruispatroon in het ontwerp. Het lijkt aannemelijk dat het de bedoeling was dat deze pagina's dienden als een soort binnenkatern om elk evangelie te versieren, of als een weergave van de versierde buitenkant die volgens het colofon eens was 'belegd [...] met goud en met juwelen'. Natuurlijk is de verwantschap met even oud overgebleven kostbaar bewerkt metaal zoals de Sutton Hoo al

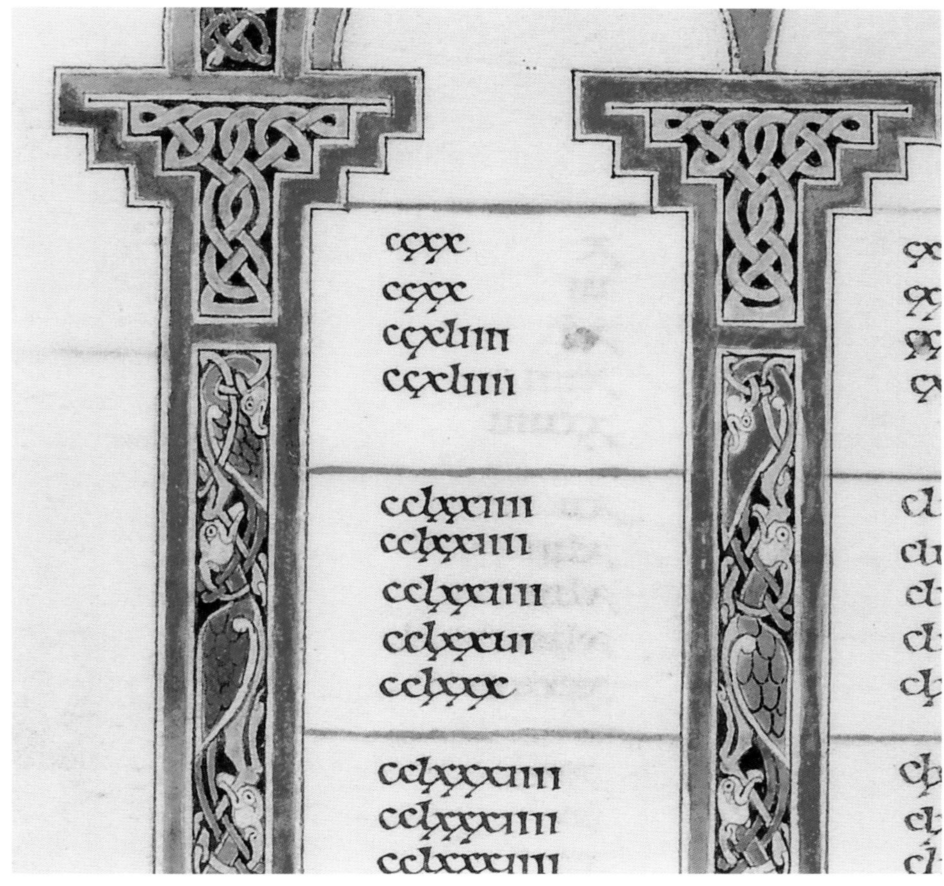

2.5 | Een deel van canon 1, f. 10v (detail)

duidelijk in de tapijtpagina's, met hun vlechtpatroon, hun doorvlochten kronkelende en uitgerekte lichamen en gestileerde koppen van vogels en dieren. Deze ontwerpen, karakteristiek in de Engelse boekproductie uit deze periode, zijn te zien in de gedetailleerde canontafels van het Lindisfarne Evangeliarium, met hun versierde bogen van in elkaar bijtende vogels en versierd vlechtwerk (ill. 2.4-2.5). Ze zijn ook zichtbaar in de grote versierde initialen in het hele manuscript (zie fig. 2, ill. 2.3, 2.6). De letters aan het begin van elk evangelie en op andere belangrijke punten in de tekst zijn zo uitgebreid, dat ze op zichzelf al decoratieve elementen zijn, of zoals een wetenschapper zei: 'talisman-achtige tekenen die we moeten bewonderen, geen letters die je kunt herkennen en lezen'.[4]

Bovendien tonen de portretten van de vier evangelisten dat men kennis had van de mediterrane kunst (ill. 2.1). De tekst van het boek zelf geeft aan dat deze afkomstig is van een Italiaanse bron: in het Bijbellezing- of leesrooster dat elk evangelie opent, staan bijvoorbeeld Napolitaanse kerkelijke feesten. Daarom is het goed mogelijk dat Eadfrith in het voorbeeld van de evangelieboeken of anders portretten van de evangelisten of auteurs heeft gezien, en deze als een bekrachtiging van hun autoriteit op zijn beurt heeft aangepast aan de auteursportretten die oude Griekse teksten inleidden. De figuren in het Lindisfarne Evangeliarium zijn gekleed in klassieke gewaden en ze zitten op klassieke kussens en zetels. Ook hier wordt elke evangelist met Latijnse letters: 'O agios' ('de heilige') in het Grieks benoemd als een heilige. Twee van de vier houden geen boeken maar tekstrollen vast, en dat benadrukt de oude verbinding met de traditie van manuscriptenproductie in rolformaat van voor de ontwikkeling van het boek.[5] Maar Eadfrith heeft de figuren afgevlakt en gestileerd, waarmee hij een interesse in patroon en vorm toont die strookt met de compact gemodelleerde, niet-figuratieve ontwerpen van de tapijtpagina's en versierde woorden en letters, met een complex kunstwerk als resultaat.

Literatuur

Evangeliorum quattuor Codex Lindisfarnensis, 2 delen, met commentaar van T.D. Kendrick en anderen (Olten, 1956–1960).

Janet Backhouse, *The Lindisfarne Gospels* (Londen, 1981).

Michelle Brown, *The Lindisfarne Gospels: Society, Spirituality and the Scribe* (Londen, 2003).

Richard Gameson, *From Holy Island to Durham: The Contents and Meanings of the Lindisfarne Gospels* (Londen, 2013).

2.6 | Versierde letters aan het begin van Hiëronymus' brief *Plures fuisse*, f. 5v (detail).

Noten

1 Vertaling uit het Oudengels, Gameson, *Lindisfarne Gospels* (2013), p. 93.

2 Zie Gameson, *Lindisfarne Gospels* (2013), p. 25; vergelijk de Bijbel van Stavelot, no. 16, waar ook de schrijver maar niet de illuminator bij naam wordt genoemd.

3 Voor canontafels zie de Londense Canontafels, no. 1, en voor Hiëronymus zie 'One Thousand Years of Art and Beauty', p. 12, het gouden Harley Evangeliarium, no. 4, het Lotharius Psalter, no. 7, en de Worms Bijbel, no. 21.

4 J. J. G. Alexander, *Insular Manuscripts: 6th to the 9th Century*, A Survey of Manuscripts Illuminated in the British Isles, 1 (Londen, 1978), p. 11.

5 Voor de overgang van de tekstrol naar de codex zie 'One Thousand Years of Art and Beauty', p. 13.

ðu ge strongo fæst nis ⁊ gemyndgu
ualeas et memineris
mines papa ðu eadgu
mei papa beatissime.

explicit hieronimi.

incipit praefatio eiusdem.

monige
PLURES
werun ðade godspel
fuisse qui euan
las awritton
gelia scribserunt
⁊ ðe godspellere
et lucas euangelista
getrymmed cwoeðende
testatur dicens
forðon soðlice
quoniam quidem
monigce gecunnatte wint
multi conati sunt
ge endebredn[e]ge ða saga
ordinare narrationem
ðinga ða in usic
rerum quae in nobis

3

HET VESPASIAANSE PSALTER

De oudste verhalende initialen in West-Europa

Psalter, in Latijn, met interlineair commentaar in Oudengels. Kent, 1e helft van de 8e eeuw (toegevoegd commentaar, helft 9e eeuw).

- 240 × 190 mm
- ff. 160
- Cotton Vespasian A. i

Het boek Psalmen was de spil in de middeleeuwse spiritualiteit. Misschien is het daarom geen verrassing dat manuscripten die de Psalmen bevatten, het meest voorkomen in bewaard gebleven middeleeuwse boeken. In Engeland alleen al zijn er ongeveer vijftig. Deze manuscripten worden gekenmerkt als psalters als ze ook andere teksten bevatten die de boeken een bezinnend karakter geven, zoals een kalender, waarop de gebruiker informatie kon vinden over heiligendagen en andere feestdagen. Bovendien boden kalenders vaak verwijzingen naar gebeurtenissen of mensen die belangrijk waren voor de eigenaar, zoals de wijding van kerken of de geboorte- en sterfdagen van familieleden. Typerend is dat de Psalmen worden gevolgd door het Hooglied en meer lokale of persoonlijke gebeden en litanieën; op die manier werd het een aangepaste christelijke godsdienstige compilatie van een verzameling liederen die oorspronkelijk in het Hebreeuws waren geschreven en werden gebruikt in de joodse liturgie. Veel van deze boeken, die zijn ontworpen voor persoonlijk en gemeenschappelijk gebed en overdenking, zijn rijkelijk gedecoreerd. Het Vespasiaanse Psalter is daar een van. Het is het oudste Europese voorbeeld van gebruik van gehistorieerde (verhalende) initialen om de tekst te bekrachtigen.[1]

Het psalter is prachtig geschreven, in een duidelijk en leesbaar unciaal schrift (allemaal hoofdletters), met een verzorgde regelafstand en positionering (ill. 3.2-3.4). Elke psalm begint met een grote gedecoreerde initiaal, en vele daarvan hebben een complex ontwerp en zoömorfe (dierlijke vorm) patronen, die karakteristiek zijn voor Angelsaksische kunst. Andere gedetailleerdere openingsillustraties hebben een versiering die zich uitstrekt tot elke letter van het eerste woord van de psalm, vaak met een beschilderde achtergrond; op drie ervan staan menselijke of dierlijke figuren, zoals een vogel in Psalm 68 (ill. 3.4). De meer sierlijke lettervormen komen voor bij de achtvoudige secties van het psalter. Deze karakteristieke secties stammen af van de groepen psalmen die elke dag en tijdens zondagsvespers in kloosters werden gereciteerd. Ze zijn

3.1 | Harpspelende David; zijn musici bespelen instrumenten en onder klappen twee mannen, met dieren in de boogrand, f. 30v.

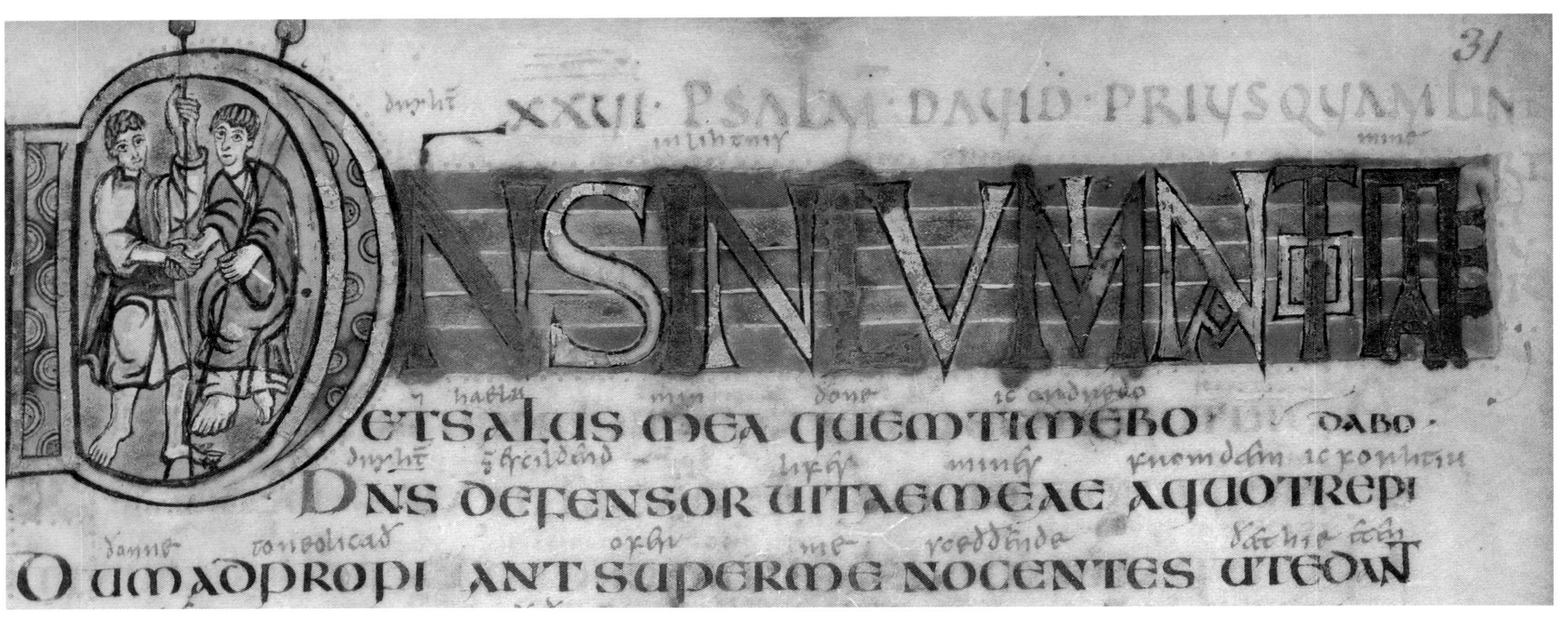

Bovenaan

3.2 | Twee mannen (waarschijnlijk David en Jonathan) houden elkaars hand vast, in de letter 'D'(/*omi/n/u/s*) ('Heer'), aan het begin van Psalm 26, f. 31 (detail).

Hierboven

3.3 | David, omringd door zijn kudde, houdt de bek van een leeuw open, in de letter 'D'(*ixit*) ('[De dwaas] zei'), aan het begin van Psalm 52, f. 53 (detail).

3.4 | Deel van het woord *Cantate* ('Zing'), met een vogel, aan het begin van Psalm 97, f. 93v (detail).

geplaatst aan het begin van Psalm 1, 26, 38, 52, 68, 80, 97 en 109. Ten slotte zijn de groepen een weergave van de vereisten in hoofdstuk 16 van de Regel van Benedictus († 547), waarin de psalmist zegt: 'Zevenmaal per dag zing ik u lof' (Psalm 118:164) en 'Midden in de nacht sta ik op en loof u' (Psalm 118:62).

Er zijn twee gedecoreerde lettervormen die scènes bevatten van het leven van David, aan het begin van Psalm 26 en Psalm 52 (ill. 3.2-3.2). Davids leven is een geschikt onderwerp voor illustratie, omdat men denkt dat hij de auteur is van het boek Psalmen, zoals wordt weergegeven in de titel voor Psalm 26 in het Vespasiaanse Psalter, die luidt: *Psalm[us]* David. Onder de letter 'D'(*[omi]n[u]s*) ('Heer') staan twee jonge baardloze mannen die elkaar de hand schudden, waarschijnlijk zijn dat David en Jonatan (ill. 3.2). Later in het boek wordt David, met schapen en rammen om zich heen, afgebeeld als een herder die zijn kudde verdedigt tegen een leeuw, een rol die niet wordt beschreven in de Psalmen maar in het eerste boek van Samuel:

> Uw dienaar weidde de kudde van zijn vader, en kwam er een leeuw of een beer die een schaap uit de kudde wegnam, dan ging ik hem achterna, sloeg hem neer en redde het uit zijn bek. En als hij me dan aanviel, greep ik hem bij de keel en wurgde en doodde ik hem.
> (1 Samuel 17:34-35, ill. 3.3)

Een andere typerende illustratie uit Davids leven is waarop hij wordt afgebeeld als musicus, vaak als inleiding van zijn liederenboek Psalmen. Zoiets was waarschijnlijk het geval in het Vespasiaanse Psalter, hoewel de afbeelding later voor Psalm 26 werd geplaatst (ill. 3.1).

Net zoals het merendeel van Bijbelse boeken in het westerse christendom was de tekst van het psalter geschreven in Latijn, in een van de vertalingen die werd toegekend aan Hiëronymus († 420).[2] Bijna twintig jaar lang werkte Hiëronymus aan vertalingen van Bijbelse teksten vanuit Grieks en Hebreeuws naar Latijn. Hij voltooide drie versies of revisies van Psalmen. De eerste was gemaakt vanuit het Griekse Septuagint, wat nu bekend staat als het Romaanse psalter of *Psalterium Romanum*, omdat het werd opgenomen door de kerk in Rome. Het Vespasiaanse Psalter is de oudst bekende kopie van Hiëronymus' vertaling van de Psalmen. Het werd de belangrijkste versie die tot het eind van de tiende eeuw werd gebruikt in Engeland.

Het belang van het Vespasiaanse Psalter wordt nog groter door het toegevoegde negende-eeuwse commentaar in Oudengels dat, net zoals in het Lindisfarne Evangeliarium, boven de Latijnse woorden werd geplaatst (no. 2). Dit commentaar is de oudste nog bestaande vertaling van het boek Psalmen in het Engels; het Vespasiaanse Psalter is een van de veertien psalters in Oudengels.[3] Gebaseerd op de stijl van het geschrift en de versiering, zijn wetenschappers het erover eens dat het psalter in het zuiden van Angelsaksisch Engeland of 'Southumbria' (ten zuiden van de Humber) werd gemaakt, maar er is geen overeenstemming over welke monastieke gemeenschap het kan hebben vervaardigd of over de identiteit van de originele ontvanger. Er is een aanwijzing dat het boek is gemaakt door nonnen van het benedictijnse klooster in Minster-in-Thanet vlak bij Canterbury.[4] In 1599 kwam het Vespasiaanse Psalter in het bezit van sir Robert Cotton (1571-1631). Toen het eenmaal in Cottons bibliotheek stond, werd het in een boekenkast met daarop de buste van de Romeinse keizer Vespasianus, als eerste boek op de bovenste plank gezet (A. i); de benaming of 'signatuur' bestaat nog steeds.

Literatuur

David Wright, *The Vespasian Psalter, Early English Manuscripts in Facsimile*, 14, (Kopenhagen, 1967).

Phillip Pulsiano, 'Psalters', in *The Liturgical Books of Anglo-Saxon England*, red. Richard W. Pfaff, Old English Newsletter Subsidia, 23 (Kalamazoo, MI, 1995), pp. 61–86.

Michelle Brown, *Manuscripts from the Anglo-Saxon Age* (Londen, 2007), pp. 7, 10, 15, 53, 60, 61.

3.5 | Deel van het woord: *Salvum* ('Red'), met een vogel, aan het begin van Psalm 68, f. 64v (detail).

Noten

1 Voor gehistorieerde initialen zie 'One Thousand Years of Art and Beauty', p. 24. Rosemary Muir Wright, 'Introduction to the Psalter', in *Studies in the Illustration of the Psalter*, red. Brendan Cassidy en Rosemary Muir Wright (Stamford, 2000), pp. 1–11 (p. 5).

2 Voor Hiëronymus zie 'One Thousand Years of Art and Beauty', pp. 12–13.

3 Minnie Cate Morrell, *A Manual of Old English Biblical Materials* (Knoxville, TN, 1965), pp. 45–81.

4 Brown, *Anglo-Saxon Age* (2007), p. 53.

halne
usque
suam
NON ES
VENI IN ALTITUDINE

4

HET GOUDEN HARLEY EVANGELIARIUM

De met goud geschreven evangeliën

De vier evangeliën, in Latijn, Karolingische Rijk (Aken?) Ca. 800.

- 365 × 250 mm
- ff. 208
- Harley 2788

Op eerste kerstdag 800 werd Karel de Grote in Rome gekroond tot heilige Roomse keizer. Aan zijn hof in Aken introduceerde hij een *renovatio* ('herleving') van de Romaanse artistieke stijl, in een poging om de pracht en praal van het oude Rome te hernieuwen. Een kleine groep luxe evangelieboeken zijn overgebleven; ze zijn een duidelijk bewijs van het succes van deze ambitie. Stilistisch lijken ze veel op elkaar, en ze zijn waarschijnlijk gemaakt in Aken, misschien onder zijn directe toezicht. Een ervan is het gouden Harley Evangeliarium, met daarin een kopie van de vier evangeliën, en ander gerelateerd materiaal, zoals de geweldige canontafels, hoofdstuklijsten en een lijst evangelielezingen voor de mis van het liturgisch jaar. Zoals de naam al aangeeft, is het boek helemaal met goud geschreven. Elke tekstpagina is versierd met karakteristieke gedetailleerde randen. De luxueuze kopie van de evangeliën bevat ook, voorafgaand aan elk evangelie, een paginagroot portret van de evangelist in kwestie, met daartegenover een versierde beginregel met de eerste woorden van de tekst (ill. 4.1-4.4).

Bij de evangelistenportretten staan ook hun symbolen: de mens voor Matteüs, de leeuw voor Marcus, de os voor Lucas en de adelaar voor Johannes. Deze symbolen zijn ontleend aan het visioen van Ezechiël over de vier levende wezens met de vier gezichten (Ezechiël 1:5-11), en aan het visioen van Johannes over de levende wezens voor de troon van God (Openbaring 4:6-8). Al vroeg werden ze door de kerkvaders geassocieerd met de vier evangelisten. In het voorwoord van zijn commentaar op het evangelie van Matteüs schrijft Hiëronymus dat de adelaar Johannes 'voorstelt' (*significat*), die in zijn evangelie 'de vleugels van een adelaar aannam en een hoge vlucht nam' (*assumptis pennis aquilae, et ad altiora festinans*) toen hij het Woord van God openbaar maakte.[1] Hier zijn de symbolen op de pagina geplaatst in een apart architecturaal element, een lunet (halvemaanvormige ruimte), boven elke evangelist.[2] Ze hebben tekstrollen in hun hand (of bij twee van hen: boeken). En zij houden de tekst van het begin van de evangeliën vast: bij Johannes bijvoorbeeld, staat op het boek van de adelaar *In principio erat*

4.1 | Portret van Johannes, die een open boek vasthoudt; erboven: de adelaar, zijn symbool, houdt ook een boek vast, f. 161v (detail).

Ommezijde

4.2–4.3 | Portret van Marcus, die een open boek vasthoudt, erboven zijn symbool, de leeuw, en (ertegenover) 'I'(*nitium*) aan het begin van zijn evangelie, ff. 71v-72 (details).

INPRINCI
PIOERAT
VERBVM,
ETVERBVM
ERATAPVD
DM
ETDS
ERAT
VERBVM.
HOCERAT IN
PRINCIPIO
APVD DM.
EGOMISIVOS
METEREQVOD
VOSNONLA
BORASTIS.
ALIILABO
RAVERVNT.
ETVOS
INLABORES
EORVM IN
TROISTIS

INITIVM EVANGELII IHV XPI FILII DI · SIC
SCRIPTVM EST IN ESAIA PROP · ECCE MITTO ANG
VIGILATE
ERGO NES
CITIS ENIM
QUANDO
DOMINUS
DOMUS
VENIAT
SERO
AN MEDIA
NOCTE
AN GALLI
CANTU
AN MANE
NE CUM VE
NERIT RE
PENTE IN
VENIAT
VOS DOR
MIENTES

INCIPIT EVAN
GELIUM SEC[D]

MARCUM

IN
IT
IUM

EVAN
GELII
IHU XPI
FILII DI
SICUT SCRIP
TUM EST
IN ESAIA

DVM IOHAN
NEM·

AGNVS
DI

IN PRIN
CIPIO
ERAT

IOH BA

VERBVM·ET VER
BVM ERAT APVD
DM· ET DS ERAT
VERBVM·

4.4 | Het begin van het evangelie van Johannes, met het Lam van God, de evangelisten en twee discipelen in het centrale deel van de letter 'I'(n), f. 162 (detail).

verbum et erat apud D[eu]m et D[eu]s erat verbum hoc erat in principio apud D[eu]m ('In het begin was er het Woord, en het Woord was met God, en het Woord was God. En dit was in het begin met God.' Johannes 1:1-2, ill. 4.1). De symbolen staan in dezelfde positie bovenaan de pagina in de canontafels, waar ze een visuele identificatie zijn voor de verwijzing naar de tekst van hun evangelie (zie fig. 6).

Dit toont de complexe relatie tussen tekst en beeld, of liever gezegd teksten en beelden in het gouden Harley Evangeliarium. Bovendien is de geschreven tekst in het open boek dat de evangelist vasthoudt, genomen uit een ander deel van zijn evangelie, vermoedelijk omdat het eerste vers van elk evangelie wordt getoond door het symbool. Bijvoorbeeld: het vers dat Johannes net heeft geschreven is: *Eso misi vos metere quod vos non laborastis alii laboraverunt et vos in labores eorum introistis* ('Ik heb u gezonden om te oogsten waaraan u geen arbeid hebt verricht; anderen hebben dat gedaan en u hebt hun arbeid afgemaakt' (Johannes 4:38, ill. 4.1). Hetzelfde geldt voor de tekst die Marcus vasthoudt; daarin komt de tekst in het opengeslagen boek op de achtergrond uit hoofdstuk 13:35-36. Zijn verwijzing naar waakzaam zijn: 'want u weet niet wanneer de heer des huizes komt', kan corresponderen met de afbeelding van een Christus met een stralenkrans in de initiaal er recht tegenover (ill. 4.2-4.3). Er zijn meer afbeeldingen in de beginletters van de evangeliën opgenomen die in verband staan met de teksten die door de evangelisten worden vastgehouden. In het evangelie van Johannes lichten Johannes de Doper en twee leerlingen het *Agnus Dei* (Lam van God) (1:36-37) toe: 'En toen ze Jezus zagen lopen, zei hij: "Daar is het lam van God." En de twee discipelen hoorden hem spreken en ze volgden Jezus' (ill. 4.4).

De stijl, positionering, kleding en omgeving van de evangelisten getuigen allemaal van de wens om een oud verleden te hernieuwen. De gemarmerde kolommen waardoor ze worden omlijst en die zijn gebruikt om de canontafels structuur te geven (zie fig. 6) doen denken aan de Romaanse purperstenen pilaren die Karel de Grote mee naar Aken nam om zijn paleiskapel te decoreren. De geïmiteerde klassieke stijl van de evangelisten, de modellering van hun gezicht en zelfs de middelen waarmee ze hun geïnspireerde teksten schrijven, verraden de visie van een hernieuwde klassieke, maar christelijke wereld voor de nieuwe heilige Roomse keizer.

Literatuur

Die Karolingischen Miniaturen, red. Wilhelm Koehler en Florentine Mütherich, 7 dln. (Berlijn, 1930–2009), II: Die Hofschule Karls des Grossen (1958), red. Wilhelm Koehler, pp. 56–69, pls 42–66.

James A. Harmon, *Codicology of the Court School of Charlemagne: Gospel Book Production Illumination, and Emphasised Script, European University Studies*, serie 28, History of Art, 21 (Frankfurt, 1984).

George Henderson, 'Emulation and Invention in Carolingian Art', in *Carolingian Culture: Emulation and Innovation*, red. Rosamond McKitterick (Cambridge, 1994), pp. 248–273.

NOTEN

1 *PL*, 26, 19.

2 Vergelijk de Canterbury Royal Bible, ill. 5.1, waarin het symbool en de evangelist zijn geplaatst in de lunet.

5

DE CANTERBURY ROYAL BIBLE

Een oude bijbel uit Canterbury

Bijbel (nu bestaand uit de vier evangeliën in Latijn). Canterbury, 1e kwart van de negende eeuw.

- 470 × 340 mm
- ff. 77
- Royal 1 E. vi

Vanaf 597, toen paus Gregorius de Grote Augustinus († ca. 604) op een missie stuurde om koning Aethelberth van Kent († 616?) en zijn onderdanen te bekeren tot het christendom, was Canterbury een van de grote wetenschappelijke centra van Angelsaksisch Engeland. Augustinus zal zeker liturgische boeken, psalters en evangelieboeken hebben meegenomen. En men denkt dat paus Gregorius een grote bijbel ten behoeve van de missie heeft gestuurd. Deze belangrijke tekst was gekopieerd en verspreid vanuit de kathedraal en vanuit het Petrus-en-Pauluskloostter in het oosten, dat later werd opgedragen aan Augustinus om de heilige missionaris te herdenken. Een deel van een bijbel die aan het begin van de negende eeuw in het Augustinus-klooster is gekopieerd, werd opgenomen in de Engelse koninklijke bibliotheek. Het staat nu bekend als de Canterbury Royal Bible. Tegenwoordig zijn slechts de vier evangeliën en de canontafels in het boek bewaard gebleven (andere pagina's zijn uit andere collecties)[1], maar door de binnenkant van het boek met zijn katernen, of nummeringen, is het duidelijk dat het boek oorspronkelijk uit negenhonderd pagina's bestond, en waarschijnlijk een volledige Bijbel vormde. De afmeting van de pagina's (470 mm hoog) geeft aan dat deze bijbel was bestemd voor gemeenschappelijke lezingen.[2] De overgebleven versiering duidt erop dat men het ook kon inzien.

Het opvallendste element van de versiering is dat er een paar bladen perkament zijn gebruikt waarop vlekken werden aangebracht of die dieppaars werden geschilderd. Daarop is de tekst met goud- en zilverinkt geschreven (ill. 5.1, 5.3). De bladen met die speciale kleur en kostbare materialen staan vol met keizerlijke en spirituele verwijzingen. Sommige Romeinse keizers stonden erom bekend dat ze paarse kleding voor zichzelf reserveerden. Ook boeken met paarse pagina's hadden een hoge status. Volgens één verslag ontving Constantijn de Grote (r. 306-337) een gedicht dat met goud- en zilverinkt was geschreven op paarse bladen (*ostro tota nitens, argento auroque coruscis scripta notis*).[3] Deze techniek werd ook toegepast op Bijbelse tekst. De schrijver van een evangelielectionarium dat

5.1 | Evangelistenportret van Lucas, met zijn symbool van een os, aan het begin van zijn evangelie, f. 43.

Ommezijde

5.2 | Canon 1, getiteld *Incip[it] canon primis in quo iiii*, met de namen van de evangelisten: Matteüs, Marcus, Lucas, Johannes, f. 4 (detail)

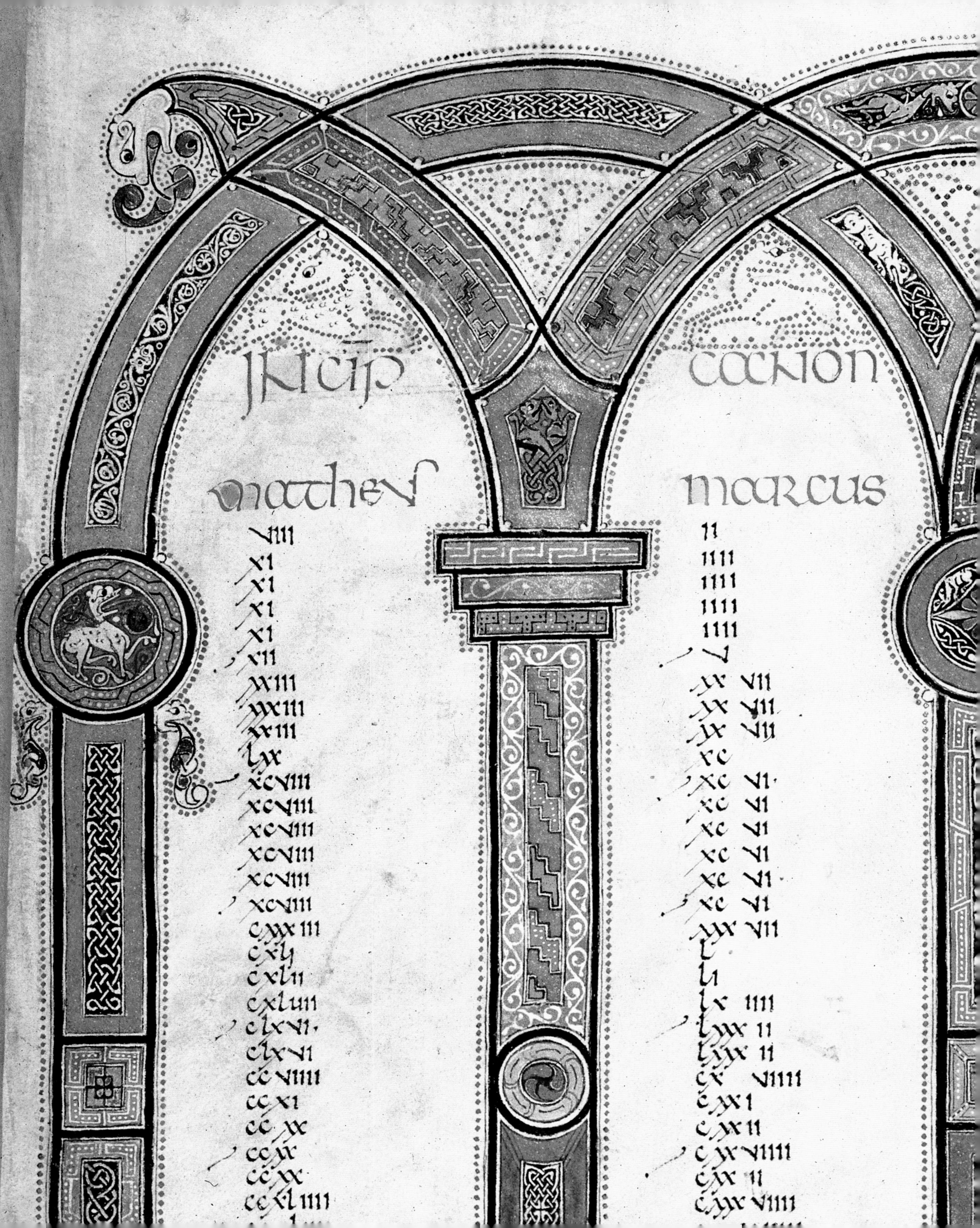

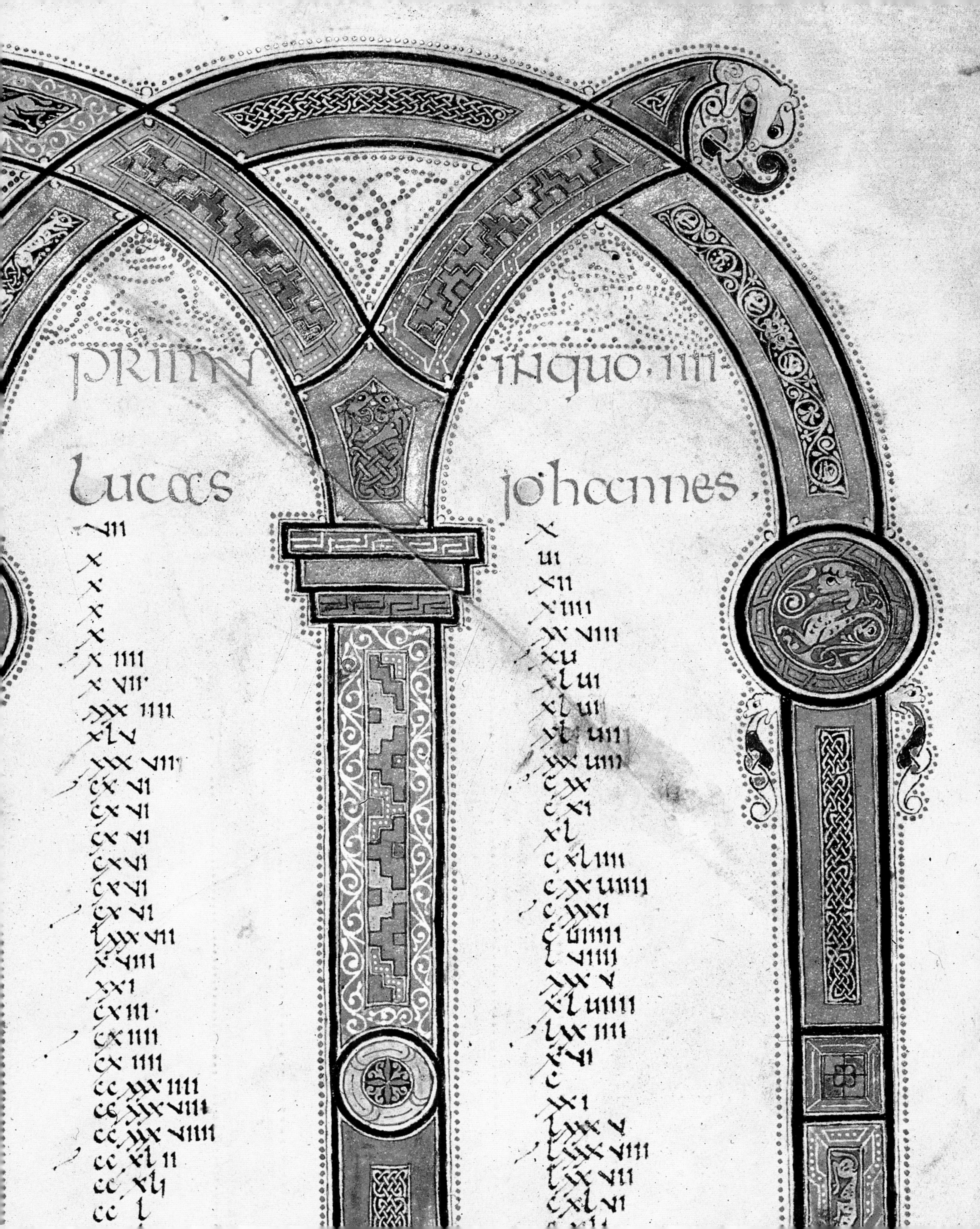
PRIMA
IN QUO IIII
Lucas
Johannes

een generatie eerder, in 780, was gemaakt voor Karel de Grote, beschreef de functie van deze kostbare materialen in de christelijke context::

> Gouden woorden zijn geschilderd op paarse pagina's,
> De stralende koninkrijken als de bliksem aan de sterrenhemel,
> Onthuld in rozerood bloed, tonen de vreugde van de hemel,
> En de welsprekendheid van God, schitterend met treffende zuiverheid
> Belooft de geweldige beloning van martelaarschap die moet worden verworven.[4]

De overgebleven vier paarse bladen in de Canterbury Royal Bible zijn zeldzaam; er zijn maar twee andere Angelsaksische boeken met paarse bladen (hoewel ze ook bestaan in andere Europese manuscripten). Drie ervan bevatten alleen tekst, maar één heeft ook een portret van Lucas (ill. 5.1). De evangelist ziet men niet zittend terwijl hij schrijft, maar in een medaillon. Zijn symbool, een os, heeft een prominentere plaats, in het timpaan van een boog boven versierde kolommen.[5] De kolommen, met complexe decoratieve gevlochten patronen in cirkels en rechthoeken die doen denken aan bewerkt metaal, zijn een kader voor het begin of de beginregel van de tekst van Lucas: *Quoniam quidem* ('Aangezien'), geschreven in gouden en zilveren letters. Deze speciale pagina's achtte men waardevol en men bleef ze, nadat ze voor het eerst waren vervaardigd, in de christelijke eeuwen erna gebruiken. Aan het begin van de elfde eeuw voegde men een evangelistenportret van Marcus toe aan het verso van een van hen (ill. 5.3). In dit latere portret zijn de posities van de evangelist en het symbool omgekeerd. Om hen heen staat een volledige rand gevuld met plantaardige vormen in simpelere patronen dan in ouder schilderwerk. De Canterbury Royal Bible bevat ook geïllumineerde canontafels (ill. 5.2) met hetzelfde complexe vlechtwerk en dezelfde zoömorfe decoratie als op de beginpagina van Lucas.[6] De tabellen kunnen we vergelijken met die van het Lindisfarne Evangeliarium (no. 2) van ongeveer honderd jaar eerder. Gemeenschappelijke kenmerken zijn rode stippen, zoömorfe elementen zoals vogel- en dierenkoppen, en gevlochten en trapvormige panelen die lijken op bewerkt metaal. Net zoals in het Lindisfarne Evangeliarium wordt het waardevolle van de tekst getoond door de buitengewone versiering, hier met goud- en zilverinkt op de paars gevlekte bladen.

5.3 | Evangelistenportret van Marcus, met zijn symbool van een leeuw, toegevoegd in de elfde eeuw, f. 30v.

LITERATUUR

Patrick McGurk, 'An Anglo-Saxon Bible Fragment of the Late Eighth Century: Royal 1 E. vi', *Journal of the Warburg and Courtauld Institutes*, 25 (1962), 18–34.

J.J.G. Alexander, *Insular Manuscripts: 6th to the 9th Century, A Survey of Manuscripts Illuminated in the British Isles*, 1 (Londen, 1978), no. 32.

Richard Gameson, 'The Canterbury Royal Bible', in Scot McKendrick, John Lowden en Kathleen Doyle, *Royal Manuscripts: The Genius of Illumination* (Londen, 2011), no. 2.

NOTEN

1 Canterbury, Canterbury Cathedral, MS Add. 16; Oxford, Bodleian Library, MS Lat. bib. b. 2 (P).

2 Voor het gebruik van kanselbijbels zie de Worms en Arnstein bijbels, no. 21 en 23.

3 P. Optatianus Porfyrius, *Carmina* I: 1–4.

4 Parijs, BnF, MS nouv. acq. lat. 1203, f. 126v, Engelse vertaling Paul E. Dutton, geciteerd in Herbert Kessler, 'The Book as Icon', in *In the Beginning: Bibles before the Year 1000*, red. Michelle P. Brown (Washington, 2006), p. 77. Voor Karel de Grote zie het gouden Harley Evangeliarium, no. 4, en de Moutier-Grandval Bijbel, no. 6.

5 Voor de symbolen van de evangelisten zie het gouden Harley Evangeliarium, no. 4.

6 Voor canontafels zie de Londense Canontafels, no. 1.

6

DE MOUTIER-GRANDVAL BIJBEL

Symbolische figuratieve kunst

Bijbel, in Latijn.
Tours, 1e helft van de negende eeuw

- 510 × 375 mm
- ff. 449
- Additional 10546

Als onderdeel van zijn plan om de kerk te hervormen liet Karel de Grote wetenschappers en adviseurs uit heel Europa naar zijn hof komen.[1] Een ervan was de Engelsman Alcuinus van York, die begin 800 een goede versie van de Bijbel voorbereidde voor Karel de Grote. Alcuinus was in 796 abt van het klooster van Sint-Maarten in Tours, en onder zijn leiding en dat van zijn opvolgers werd dit klooster een belangrijk centrum voor de productie van bijbels; meer dan veertig kopieën uit de eerste helft van de negende eeuw zijn bewaard gebleven.[2] Deze versie van Hiëronymus' Vulgaat, oftewel de Alcuinus Bijbel, gebruikte de *Gallicanum* versie in plaats van de *Romanum* versie van het psalter en het bevatte een bepaalde reeks Bijbelse boeken en prologen.[3] De kopieën die in Tours werden gemaakt, zijn groot en de tekst ervan is leesbaar, met een kenmerkend 'kwaliteitsschrift voor export'.[4] Veel ervan bestaan uit een enkel groot boek of 'pandecten' (de gehele Bijbel in één boek). Samen getuigen ze indrukwekkend van de wens om voor het hele Karolingische rijk een gecorrigeerde tekst van de Bijbel te maken.

Van de veertien overgebleven Tours pandecten zijn er drie prachtig geïllustreerd. Ze zijn gemaakt tijdens het 'hoogtepunt' van de Tours productie, onder leiding van de abten Adalhard (r. 834-843) en zijn opvolger, Vivian (r. 844-851).[5] De oudste van de veertien is de Moutier-Grandval Bijbel, een enorm boek met 449 bladen. De bijbel dankt zijn naam aan het klooster van Moutier-Grandval in het bisdom Balse, waarvoor het oorspronkelijk gemaakt kan zijn als een exportproduct van het Tours scriptorium. Het boek bevat vier miniaturen die worden geroemd als een paar van de oudste voorbeelden van paginagrote verhalende kunst in middeleeuwse manuscripten.

De eerste illustratie verschijnt aan het begin van Genesis, gerangschikt in vier friezen, waarin de volgorde van de gebeurtenissen van links naar rechts is. De scènes stellen situaties voor, geselecteerd uit het tweede en derde hoofdstuk van Genesis: de schepping van Adam en Eva; Gods waarschuwing om niet te eten van de boom der kennis; de verleiding en de val; de verbanning van Adam en Eva uit Eden; en een zogende Eva en zwoegende Adam (ill. 6.1). Binnen de randen staat een gedicht dat in gouden letters is geschreven en deze situaties samenvat. Het kan zijn dat het gedicht is geschreven naar aanleiding van de illustraties.[6]

6.1 | De schepping van Adam en Eva, de waarschuwing, de verleiding en de val, de verdrijving, en Eva zogend en Adam zwoegend, aan het begin van Genesis, f. 5v.

Ommezijde (links)
6.2 | 'Christus in majesteit', met de symbolen van de vier evangelisten, aan het begin van het Nieuwe Testament, f. 352v.

Ommezijde (rechts)
6.3 | Het Lam met het boek met de zeven zegels, de Leeuw van Juda en de symbolen van de evangelisten, en (onder) een zittende figuur met een sluier, en de symbolen van de evangelisten, f. 449.

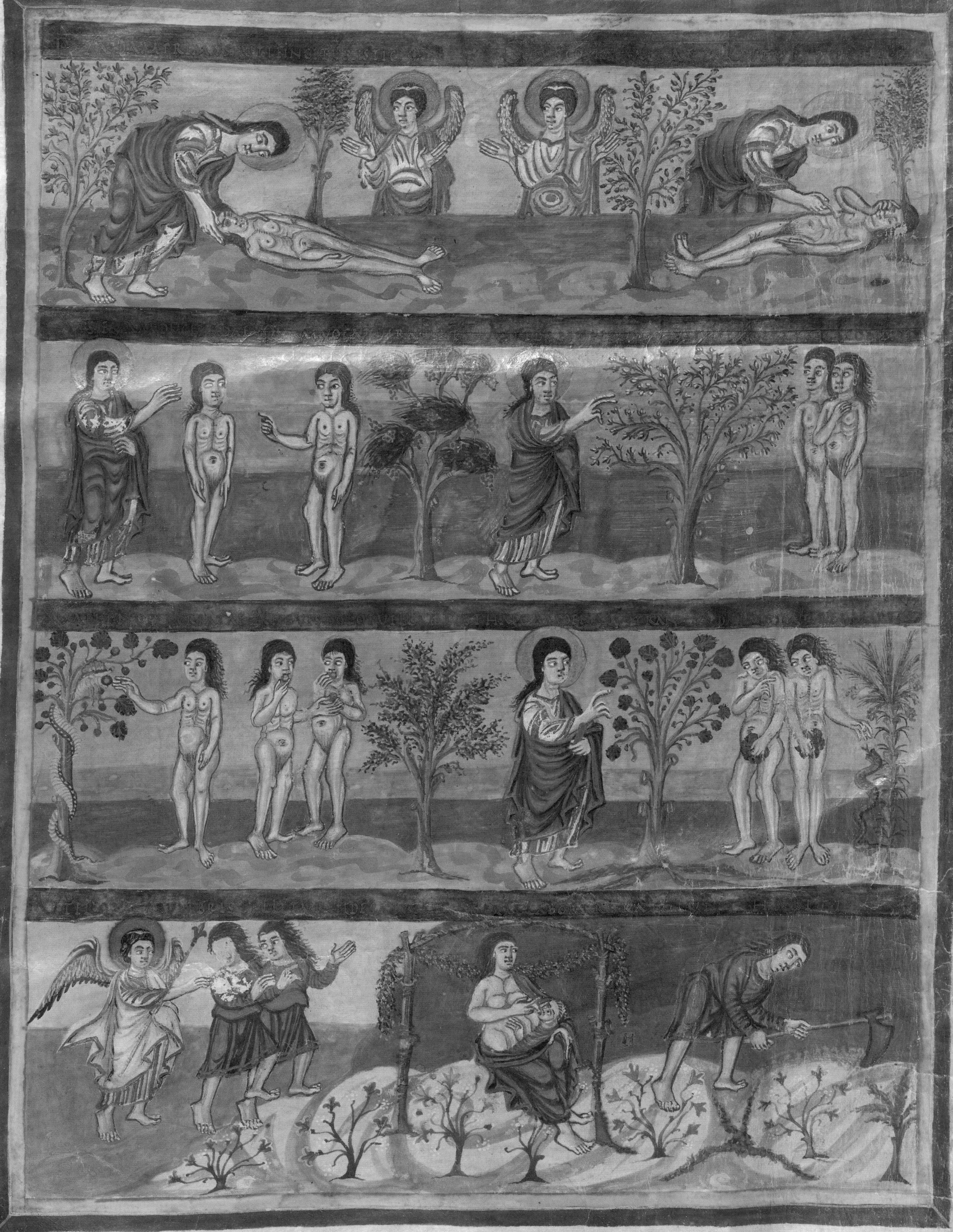

Iohannes
REXMI
REXISCON
SIVEP
HICEVAN
QVATTVOR
TVBRAE
CATAETHE
DIGNE
PHETAEO
GELICAE
ATQ:

Matheus
Ioh.
Marcus
Lucas
SEPTEM SIGILLIS AGNUS INNOCENS MODIS SIGNATA MIRIS IURA DISSERIT

6.4 | Mozes ontvangt de Wet uit de hand van God; hij looft de Wet, aan het begin van Exodus, f. 25v.

Twee belangrijke episodes uit het boek Exodus zijn ook een paginagrote illustratie waard; zij worden in twee in plaats van vier registers getoond (ill. 6.4). In de bovenste ontvangt Mozes de Wet uit de hand van God op een berg die in vlammen uitbarst, een voorstelling van Exodus 24:17: 'En het aangezicht van de majesteit van de Heer was als een laaiend vuur boven op de top van de berg.' Eronder onthult Mozes de geboden op de tweede stenen tafelen aan het volk van Israël (Exodus 34:29-32). Stilistisch gezien is de kunstenaar duidelijk schatplichtig aan klassieke kunst, in het gewaad van de figuren, de hangende gordijnen en vooral de architecturale achtergrond met zijn overwelfde muur, verzonken plafond, en figuren in de boogvullingen die doen denken aan Romaanse muurschilderingen, nu bekend van uitgravingen in Pompeï en Herculaneum.

De andere twee illustraties in de bijbel zijn complexere interpretaties van de tekst. De eerste is geplaatst voor het Nieuwe Testament. Hierop is 'Christus in majesteit' centraal afgebeeld, omringd door de symbolen van de vier evangelisten die een boek vasthouden (ill. 6.2).[7] In de hoeken houden vier mannen (waarschijnlijk de vier belangrijke profeten: Jesaja, Jeremia, Daniël en Ezechiël) tekstrollen vast. Zo is deze afbeelding een visueel commentaar op, of een samenvatting van, de vier evangeliën als een vervulling van de profetieën uit het Oude Testament.

De iconografie van de vierde paginagrote illustratie combineert deze twee typen illustraties. In het bovenste register worden het lam en de leeuw van Juda, die het boek met de zeven zegels opent, omringd door de symbolen van de evangelisten; een voorstelling uit Openbaring 5:1-7 en 6:1 (ill. 6.3). Hier zijn de teksten die door de symbolen worden vastgehouden, geschreven in een verkort schrift, de zogenoemde notities van Tiro; een Latijns stenosysteem dat in de eerste eeuw voor Christus werd ontwikkeld om redevoeringen in de Senaat vast te leggen. Het werd waarschijnlijk uitgevonden door Marcus Tullius Tiro (103-104 v.C.), eerst slaaf van de Romeinse staatsman Cicero en daarna een vrije burger.[8] De man op de zetel is niet makkelijk te identificeren met een passage in de tekst. Geleerden denken dat hij Mozes kan zijn, met in zijn handen een sluier die omhoog wordt gehouden door de symbolen van de evangelisten, of een personificatie van God die 'in geschriften wordt onthuld [als] één persoon'.[9] In zijn commentaar op Openbaring schreef Beatus van Liébana dat 'van Mozes tot Christus het gezicht van de Bijbel achter een sluier schuilging, en aan het eind van deze Bijbel wordt onthuld'.[10] Deze afbeelding, nu de laatste pagina, kan oorspronkelijk zijn geplaatst aan het begin van het boek Openbaring, of aan het begin van het boek zelf, om de eenheid van het Oude en Nieuwe Testament te benadrukken.

LITERATUUR

Herbert Kessler, *The Illustrated Bibles from Tours, Studies in Manuscript Illumination*, 7 (Princeton, 1977).

Herbert Kessler, 'The Book as Icon', in *In the Beginning: Bibles before the Year 1000*, red. Michelle P. Brown (Washington, 2006), pp. 77–103 (pp. 91–92, 99, fig. 11).

David Ganz, 'Carolingian Bibles', in *The New Cambridge History of the Bible*, 4 dln. (Cambridge, 2012–15), II: *From 600 to 1450*, red. Richard Marsden en E. Ann Matter (2012) pp. 325–337.

NOTEN

1 Voor Karel de Grote zie het gouden Harley Evangeliarium, no. 4.

2 David Ganz, 'Mass Production of Early Medieval Manuscripts', in *The Early Medieval Bible: Its Production, Decoration and Use*, red. Richard Gameson (Cambridge, 1994), pp. 53–62.

3 Voor het *Gallicanum* Psalter zie het Lotharius Psalter, no. 7.

4 Rosamond McKitterick, 'Carolingian Bible Production: The Tours Anomaly', in *The Early Medieval Bible: Its Production, Decoration and Use*, red. Richard Gameson (Cambridge, 1994), pp. 63–77 (p. 63).

5 Walter Cahn, *Romanesque Bible Illumination* (Ithaca, NY, 1982), p. 46. De andere twee staan in Bamberg, Staatliche Bibliothek, Msc. Bibl. 1, en Parijs, BnF, MS lat. 1.

6 Zie Kessler, *Illustrated Bibles* (1977), p. 33.

7 Voor de evangelistensymbolen zie het gouden Harley Evangeliarium, no. 4.

8 Met dank aan David Ganz dat hij dit onder onze aandacht heeft gebracht.

9 Zie Cahn, *Romanesque Bible Illumination* (1982), p. 50; Kessler, 'Book as Icon' (2006), p. 92.

10 Geciteerd in in Kessler, 'Book as Icon' (2006), p. 92; voor Beatus zie de Silos Beatus, no. 15.

7

HET LOTHARIUS PSALTER

Een keizerlijke psalter

Psalter, in Latijn.
Aken, ca. 842-855.

- 235 × 185 mm
- ff. 172
- Additioneel 37768

De productie van luxueuze Bijbelse teksten ging door tijdens de regeringsperiode van de kleinzoon van Karel de Grote, Lotharius († 855), de oudste zoon van Lodewijk de Vrome, en vanaf 817 medekeizer met zijn vader. In dit psalter wordt hij afgebeeld als de keizer. Hij is van zijn kroon tot zijn mantel bedekt met juwelen. Zijn mantel lijkt op een gewaad dat door de Romeinse keizer Constantijn II werd gedragen (ill. 7.1).[1] Tegenover deze afbeelding staat een met goud geschreven gedicht, dat verwijst naar Lotharius' status als een 'triomferende Caesar' (*Caesareum … triumphum*), met zijn oosterse (*oriens*) en westerse (*occidui*) onderdanen. Dit soort werken bestaan nog steeds in de schatkamer van de Akense Dom, zoals het met edelstenen bezette Lothariuskruis, met zijn ingelegde Romaanse cameo (hoewel deze dateert van circa honderdvijftig jaar na Lotharius). Het psalter staat in nauw verband met de keizerlijke familie; een gebed dat voor de afbeelding van de keizer staat, verwijst niet alleen naar Lotharius, maar ook naar zijn zonen, en het kan zijn geschreven voor zijn dochter Bertrada.[2] Het boek is een van de vijf overgebleven manuscripten die qua stijl en formaat erg op elkaar lijken. Door de hoge kwaliteit hebben wetenschappers geconcludeerd dat het aan het hof van Lotharius in Aken is gemaakt; in een klein atelier waar boeken voor de keizer en zijn directe familie werden gemaakt (de boeken worden daarom soms de *Hofschule* groep van Lotharius genoemd).

De Romaanse associaties zijn waarschijnlijk weloverwogen aangebracht, zoals de kleding van Lotharius en de keizerlijke zetel met dierenkop waarop hij zit, en in de tekstuele verwijzingen. Deze afbeelding wordt beschouwd als de oudste nog bestaande afbeelding van een Karolingische troon, en wordt vaak vergeleken met de bronzen troon van Dagobert, de koning van de Franken († 639), die nog steeds wordt bewaard in Parijs.[3] Een andere verwijzing naar het koningschap zien we in de afbeelding van David die onmiddellijk volgt op die van Lotharius (ill. 7.2). Hier verschijnt een vioolspelende David als de psalmist[4]; hij heeft een stralenkrans in plaats van een kroon, maar zijn verschijning is vorstelijk (en Romaans). Ook hij draagt een Romeins gewaad en zit op een stenen bank met een kussen in klassieke stijl. Men denkt dat David hier een voorbeeld is van een Bijbelse koning, die door God uit veel broers werd

7.1 | Portret van keizer Lotharius; met kroon en zwaard, f. 4.

OMMEZIJDE (LINKS)
7.2 | Portret van een jeugdige David, zittend en vioolspelend, f. 5.

OMMEZIJDE (RECHTS)
7.3 | Portret van Hiëronymus als priester, in een albe, kazuifel en stola, met in zijn hand een boek, f. 6.

HIERO
NIMVS

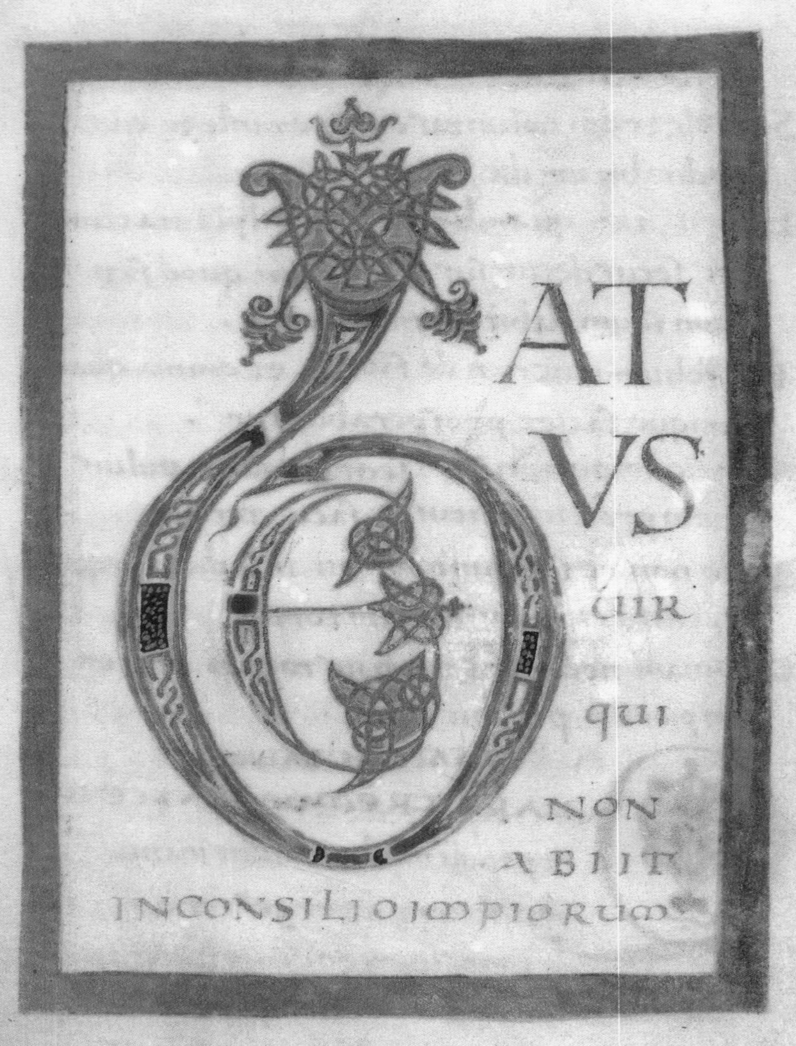
I
AT
VS
UIR
QUI
NON
ABIIT
INCONSILIO IMPIORUM

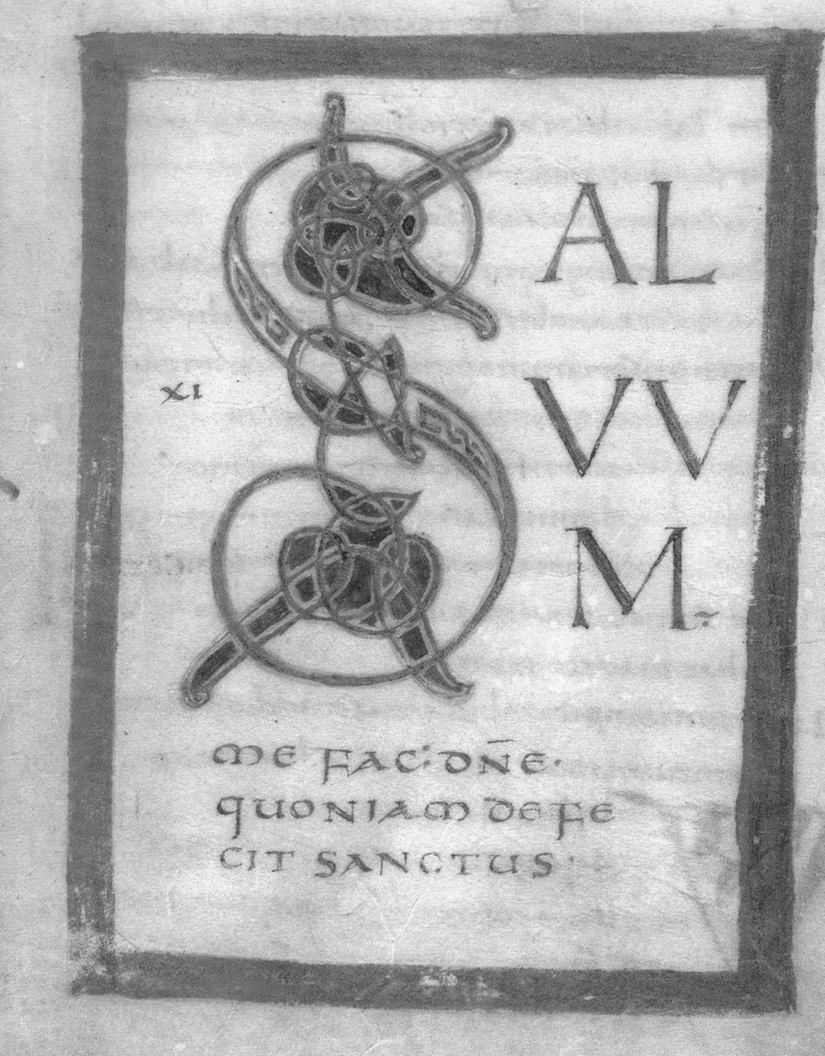
XI
AL
VV
M.
ME FAC DNE·
QUONIAM DEFE
CIT SANCTUS

LXI
NNE
DO SUBIECTA ERIT
ANIMA MEA AB
IPSO ENIM SALU
TARE MEUM

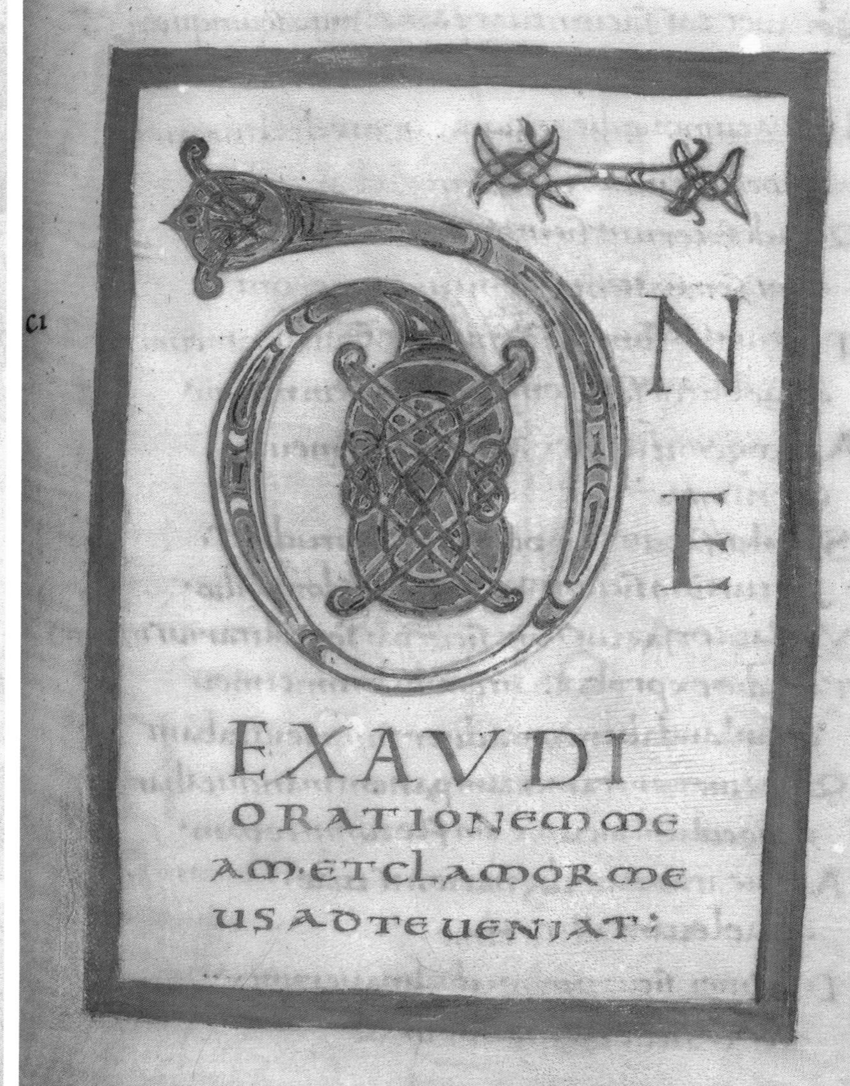
CI
N
E
EXAUDI
ORATIONEM ME
AM ET CLAMOR ME
US AD TE UENIAT

Met de klok mee vanaf linksboven

7.4 | Versierde initialen 'B'(*eatus*), psalm 1, f. 9; 'S'(*alvum*), psalm 10, f. 17; 'No'(*nne*), psalm 60, f. 64; en 'D'(*/omi/ne*), psalm 100, f. 105.

gekozen (*de multis fratibus unum quem Deus elegit*). Dit lezen we in het gedicht dat tegenover David is geschreven; hierin worden Davids Psalmen ook bestempeld als 'Christus bekendmakend aan de wereld' (*signarent Xr[istu]m mundi*).[5]

Het derde portret, dat voor het begin van de Psalmen staat, toont Hiëronymus (ill. 7.3). Ook hij is imponerend. Hij heeft een tonsuur en houdt een met juwelen bedekt boek vast, terwijl hij een zegenend gebaar maakt. Hij is gekleed als een priester (niet als een kardinaal, zoals op latere afbeeldingen vaak voorkwam). Zijn versierde stola past bij het boek dat hij vasthoudt.[6] Net zoals David wordt Hiëronymus geassocieerd met de totstandkoming van het boek Psalmen, maar dan als vertaler in plaats van als auteur. De tekst die volgt op zijn afbeelding is zijn Gallische versie, of *Gallicanum*, dat zo wordt genoemd omdat het in Gallisch werd opgenomen, in tegenstelling tot de *Romanum* versie die in de vroege middeleeuwen werd gebruikt in Italië en Engeland.[7] Hiëronymus voltooide zijn vertaling tussen 386 en 391, en hij baseerde deze op de Griekse tekst van de Psalmen door Origenes († ca. 254), uit de editie van het Oude Testament in Hebreeuws en Grieks, de *Hexapla*. De Gallische tekst werd gebruikt aan het hof van Karel de Grote, en werd de standaardversie die in kopieën van de Vulgaat werd gevoegd. Hier wordt het belang van Hiëronymus en de juiste tekst duidelijk gemaakt in een paginagrote inscriptie in goud direct voor de tekst: *Incipit liber Psalmorum emendatus a Sancto Hieronimo presbitero* ('Het begin van het boek Psalmen gecorrigeerd door Hiëronumys, priester').

De luister van dit boek is ook duidelijk in de complex versierde initialen, die met ingewikkelde patronen zijn uitgevoerd in goud. Deze komen niet voor in de acht 'liturgische' versies, zoals in het Vespasiaanse Psalter (no. 3), maar bij elke groep van tien psalmen, die soms *deguriae* worden genoemd; een systeem dat bekend is van Milanese psalters, en die een liturgische traditie volgt die is opgezet door sint Ambrosius (ill. 7.4).[8] Stilistisch demonstreren deze sierlijke initialen met hun knopen en spiralen de voortdurende aantrekkingskracht van gevlochten versiering in het Karolingische Rijk. Bovendien tonen de iconografie, de volgorde van de inleidende portretten en begeleidende teksten de positie van Lotharius als een opvolger van zowel wereldlijke als spirituele leiders en wetenschappers.

Noten

1 Dodwell, *Pictorial Arts* (1993), p. 60.

2 Zie Rudolf Schieffer, 'Ein Schwiegersohn Lothars I', *Deutsches Archiv für Erforschung des Mittelalters*, 71 (2015), 179–184.

3 Parijs, BnF, Département des Monnaies, médailles et antiques.

4 Vergelijk David in het Vespasiaanse Psalter, ill. 3.1.

5 Zie Lowden, 'Royal/Imperial Book' (1993), p. 224.

6 Voor Hiëronymus als kardinaal zie de Grote Bijbel, no. 39.

7 Voor vertalingen van Hiëronymus zie 'One Thousand Years of Art and Beauty', p. 12, en voor de *Romanum* versie zie het Vespasiaanse Psalter, no. 3.

8 Voor deze traditie zie Huglo, 'Psalmody' (2010).

Literatuur

Margaret Gibson, 'The Latin Apparatus', in *The Eadwine Psalter: Text, Image, and Monastic Culture in Twelfth-Century Canterbury*, red. Margaret Gibson, T.A. Heslop en Richard W. Pfaff, Modern Humanities Research Association, 14 (Londen, 1992), pp. 108–122.

C.R. Dodwell, *The Pictorial Arts of the West, 800–1200* (New Haven, 1993), p. 60, pl. 47.

John Lowden, 'The Royal/Imperial Book and the Image or Self-Image of the Medieval Ruler', in *Kings and Kingship in Medieval Europe*, red. Anne J. Duggan, King's College London Medieval Studies, 10 (Londen, 1993), pp. 213–240 (pp. 223–226, pls 3–4).

Michel Huglo, 'Psalmody in the Ambrosian Rite: Observations on Liturgy and Music', in *Ambrosiana at Harvard: New Sources of Milanese Chant*, red. Thomas Forrest Kelly en Matthew Mugmon (Cambridge, MA, 2010), pp. 97–124.

8

HET ÆTHELSTAN EVANGELIARIUM

Een vorstelijk geschenk

De vier evangeliën, in Latijn. Lobes, ten zuiden Van Brussel, laatste kwart van de 9e eeuw, of het 1e kwart van de 10e eeuw.

- 235 × 180 mm
- ff. 218
- Cotton Tiberius A. ii

Koning Æthelstan († 939) werd de 'stichter van het koninkrijk van Engeland' genoemd omdat hij als eerste verscheidene koninkrijken verenigde.[1] De koning was ook een vrijgevige beschermheer voor kloosters en kerken. Hij schonk ze relieken, land en manuscripten. Dit evangeliarium kreeg zijn titel vanwege de associatie met Æthelstan, die in een inscriptie wordt geëerd als 'koning en heerser van heel Brittannië' (*Anglorum basylos et curagulus totius Bryttanniae*). Deze inscriptie is in de tiende eeuw toegevoegd. Het Æthelstan Evangeliarium was een van zijn geschenken; een tweede toegevoegde inscriptie beschrijft hoe *rex pius Aedlstan* (f. 15) het boek aan de Christ Church, Canterbury gaf. Volgens gewoonte werd het tijdens kroningen gebruikt. Het boek is een van de zes overgebleven manuscripten die Æthelstan schonk aan religieuze fondsen, en een van de twee die hij schonk aan de Christ Church, hoewel deze misschien alleen maar het 'restant' van een grotere groep is.[2]

Dat Æthelstan het evangeliarium weggaf, was kennelijk een voorbeeld van 'een geschenk doorgeven', een gebruik dat vaak voorkwam in de middeleeuwen.[3] Het manuscript zelf is niet Engels maar continentaal. Waarschijnlijk had Æthelstan het gekregen van Otto I van Saksen, vanaf 936 koning van Duitsland; misschien ter gelegenheid van Otto's huwelijk met Æthelstans halfzuster Eadgyth († 946). Deze afkomst wordt duidelijk gemaakt door twee inscripties in een Engels handschrift: *Odda [Otto] rex en Mihthild mater regis* ['Matilda, moeder van de koning', dat wil zeggen, Otto's moeder, † 968). De kwaliteit van het schrift en de decoratie in het evangeliarium past absoluut bij een vorstelijk geschenk. Æthelstan breidde deze versiering nog verder uit met opschriften in goud en een met juwelen belegde prachtband, die helaas niet bewaard is gebleven.[4]

De zeer verfijnde portretten van de vier evangelisten, versierd met gouden details, geven de kostbaarheid van het boek aan (ill. 8.1-8.2, 8.4). Elke evangelist verschijnt met zijn symbool en in klassiek gemaakte kleding en omgeving, zoals in veel andere oude luxe evangelieboeken.[5] In het Æthelstan Evangeliarium staan de evangelisten rechtstreeks in contact met

8.1 | Evangelistenportret van Marcus, schrijvend in een opengeslagen boek en kijkend naar zijn symbool, dat een gesloten boek vasthoudt, aan het begin van zijn evangelie, f. 74v.

OMMEZIJDE

8.2–8.3 | Evangelistenportret van Matteüs. Hij houdt een pen en inktpot vast, met zijn symbool van een mens, die hem aanwijzingen geeft voor zijn evangelie; en (ertegenover) de eerste woorden van het evangelie, *Lib[er] Generationis*, in grote hoofdletters met gevlochten versiering, gevolgd door letters in goud; ff. 24v-25.

MARCUS
VT ALTA FREMIT VOX
PER DESERTA LEONIS

HOC MATTHEUS AGENS
HOMINEM GENERALITER
IMPLET
LIBER GENERATIONIS

IURE SACER
DOTIS LUCAS TENET
ORA

8.4 | **Evangelistenportret van Lucas, die een tekstrol openhoudt, met zijn symbool van een os erboven, aan het begin van zijn evangelie, f. 112v.**

hun symbolen: vooral de positie van Marcus is opvallend omdat hij zijn hoofd bijna helemaal draait om naar zijn leeuw te kijken (ill. 8.1). Misschien geven deze rechtstreekse blikken de hemelse inspiratie weer die wordt gegeven door de symbolen; klaarblijkelijk bieden ze de heilige teksten in boeken of tekstrollen aan.[6] Lucas rolt, terwijl hij de toeschouwer aankijkt, op zijn schoot een tekstrol open. Daarop staat, geschreven in goud, het begin van vers 5 van hoofdstuk 1 van zijn evangelie, *fuit in diebus* ('in de dagen [van Herodes]). Zijn boek, gesloten met rode en gouden gespen, ligt op de katheder en spiegelt het gesloten boek dat door zijn symbool, de os, wordt vastgehouden. Op elke afbeelding worden de evangelistensymbolen afgebeeld met vleugels, zoals zo vaak in middeleeuwse kunst. Hiermee wordt hun afkomst weergegeven van Ezechiëls visioen van de vier levende wezens, die elk 'vier vleugels' hadden (Ezechiël 1:6) en dat van Johannes, waarin 'de vier levende wezens elk zes vleugels hadden' (Openbaring 4:8). Deze relatie tussen de evangelisten en hun symbolen wordt benadrukt in regels uit een gedicht uit de vijfde eeuw, de *Carmen Paschale*, door Sedulius (bloeitijd ca. 425-450) die bij elk portret staan. De regel die van toepassing is op de betreffende evangelist, verschijnt boven hem. De verwijzing naar Marcus bijvoorbeeld, *Marcus ut alta fremit vox per deserta leonis* ('Marcus, de edele stem van de leeuw brult in de wildernis'), is in het timpaan in goud geschreven (ill. 8.1). De volgende regels van het gedicht zijn niet geïllustreerd, maar bevestigen het belang van de symbolen, en de eenheid en universaliteit van de boodschap van de evangeliën *Quatuor hi proceres una te voce canentes tempora ceu totidem latum sparguntur in orbem* ('Deze vier edele mannen bezingen uw glorie met één stem, en verspreiden hem als de seizoenen over de hele aarde').[7]

Zoals in andere befaamde kopieën van de vier evangeliën staan de evangelistenportretten tegenover een grote of paginagrote versierde bladzijde aan het begin van elk evangelie (ill. 8.2-8.3). De letters zelf zijn rijkelijk versierd met vlechtwerk, knopen, gedecoreerde panelen en vogelkoppen, zoals kenmerkend is voor middeleeuwse luxe boeken. De eerste drie letters van het woord *Liber* ('boek') aan het begin van het Matteüsevangelie vullen bijvoorbeeld bijna de hele pagina (ill. 8.3). De kunstenaar van dit portret verschilt van de andere drie. Hij heeft voor zijn afbeelding bijna de hele pagina gebruikt waardoor hij het vers dat te maken heeft met Matteüs in goud in de bovenste marge moest schrijven. Ondanks deze stilistische verschillen is het totale effect van de overvloedige twee pagina's tellende opening en het veelvuldige gebruik van goud er een van pure pracht en praal.

NOTEN

1. Wood, 'King Athelstan's Psalter' (2013), p. 38.
2. Keynes, 'King Athelstan's Books' (1985); Pratt, 'Kings and Books' (2015), p. 337.
3. Zie Gameson, 'Earliest English Royal Books' (2013); Pratt, 'Kings and Books' (2015), pp. 338, 356.
4. Voor andere verwijzingen van prachtband zie het Lindisfarne Evangeliarium, no. 2; de afbeelding van Hiëronymus die een boek met een 'prachtband' vasthoudt in het Lotharius Psalter, ill. 7.3; en het Egerton Evangelielectionarium, no. 17.
5. Vergelijk het Lindisfarne Evangeliarium, no. 2, en het gouden Harley Evangeliarium, no. 4.
6. Voor de Bijbelse afkomst van de symbolen zie het gouden Harley Evangeliarium, no. 4, en vergelijk de Arnstein-bijbel, waarin de adelaar van Johannes met zijn snavel de lippen van de evangelist aanraakt (ill. 23.1).
7. Sedulius, *Carmen Paschale*, boek 1, regel 359, Engelse vertaling, Patrick McBrine (2008), <http://pmcbrine.com/carmenpaschale1.pdf>, bezocht op 24 april 2015.

LITERATUUR

Simon Keynes, 'King Athelstan's Books', in *Learning and Literature in Anglo-Saxon England: Studies Presented to Peter Clemoes on the Occasion of his Sixty-Fifth Birthday*, red. Michael Lapidge en Helmut Gneuss (Cambridge, 1985), pp. 143–201.

Julian Harrison, 'The Athelstan or Coronation Gospels', in Scot McKendrick, John Lowden en Kathleen Doyle, *Royal Manuscripts: The Genius of Illumination* (Londen, 2011), no. 4.

Richard Gameson, 'The Earliest English Royal Books', in *1000 Years of Books and Manuscripts*, red. Kathleen Doyle en Scot McKendrick (Londen, 2013), pp. 3–35 (vooral pp. 10–15).

Michael Wood, 'King Athelstan's Psalter', in *1000 Years of Books and Manuscripts*, red. Kathleen Doyle en Scot McKendrick (Londen, 2013), pp. 37–55.

David Pratt, 'Kings and Books in Anglo-Saxon England', *Anglo-Saxon England*, 43 (2015), 297–377.

9

HET GUEST-COUTTS NIEUWE TESTAMENT

Een verlucht Nieuw Testament uit Constantinopel

Het Nieuwe Testament, in Grieks. Constantinopel, helft 10e eeuw.

- 290 x 210 mm
- ff. 302
- Additioneel 28815

Een van de zeldzaamheden onder Bijbelse manuscripten is een band die de 27 boeken van het Griekse Nieuwe Testament bevat. Van de ongeveer 5.700 geïdentificeerde kopieën van verschillende delen van de Griekse tekst bestaan slechts circa zestig uit het gehele Nieuwe Testament. Bovendien zijn minder dan tien van dit soort manuscripten uit de tiende, elfde en twaalfde eeuw bewaard gebleven.[1] Het manuscript in dit boek is een van deze opmerkelijke boeken.

Het Griekse manuscript is extra interessant door zijn verfijnde verluchting. Het is het prachtigste Byzantijnse manuscript dat in het bezit is van de British Library, en het bevat twee van de vier paginagrote evangelistenportretten in de evangeliën (ill. 9.1) en een staand portret van Lucas aan het begin van het boek Handelingen (ill. 9:2). Ze zijn elk geschilderd op een tussengevoegd enkel blad in een breed, gedetailleerd versierd kader. Typerend voor de beste artistieke creaties van Constantinopel in de tiende eeuw zijn de portretten die opvallende herinterpretaties zijn van voorgangers uit de antieke beeldhouwkunst. De illuminator schilderde de klassieke Romeinse gewaden, die door zijn figuren worden gedragen, met grote snelheid en krachtige applicaties van opeenvolgende lagen, en afgebakende schaduwen en belichtingen die slechts gedeeltelijk iets te maken hebben met de daaronder liggende natuurlijke vorm. Het neigt naar onwerelds, nerveus abstract werk. Elk portret weerspiegelt daarbij zowel het christelijke als het klassieke erfgoed van Constantinopel.

Naast deze mooie portretten is elke openingspagina van het Nieuwe Testament en de aanvullende teksten verfraaid met een eenvoudig verlucht open bovenkader of 'π'-vormig poortje (*πύλη*; ill. 9.3) en een titel die is geschreven in rijk versierd gouden majuskelschrift. De meeste belangrijke initialen die deze en andere verdelingen van de tekst markeren, zijn versierd met gedetailleerde bladeren en ranken; een opmerkelijke uitzondering is de gewone vergulde initiaal voor Handelingen (ill. 9.3). Als we afgaan op de twee bladen die voorafgaan aan het evangelie van Lucas, werd het boek weelderiger door de hoofdstuklijsten, die op paars geschilderd of paars

9.1 | Lucas schrijft al zittend zijn evangelie, bij het licht van een hanglamp en aan een tafel waarop schrijfgerei ligt, aan het begin van het evangelie, f. 76v.

OMMEZIJDE
9.2–9.3 | Lucas staat naast een hoge tafel met in zijn hand een penhouder en een lange tekstrol. Op de tafel liggen een paar tekstrollen; en (ertegenover) het begin van Handelingen, met de titel in goud onder een verlucht open bovenkader en een eenvoudige vergulde marginale initiaal; ff. 162v-163.

ὁ λουκας

ο λου

α περὶ ἐξ ἀναστάσεως διδασκαλίας χ(ριστο)ῦ ἰ(ησο)ῦ ὀπτασίας πρὸς τοὺς μαθητ(άς)
ἰ(ησο)ῦ περὶ ἐπαγγελίας τῆς τοῦ ἁγίου πν(εύματο)ς δωρεᾶς τε καὶ τρόπου
τῆς ἀναλήψεως τοῦ χ(ριστο)ῦ ἰ(ησο)ῦ περὶ ἐνδόξου ἰ(ησο)ῦ β' αὐτοῦ παρουσίας:

Α

+ ΠΡΑΞΕΙΣ ΤΩΝ ΑΓΙΩΝ ΑΠΟΣΤΟΛΩΝ:

Τὸν μὲν πρῶτον λόγον ἐποιησάμην περὶ πάν-
των ὦ θεόφιλε· ὧν ἤρξατο ὁ ἰ(ησοῦ)ς ποιεῖν τε καὶ
διδάσκειν· ἄχρι ἧς ἡμέρας ἐντειλάμενος
τοῖς ἀποστόλοις διὰ πν(εύματο)ς ἁγίου· οὓς ἐξελέξα-
το ἀνελήφθη· οἷς καὶ παρέστησεν ἑαυτὸν
ζῶντα μετὰ τὸ παθεῖν αὐτὸν ἐν πολλοῖς
τεκμηρίοις· δι' ἡμερῶν τεσσαράκοντα ὀ-
πτανόμενος αὐτοῖς καὶ λέγων τὰ περὶ τῆς
βασιλείας τοῦ θ(εο)ῦ· καὶ συναλιζόμενος πα-
ρήγγειλεν αὐτοῖς ἀπὸ ἱεροσολύμων μὴ χω-
ρίζεσθαι· ἀλλὰ περιμένειν τὴν ἐπαγγελίαν
τοῦ π(ατ)ρ(ὸ)ς ἣν ἠκούσατέ μου· ὅτι ἰωάννης
μὲν ἐβάπτισεν ὕδατι· ὑμεῖς δὲ βαπτισθή-
σεσθε ἐν πν(εύματ)ι ἁγίῳ οὐ μετὰ πολλὰς ταύτας
ἡμέρας· οἱ μὲν οὖν συνελθόντες· ἐπηρώ-
των αὐτὸν λέγοντες· κ(ύρι)ε, εἰ ἐν τῷ χρόνῳ τού-
τῳ· ἀποκαθιστάνεις τὴν βασιλείαν τῷ ἰσ(ρα)ήλ·
εἶπεν δὲ πρὸς αὐτούς· οὐχ ὑμῶν ἐστιν γνῶναι
χρόνους ἢ καιρούς· οὓς ὁ π(ατ)ὴρ ἔθετο ἐν τῇ ἰδί-
ᾳ ἐξουσίᾳ· ἀλλὰ λήψεσθε δύναμιν ἐπελ-
θόντος τοῦ ἁγίου πν(εύματο)ς ἐφ' ὑμᾶς· καὶ ἔσεσθέ
μοι μάρτυρες ἐν τε ἰ(ερουσα)λ(ἠ)μ καὶ ἐν πάσῃ τῇ ἰ-
ουδαίᾳ καὶ σαμαρείᾳ· καὶ ἕως ἐσχάτου
τῆς γῆς· καὶ ταῦτα εἰπὼν, βλεπόντων

gevlekt perkament in goud zijn geschreven.[2] Deze kenmerken zijn typerend voor het extreem hoge niveau van de gewone boekproductie in de hoofdstad van het oosterse christendom, tijdens de zogenoemde Macedonische renaissance onder de Macedonische dynastie van Byzantijnse heersers tussen 867 en 1056. Deze culturele en artistieke herleving volgde op de nederlaag in 843 van het iconoclasme, een religieuze richting die in de oosterse kerk werd geïntroduceerd en die de heiligheid van iconen ontkende en de verering ervan afwees.[3]

In zijn huidige staat bevat het boek iets meer dan driekwart van het Nieuwe Testament, geschreven in Grieks minuskelschrift (of onderkast) dat dateert uit de tiende eeuw. Het opent met de vier evangeliën, en gaat door met Handelingen, de zeven katholieke brieven en de eerste vier Paulusbrieven.[4] De katholieke brieven gaan vooraf aan een verzameling samenvattingen en hoofdstuklijsten (*capitula*) van alle brieven. De Paulusbrieven worden ingeleid door een lang voorwoord dat van oudsher wordt toegekend aan een diaken met de naam Euthalius. De evangeliën zijn in de marges gemarkeerd met sectie- en canontafelnummers, en met genummerde hoofdstuktitels, maar Eusebius' canontafels ontbreken[5], en er zijn slechts een paar sporen bewaard gebleven van de hoofdstuklijsten voor elk evangelie. Handelingen en brieven zijn ook gemarkeerd met genummerde hoofdstuktitels en een paar commentaren, waarvan sommige worden toegekend aan vroege christelijke commentatoren. Ergens anders zijn de marginale toevoegingen beperkt gebleven tot het noteren van Oude Testament citaten die in de tekst staan. Zoals allang bekend is, vult een ander manuscript in de British Library (Egerton 3145) het boek aan met de bewaard gebleven missende tien Paulus' brieven en Openbaring. Het lijkt aannemelijk dat het hele boek, of zijn voorbeeld, uit twee of drie aparte manuscripten werd gekopieerd.

Enkele eeuwen later werd het oorspronkelijke volledige boek verdeeld in tweeën. Het huidige manuscript heeft een gedetailleerd voorplat om zijn rol als het fysieke symbool van het woord van God binnen de orthodoxe liturgie te versterken (ill. 9.4). Het voorplat met scènes uit het leven van de christelijke martelaar sint Demetrius, dat is overgenomen van een veel ouder werk, duidt aan dat het boek toen werd bewaard in een kerk of klooster, opgedragen aan deze heilige.[6] Tegen de helft van de negentiende eeuw waren de beide delen van het boek in Epirus in West-Griekenland. In 1864 kocht barones Angelina Burdett-Coutts het kleinere deel (Egerton 3145) van een verkoper in Ionannina; tegen 1867 was sir Ivor Bertie Guest in het bezit gekomen van het grotere deel en een paar andere Griekse manuscripten, afkomstig uit Epirote. Nadat ze bijna een eeuw gescheiden waren geweest, werden ze in 1936 in de British Museum Library herenigd.

Literatuur

Kurt Weitzmann, *Die byzantinische Buchmalerei des 9. und 10. Jahrhunderts* (Berlijn, 1935), p. 20.

Gervase Mathew, *Byzantine Painting* (Londen, 1950), pp. 3, 6, pls 1–2.

Byzantium: Treasures of Byzantine Art and Culture from British Collections, red. David Buckton (Londen, 1994), no. 147.

Andreas Rhoby, 'Zu den Szenen aus der Vita des heiligen Demetrios auf dem Einbanddeckel des Neuen Testaments in der British Library (Add. Ms 28815)', *Byzantinische Zeitschrift*, 105 (2012), 131–41.

9.4 | Christus op de troon, geflankeerd door de Maagd Maria en Johannes de Doper en vergezeld door de symbolen van de vier evangelisten (in de hoeken van het middenpaneel) en serafijnen (engelen met zes vleugels, boven en onder); de vier evangelisten, Petrus en Paulus (boven en onder herhaald); op het bewerkte metaal van het voorplat.

Noten

1 D. C. Parker, *An Introduction to New Testament Manuscripts and their Texts* (Cambridge, 2008), pp. 77–78.

2 Voor paarse pagina's zie de Canterbury Royal Bible, no. 5.

3 Voor iconoclasme zie 'One Thousand Years of Art and Beauty', p. 24, en het Theodorus Psalter, no. 14.

4 Voor de brieven zie 'One Thousand Years of Art and Beauty', p. 12.

5 Voor de canontafels zie de Londense Canontafels, no. 1.

6 Rhoby, 'Zu den Szenen' (2012).

10

HET HARLEY PSALTER

Een Angelsaksisch meesterwerk

Psalter (niet perfect), in Latijn. Canterbury, 1e helft van de 11e eeuw.

- 380 x 310 mm
- ff. 73
- Harley 603

Een van de meest karakteristieke kenmerken van latere Angelsaksische boekkunst is het gebruik van verfijnde gedetailleerde lijntekeningen in plaats van, of in combinatie met, geschilderde decoratie. Dit kan deels komen doordat een buitengewoon continentaal psalter, dat nu bekend staat als het Utrecht Psalter, vernoemd naar zijn huidige locatie, rond het jaar 1000 naar Canterbury kwam.[1] De aanpak van de illustratie van psalmen in het Utrecht Psalter is revolutionair. In plaats van dat de illustratie wordt beperkt tot de binnenkant van de initialen of tot de inleidende scènes van het leven van David, zijn de inkttekeningen voor elke psalm letterlijk zin voor zin uitgebeeld.[2] De invloed van het Utrecht Psalter kunnen we zien in drie exacte kopieën die in de elfde en begin twaalfde eeuw in Canterbury zijn gemaakt. Het Harley Psalter is de eerste kopie.[3] De kunstenaars van het Harley Psalter kopieerden tamelijk getrouw de inhoud van hun voorbeeld. Ze behielden de letterlijke methode terwijl ze de lijntekeningen zelf met kleur en overdreven beweging versterkten.

Het Harley Psalter begint niet met een afbeelding van David die een muziekinstrument vasthoudt, zoals de gewoonte was, maar met een centrale figuur met een boek in zijn hand (misschien de psalmist zelf); zijn gebaren leggen de verzen van de psalm uit.[4] Hij wijst naar de goddeloze mens op de troon links van hem, terwijl zijn metgezel naar de man ertegenover wijst (ill. 10.1); dat is de gezegende mens van het boek Psalmen, wiens 'wil de wet van de Heer is', waarop 'hij dag en nacht zal mediteren' (Psalm 1:2). De gezegende man is afgebeeld onder een koepel, en zich buigend over een boek volgt hij de tekst met zijn vingers onder de bescherming van een engel. Zijn pose lijkt op een typisch evangelistenportret, en zoals op veel van deze portretten leest hij het begin van het relevante Bijbelse boek: *Beat[us] vir qui non abit in con[silio impiorum]* ('Gezegend is de man die niet meegaat in de raad van goddelozen', Psalm 1:1). In tegenstelling tot zijn anti-type, die 'in de stoel van spotters zit' (Psalm 1:1) en is omringd door mensen met speren en een duivel, die hem met een dorsvlegel slaat.

10.1 | De gezegende en de goddeloze mens, Psalm 1, f. 1v (detail).

OMMEZIJDE
10.2–10.3 | Illustraties van Psalmen 13, 14 en 15, ff. 7v-8.

beat uir
qui non ab
iit incon

IN FINEM PSALMUS DAVID · XIII ·

DIXIT INSIPIENS in corde suo. non est ds. corrupti sunt & habominabiles facti sunt in uoluntatibus suis;
Non est qui faciat bonum. non est usque ad unum;
Dns de celo prospexit super filios hominum: ut uideat si est intellegens aut requirens dm;
Omnes declinauerunt simul inutiles facti sunt. non est qui faciat bonum. non est usque ad unum;
Sepulchrum patens est guttur eorum. linguis suis dolose agebant. uenenu aspidum sub labiis eorum;
Quorum os maledictione & amaritudine plenum est. ueloces pedes eorum ad effundendum sanguine;
Contritio & infelicitas in uiis eorum. & uiam pacis non cognouerunt;
Non est timor di ante oculos eorum. nonne cognoscent omnes qui operant iniquitatem.
Qui deuorant plebe meam sicut escam panis. dm non inuocauerunt. illic trepidauerunt timore. ubi non erat timor;
Quo ds in generatione iusta est. consilium inopis confudisti. quia ds spes eius est;
Quis dabit ex sion salutare israel. dum auerterit dns captiuitatem plebis sue;
Laetetur iacob & exultet israel

PSALMUS DAVID ·XIIII·

Domine quis habitabit in tabernaculo tuo. aut quis requiescet in monte sco tuo;
Qui ingreditur sine macula. et operatur iustitiam;
Qui loquitur ueritatem in corde suo. et non egit dolum in lingua sua;
Nec fecit proximo suo malum. et obprobrium non accepit adversus proximum suum;
Ad nihilum deductus est in conspectu eius malignus. timentes autem dnm magnificat;
Qui iurat proximo suo et non decipit eum. qui pecuniam suam non dedit ad usuram. et munera super innocentem non accepit;
Qui facit hec. non commouebitur in eternum;

manuum tuarum ;
Omnia subiecisti sub pedi
bus eius. oues & boues uni
uersa insuper. & pecora

campi
Volucres caeli & pisces ma
qui perambulant semi
maris

CIN FINEM PRO OCCULTIS PSALM

ONFITEBOR
tibi dne intoto cor
de meo . narrabo omnia
mirabilia tua ;
Laetabor & exultabo inte .
& psallam nomini tuo
altissime ;

aequitatem
Increpasti gentes & per
impius. nomen eorum
lesti inaeternum & in
lum seculi
Inimici defecerunt fra
infinem . & ciuitates e

10.4 | **Illustratie van Psalm 9, f. 5 (detail).**

Andere verzen uit Psalm 1 zijn geïllustreerd door de volgende figuren: aan de linkerkant staat een klassieke personificatie van een rivier met als attribuut een leeglopende urn, tegenover 'een boom die vlak bij stromend water is geplant, en op tijd vrucht zal dragen' (Psalm 1:3). Naast de boom staat een andere personificatie die is ontleend aan de oudheid, de wind, afgebeeld als een hoofd met vleugels, die de wettelozen (rechts) wegblaast 'als kaf dat verwaait in de wind' (Psalm 1:4). Een duivel houdt met een haak de mantel van iemand van de groep vast; tegelijkertijd trapt en spietst hij andere ongelukkigen. In de hoek lager werpt een grotere duivel de verdoemden in een brandende kuil, want 'de weg van de wettelozen loopt dood' (Psalm 1:6).

Een ander voorbeeld zien we in de sprekende illustratie van de Psalmen 14 en 15 (ill. 10.2-10.3). Links, '[kijkt] de Heer', gezeten in de hemel en omringd door engelen, 'naar beneden' naar een groep vechtende mannen, die 'het volk verslinden' (Psalm 14:4) en (rechts) staan degenen die uit gevangenschap komen (Psalm 14:7). De vraag van de psalmist 'Heer, wie mag gast zijn in uw tent' (Psalm 15:1) is afgebeeld door degenen die 'de volmaakte weg gaan', inclusief een man met een buidel die 'geen rente heeft gevraagd voor een lening' (Psalm 15:2, 5). Over het algemeen verschijnt de illustratie bij een psalm direct erboven, hoewel het in sommige gevallen op de pagina ervoor verschijnt, zoals de afbeelding van Psalm 15 (ill. 10.3, onderaan).

De poëzie van de Psalmen leent zich voor creatieve visuele afbeeldingen. Een voorbeeld hiervan zijn de verschillende manieren waarop rechtvaardigheid in het hele boek wordt afgewogen in goed en kwaad. Dus in de afbeelding van Psalm 9, bovenaan, houdt de Heer in een mandorla een weegschaal van rechtvaardigheid vast (ill. 10.4).

Deze buitengewone tekeningen illustreren niet alleen de Bijbelse tekst, maar ze laten ook gelaagde en verfijnde exegese zien. Er is een aanwijzing dat deze complexe visuele interpretatie van de Psalmen in eerste instantie was bedoeld voor een geestelijke in plaats van voor een leek, want de gehistorieerde initiaal van de eerste letter van de Psalmen heeft een figuur met een tonsuur.

NOTEN

1 Utrecht, Universiteitsbibliotheek, MS 32.

2 Vergelijk het Vespasiaanse Psalter, no. 3.

3 De andere zijn Cambridge, Trinity College, MS R.17.1, en Parijs, BnF, MS lat. 8846.

4 Voor David als musicus vergelijk de Vespasiaanse, Lotharius, Melisende, Winchester en st. Omer Psalters, ill. 3.1, 7.2, 19.2, 20.2 en 33.1.

LITERATUUR

William Noel, *Het Harley Psalter* (Cambridge, 1995).

The Utrecht Psalter in Medieval Art: Picturing the Psalms of David, red. Koert van der Horst, William Noel en Wilhelmina C.M. Wüstefeld (Tuurdijk, 1996), no. 28.

T.A. Heslop, 'The Implication of the Utrecht Psalter in English Romanesque Art', in *Romanesque: Art and Thought in the Twelfth Century. Essays in Honor of Walter Cahn*, red. Colum Hourihane, Index of Christian Art, Occasional Papers, 10 (Princeton, 2008), pp. 267–290 (pp. 270–272, 279–281, fig. 7, 8).

William Noel, 'Harley Psalter', in Melanie Holcomb en anderen, *Pen and Parchment: Drawing in the Middle Ages* (New Haven, 2009), no. 12.

11

DE OUDENGELSE HEXATEUCH

De oudste geïllustreerde westerse bijbel in landstaal

Hexateuch (Genesis tot Jozua), in Oudengels, met opmerkingen in Oudengels en Latijn. Canterbury, halverwege 11e eeuw (opmerkingen, 12e eeuw).

- 330 × 220 mm
- ff. 156
- Cotton Claudius B. iv

Zoals de meeste andere Bijbelse manuscripten die in de middeleeuwen zijn gemaakt, bevat dit boek slechts een deel van de Bijbel. Maar in tegenstelling tot de gewonere evangelieboeken en psalters is dit manuscript een hexateuch. Dat wil zeggen: de eerste zes boeken van het Oude Testament (Genesis, Exodus, Leviticus, Numeri, Deuteronomium en Jozua). En nog ongebruikelijker: het is geschreven in Oudengels, het oudste voorbeeld van een Engelse vertaling van deze zes Bijbelse teksten. Het manuscript is geïllustreerd met bijna vierhonderd afbeeldingen in 156 folio's, en daarmee is het de grootste Bijbelse reeks illustraties in een Europees boek uit die periode.[1] Het is ook de oudste bekende geïllumineerde kopie van een belangrijk deel van de Bijbel in een westerse streektaal.[2] De overvloed aan afbeeldingen en hun overwicht, in veel gevallen in de ruimte die was gereserveerd voor de tekst, geven aan dat de hexateuch als afbeeldingenboek was bestemd voor een leek.

De vertalingen zijn deels gemaakt door de benedictijnermonnik Ælfric, abt van Eynsham, die soms 'Grammaticus' († ca. 1020) werd genoemd. Hij schreef het 'bijna helemaal' in het Engels, waarmee hij blijk gaf van zijn interesse om het werk voor een leek geschikt te maken.[3] Een streektaal gebruiken voor een heilige tekst versterkt de hypothese dat dit rijk geïllustreerde boek niet voor een geestelijke was. Het boek werd, net zoals het Harley Psalter (no. 10), in Canterbury gemaakt door de generatie voor de komst van de Noormannen, en beide waren producten van de Angelsaksische intellectuele hervorming. Het is inderdaad mogelijk dat in het Augustinusklooster een paar manuscripten speciaal voor leken is gemaakt en dat dit boek daar oorspronkelijk deel van uitmaakte.[5] Bovendien toont de toegevoegde tekst in zowel Engels als Latijn van eind twaalfde eeuw dat het manuscript ook werd gelezen door de generaties erna.

De illustraties in de hexateuch worden versterkt door levendige kleurwassingen. Net zoals in het Harley Psalter reageren de figuren met overdreven gebaren en beweging. Sommige afbeeldingen nemen

11.1 | God instrueert Noach de ark te verlaten, Noachs familie gaat van boord, f. 15v (detail).

OMMEZIJDE
11.2–11.3 | God schept de vissen en vogels; en (tegenover) God schept Adam en geeft hem de zeggenschap over de dieren; ff. 3v-4 (details).

[...] dagas ⁊ sende ut eft culfran
heo com ða on æfnunge eft to noe. ⁊ brohte an twig of
anum ele beame mid grenum leafum on hyre muðe. Ða
undergeat noe þæt ða wæteru wæron adruwode ofer eor
ðan. ⁊ abad swa ðeah seofan dagas. ⁊ asende ut culfran
swa heo ne eft cyrde ongean to him. Ða geopenode noe
þæs arces hrof. ⁊ beheold ut. ⁊ geseah þæt ðære eorðan
bradnys wæs adruwod. God ða spræc to noe ðus cweðende
gang ut of ðam arce ðu. ⁊ þin wif. ⁊ þine suna ⁊ heora
wif. ⁊ eal þæt þær inne is mid ðe læd ut mid ðe ofer
eorðan. ⁊ wexað ge. ⁊ beoð gemænifylde. ofer eorðan
Noe ða ut eode of ðam arce. ⁊ hi ealle ofer eorðan:·

forð on heora hiƿum. ⁊ eall fleogende cyn æfter heora
cynne. God geseah ða ðæt hit god ƿæs. ⁊ bletsode hi ðus
cƿeðende. ƿexað ⁊ beoð gemænigfylde. ⁊ gefyllað ðære sæ
ƿæteru. ⁊ ða fugelas beon gemænigfylde ofer eorðan.
⁊ ða ƿæs geƿorden æfen. ⁊ mergen se fifta dæg.

God cƿæð eac sƿilce. læde seo eorðe forð cuce nytena
on heora cynne. ⁊ creopende cyn. ⁊ deor æfter heora
hiƿum. hit ƿæs ða sƿa gedon. ⁊ God ða geƿorhte ðære
eorðan deor æfter heora hiƿum. ⁊ ða nytenu. ⁊ eall creo
pende cynn on heora cynne. God geseah ða ðæt hit god ƿæs
⁊ cƿæð. Uton ƿyrcan man to anlicnysse. ⁊ to ure gelic
nysse. ⁊ he sy ofer ða fixas. ⁊ ofer ða fugelas. ⁊ ofer
ða deor. ⁊ ofer ealle gesceafta. ⁊ ofer ealle creopende
ðe styriað on eorðan. God gesceop ða man to his anlic

a Sanctus Methodius e(st) in carcere martyr: reuelatum est ei a sp(irit)u de principio ⁊ fine mundi: quae et orauit
et scriptum licet simpliciter reliquit. dicens quod in ... expulsi sunt de paradiso:

b Cete. neutri: idecl(i)nabile e(st). declinatur cum hic cet(us) ceti. ⁊ omne animam uiuentem atque mo

fugelas. 7 ealle nytenu ðe styriað ofer eorðan. God cwæð ða. Efne ic forgife eow eall gærs. 7 wyrta sæd berende ofer eorðan. 7 ealle treowa ða ðe habbað sæd on him sylfum. heora agenes cynnes. ðæt hi beon eow to mete. 7 eallum nytenum. 7 eallum fugelcynne. 7 eallum ðam ðe styriað on eorðan. on ðam ðe is libbende lif. ðæt hi habbon him to gereordigenne. hit wæs ða swa gedon. 7 god geseah ealle ða ðing ðe he geworhte. 7 hi wæron swyðe gode. wæs ða geworden æfen. 7 mergen. se syxta dæg.

Methodius cwað. adam wæs geworht man on lice of ðritig wintra. 7 nabbe on ane dæge. 7 ge[illegible]
7 æfter adam twa wintra. 7 þri wintra. 7 alla ða [illegible]

... duo milia centum septuaginta
iiij. tenere dicitur passuum: paulatim altitudo angustior coartata erat, ut pondus imminens facilius sustentaret.

Hanc turrem Nembroth gigas construxit. Qui post confusionem ligna
rum migravit inde ad Persas, eosque ignem colere docuit.

11.4 | De bouw van de toren van Babel, f. 19 (detail).

bijna de hele pagina of het grootste deel daarvan in beslag, en ze staan met recht bekend om hun levendige en dynamische voorstellingen van belangrijke gebeurtenissen. Een voorbeeld hiervan is de illustratie van het moment dat God Noach instrueert: 'Ga de ark uit, samen met je vrouw, je zonen en de vrouwen van je zonen' (Genesis 8:16, ill. 11.1). Noach opent het bovenste luik van het schip, en links staat de duif op het punt om een enorme olijftak af te leveren als teken dat er land in de buurt is. Onderaan neemt het verhaal een sprong als Noachs gezin al van boord gaat. Een andere paginagrote scène is de bouw van de Toren van Babel, een prachtig veelkleurig bakstenen bouwwerk dat op verschillende niveaus wordt opgebouwd (ill. 11.4). Arbeiders zijn druk aan het werk, ze hameren en brengen via een ladder materialen omhoog, terwijl God nogal hachelijk op de hoogste treden van een hogere ladder staat, ondertussen het werk inspecteert en zich voorbereidt om de mensen over de hele aarde te verspreiden (Genesis 11:1-9).

Vooral de grote illustraties van de scheppingscyclus die tussen de tekst staan, zijn opvallend (ill. 11.2-11.3). Op de afbeelding van de vijfde dag, als God de vogels van de lucht en de levende wezens van de zee schept, neemt een groot dier de lengte van de hele illustratie in. Het is waarschijnlijk een van de 'walvissen' (*miclan hwalas*) van Genesis 1:22, die in de tekst erboven staat beschreven. In zijn linkerhand houdt de Schepper een staf vast in de vorm van een kruis, misschien zelfs nog voor de schepping van Adam een voorbode van het offer van Christus. In de afbeelding ertegenover geeft God Adam de heerschappij over de 'vissen van de zee, de vogels van de lucht en de dieren van de aarde' (Genesis 1:26). Adam wordt omringd door een prachtige keur aan dieren, niet alleen vogels, maar ook een paard, een ram en een geit, en op de voorgrond een huiskameel met twee bulten. De illustraties komen overeen met de Oudengelse tekst, zelfs als deze verschilt van de Vulgaat, wat aangeeft dat ze voor dit boek zijn ontworpen en niet gekopieerd aan de hand van een Latijns voorbeeld. Daardoor is de Oudengelse hexateuch een kostbare getuige van een Engelsman die de Bijbel in zijn eigen taal leest.

LITERATUUR

C.R. Dodwell en Peter Clemoes, red., *The Old English Illustrated Hexateuch: British Museum Cotton Claudius B. IV*, Early English Manuscripts in Facsimile, 18 (Kopenhagen, 1974).

C.M. Kauffmann, *Biblical Imagery in Medieval England, 700–1550* (Londen, 2003), pp. 55–72.

Benjamin C. Withers, *The Illustrated Old English Hexateuch, Cotton Claudius B.iv: The Frontier of Seeing and Reading in Anglo-Saxon England* (Londen, 2007).

NOTEN

1. Kauffmann, *Biblical Imagery* (2003), p. 57.
2. Milton MaC. Gatch, boekbespreking van Dodwell en Clemoes, *The Old English Illustrated Hexateuch*, in *Speculum*, 52 (1977), 365–69 (p. 368). Voor eerder gedateerde illustraties van een Bijbels boek zie de Cotton Genesis, 'One Thousand Years of Art and Beauty', p. 24 en fig. 8.
3. Malcolm Godden, 'Ælfric of Eynsham (*c.*950–*c.*1010)', *Oxford Dictionary of National Biography* (Oxford, 2004), <http://www.oxforddnb.com/view/article/187>, bezocht op 18 januari 2015.
4. Oxford, Bodleian Library, MS Laud Misc. 509; zie Kauffmann, *Biblical Imagery* (2003), pp. 56–57.
5. David Pratt, 'Kings and Books in Anglo-Saxon England', *Anglo-Saxon England*, 43 (2015), 297–377 (p. 328). Voor een ander manuscript, gemaakt in het Augustinusklooster zie de Canterbury Royal Bible, no. 5.

12

HET HARLEY ECHTERNACH EVANGELIARIUM

Een keizerlijke stijl

Vier evangeliën, in Latijn. Echternach, halverwege 11e eeuw.

- 255 × 190 mm
- ff. 199
- Harley 2821

Na de verdeling van het rijk van Karel de Grote zetten zijn erfgenamen zijn beleid voort en bleven opdracht geven voor grote kunstwerken. De Saksische koning Otto I († 973) bracht de keizertitel van Karel de Grote als 'keizer van de Romeinen' in 962 weer tot leven. Samen met zijn zoon en kleinzoon (beiden ook Otto genaamd) gaf hij zijn naam aan een monumentale keizerlijke kunstzinnige stijl die nu bekend staat als Ottoonse kunst.[1] Deze keizers en twee keizers uit de hen opvolgende Salische dynastie Koenraad II (r. 1024-1039) en Hendrik III (r. 1039-1056) gaven opdracht tot de prachtigste exemplaren van geïllumineerde evangeliaria die ooit zijn gemaakt.

Een kleine maar ongelooflijk overdadige serie manuscripten werd vervaardigd in het vermogende benedictijner Willibrordklooster in Echternach (in het huidige Luxemburg, 16 kilometer van Trier). De zeven overgebleven evangeliaria en twee evangelielectionaria die daar werden gemaakt, lijken qua stijl en iconografie erg veel op elkaar. Hun banden met het Willibrordklooster, dat door de missionaris Willibrord uit Northumbrië in 698 is gesticht, worden bevestigd door een afbeelding in een van de manuscripten. Hierop worden een kopiist en een lekenilluminator afgebeeld, terwijl ze aan het werk zijn in een kerk die in een begeleidende inscriptie Echternach wordt genoemd.[2] Deze boeken staan ook in nauw verband met koning Hendrik III, die in drie ervan is afgebeeld; op twee illustraties is hij te zien met zijn vrouw Agnes van Poitou met wie hij in 1043 in het huwelijk trad.[3] Door deze samenhang kunnen we de serie boeken dateren op halverwege elfde eeuw.

Een van de opmerkelijkste aspecten van de evangeliaria is het gebruik van textielimitatie als decoratie. In de mooiste Echternach evangeliaria worden de individuele evangeliën ingeleid door twee tegenover elkaar liggende pagina's, die zijn geschilderd alsof ze van zijde zijn. In veel manuscripten zijn de patronen in zwart-wit of in verschillende schaduwen van dezelfde kleur geschilderd. En er staan dieren op die voorkomen op Byzantijnse zijden stoffen, vaak in paren die tegenover elkaar staan. In het Harley

12.1 | Tapijtpagina, lijkend op textiel, in het midden een medaillon met een leeuw en vier medaillons met vogels, aan het begin van het Lucasevangelie, f. 99 (detail).

Ommezijde

12.2–12.3 | Evangelistenportret van Marcus. Hij houdt een boek vast en maakt een zegenend gebaar, met zijn symbool van een leeuw; en (ertegenover) de geboorte in drie registers, met de dieren en het Christuskind, Maria en Jozef, en Bethlehem; ff. 67v-68.

MAT
MARC LUC
IOH
CANON PRIMUS IN QUO ·IIII·

12.4 | Canontafel 1, getiteld *Canon primus in quo iiii*, met steenhouwers werkend aan de structuur erboven, en vogels aan de zijkanten, f. 9 (detail).

manuscript zijn de patronen kleurrijker en centraler opgesteld. Ze lijken op de weefpatronen of mozaïeken vloeren uit de late oudheid (ill. 12.1).[4] Deze decoratieve pagina's doen denken aan de tapijtpagina's in het Lindisfarne evangeliarium (no. 2) en ze kunnen hebben gediend om de inleiding van de evangelietekst beter verklaren. Als we ze zo bekijken, lijken ze op de zijden gordijnen die kunnen worden opgetild zodat de miniaturen te zien zijn, zoals in het overgebleven Egerton Evangelielectionarium (no. 17; nu van elkaar gescheiden en apart bewaard) en de Arnstein-Bijbel (no. 23). Bovendien zijn veel patronenpagina's in paarstinten geschilderd, met de symboliek die bij die kleur hoort.[5]

In het Echternach Evangeliarium zijn naast tapijtpagina's ook voor het eerst textielpatronen als marginale decoratie toegepast.[6] Dat kunnen we bijvoorbeeld zien in de hele rand rondom het evangelistenportret van Marcus en de tegenoverliggende afbeelding van de geboorte in het Harley manuscript (ill. 12.2-12.3). De geschilderde figuren zijn zeer gestileerd met op juwelen lijkende levendige kleuren. Vanuit iconografisch oogpunt zijn er wat vernieuwingen aangebracht ten opzichte van oudere voorbeelden. Bijvoorbeeld: volgens de overlevering heeft Marcus de kerk in Alexandrië gesticht en was hij daar de eerste bisschop; in het Harley Echternach Evangeliarium draagt hij een kazuifel, het opperkleed van een bisschop, en maakt hij een zegenend gebaar. Dit staat in contrast met de meer typerende portretten van de evangelistenportretten die hun teksten schrijven. Tegenover elk evangelistenportret in het Harley Echternach Evangeliarium staat een paginagrote scène, die in chronologische volgorde de vier belangrijke episoden weergeven: annunciatie staat tegenover Matteüs; de geboorte tegenover Marcus; de kruisiging tegenover Lucas, en de opstanding tegenover Johannes. Deze keuze kan een gevolg zijn van een inkorting van een veel langere verhalende cyclus die in drie van de overgebleven Echternach Evangeliaria naar voren komt.

De Echternach Evangeliaria bevatten ook rijk gedecoreerde canontafels, met de corresponderende passages die geschreven zijn tussen geschilderde gemarmerde zuilen. In het Harley Evangeliarium staan figuren en dieren in de timpanen en tafelelementen die de zuilen bedekken, inclusief een paar steenhouwers die zelf hard aan de structuur werken (ill. 12.4). Er staat ook een afbeelding in waarop een geestelijke met een tonsuur en een heilige diaken, misschien sint Stefanus, op de tegenoverliggende pagina een boek aan 'Christus in majesteit' geven. Deze combinatie komt ook voor in de twee andere even grote Echternach Evangeliaria.[7] De overeenkomsten in stijl, inhoud en lay-out van de tekst en afbeeldingen duiden aan dat deze boeken werden gemaakt om als geschenk weg te geven.[8]

Literatuur

Carl Nordenfalk, *Codex Caesareus Upsaliensis: An Echternach Gospel-Book of the Eleventh Century* (Stockholm, 1971).

Henry Mayr-Harting, *Ottonian Book Illumination: A Historical Study*, 2e ed. (Londen, 1999), pp. 186–205.

Canossa 1077: Erschütterung der Welt, red. Christoph Stiegemann en Matthias Wemhoff, 2 dln. (München, 2006), II, no. 475.

Noten

1 Voor Otto I zie ook het Æthelstan Evangeliarium, no. 8.
2 Bremen, Staatsbibliothek, Cod. b. 21, f. 124v.
3 El Escorial, Biblioteca Real, Cod. Vitrinas 17, f. 3v; Uppsala universiteitsbibliotheek C 93, f. 3. Hendrik III is ook afgebeeld op f. 125 van de Bremen codex (zie noot 2).
4 Nordenfalk, *Codex* (1971), p. 102.
5 Voor het gebruik van paars zie de Canterbury Royal Bible, no. 5.
6 Nordenfalk, *Codex* (1971), p. 98.
7 Egerton 608; Parijs, BnF, MS lat. 10438.
8 Met dank aan Richard Gameson voor deze suggestie.

13

HET TIBERIUS PSALTER

Een toonaangevende christologische cyclus

Psalter (niet in perfecte staat), in Latijn, met interlineair commentaar in Oudengels. Winchester, laatste helft van de 11e eeuw.

- 245 × 150 mm
- ff. 129
- Cotton Tiberius C. vi

Het Tiberius Psalter wordt gekarakteriseerd als 'een van de belangrijkste monumenten' van de laat Angelsaksische cultuur dat bewaard is gebleven.[1] Dat belang zit deels in de uitgebreide inleidende reeks afbeeldingen, een van de oudste bekende voorbeelden van een lange christologische cyclus in het Westen. Waarschijnlijk ontstonden dit soort cycli uit de exegetische interpretatie van de Psalmen als een voorloper van het leven, de dood en de opstanding van Christus. Deze constructie zien we in Jezus' commentaar dat 'alles wat in de wet van Mozes, bij de Profeten en in de Psalmen over mij geschreven staat in vervulling moest gaan' (Lucas 24:44). De sprekende afbeeldingen versterken de godsdienstige ervaring van het lezen van en bezinnen op de Psalmen, en bieden een visueel commentaar op de Bijbelse tekst. Tegenwoordig is het effect van de lijntekeningen wat afgenomen door de schade die het manuscript in 1731 opliep na een brand, toen het als onderdeel van de Cotton-collectie in Ashburnham House werd bewaard, met als gevolg dat het aantal pagina's is geslonken.[2] Toch blijven deze paginagrote Angelsaksische illustraties sterke gevoelens oproepen.

Ze beginnen met Gods schepping van de wereld, en ze bevatten vijf scènes uit Davids leven, inclusief twee van het vurige gevecht met Goliat (ill. 13.2-13.3), waarin een onverschrokken David zijn arm achteruit strekt om de steen uit zijn slinger over de pagina naar Goliat te werpen. Veel details zijn zoals ze worden beschreven in de Bijbel, zoals Goliats 'bronzen helm' en 'bronzen scheenplaten' (1 Samuel 17:1). Andere elementen zijn in de afbeelding samengevoegd: de Filistijnen hebben zich omgedraaid om te vluchten voordat het schot is gelost. En onder de staande David zien we hem opnieuw; nu doodt hij Goliat met diens eigen zwaard. De serie gaat door met elf episoden uit het leven van Christus. Van het begin tot het eind zijn de tekeningen vol energie en beweging. Op de afbeelding van de nederdaling ter helle bijvoorbeeld is Christus door de deur van de hel gebroken en staat hij op een gevangengenomen duivel, terwijl hij naar beneden reikt om figuren te redden uit de open

13.1 | Nederdaling ter helle, met Christus die de zielen uit de muil van de hel redt, terwijl hij op een vastgebonden duivel trapt, f. 14 (detail).

OMMEZIJDE
13.2–13.3 | Het gevecht tussen David en Goliat, en (linksonder) David doodt Goliat, ff. 8v-9 (details).

muil van de hel in de vorm van een draak (op zichzelf een Angelsaksische iconografische vernieuwing, ill. 13.1).[3] Op de volgende pagina doet Christus zijn rechterarm omhoog zodat Tomas de wond aan zijn zij kan aanraken; de drapering van beide figuren wappert om hen heen (ill. 13.4).

Het Tiberius Psalter is een van de belangrijke *Gallicanum* psalters die halverwege de elfde eeuw in Winchester zijn gemaakt.[4] Sinds de periode van bisschop Æthelwold (r. 963-984) was Winchester een centrum van monastieke hervorming en onderricht, inclusief de bevordering van teksten in het Engels. Het psalter duidt inderdaad deze interesse in Engelse teksten aan, omdat er tussen de regels steeds commentaar in Oudengels bij staat dat even oud is als de Latijnse tekst; het werd waarschijnlijk geschreven door dezelfde schrijver.

Het psalter heeft ook het acanthusmotief in 'Winchester-stijl', dat we kunnen vinden in boeken die zijn vervaardigd onder leiding van Æthelwold en zijn opvolgers. Eigen aan deze stijl zijn de randen met sappige acanthusbladeren die geschilderd zijn in heldere kleuren met gouden spijlkaders, meestal met bijzonder grote groepen bladeren op de vier hoeken of in het midden van de rand (zie fig. op p. 329). In het Tiberius Psalter decoreren deze randen het begin van de psalmen 1, 51, 101 en 109, waarvan de eerste drie het boek in drie groepen verdelen, de zogenoemde 'drievoudige verdeling'. Dit systeem kennen we door oude verwijzingen en Ierse psalters, en ze werden gemeengoed in Engelse psalters uit de tiende eeuw. Het ontstond in een monastieke praktijk waarbij vijftig psalmen werden gereciteerd.[5] In het Tiberius Psalter worden deze verdelingen benadrukt door een grotere miniatuur ertegenover. Gekoppeld aan de inleidende cyclus zijn deze kunstwerken een imponerend oud Engels religieus boek.

Literatuur

Francis Wormald, 'An English Eleventh-Century Psalter with Pictures: British Museum, Cotton ms Tiberius C. VI', *Walpole Society*, 38 (1962), 1–14, pls 1–30.

The Tiberius Psalter, Edited from British Museum ms Cotton Tiberius C vi, red. A.P. Campbell, Ottawa Medieval Texts and Studies, 2 (Ottawa, 1974).

Michael, Michael, 'The Tiberius Psalter', in The Apocalypse and the Shape of Things to Come, red. Frances Carey (Londen, 1999), pp. 64–65 (no. 1).

C.M. Kauffmann, *Biblical Imagery in Medieval England, 700–1550* (Londen, 2003), pp. 105–117.

13.4 | Het ongeloof van Tomas; Tomas raakt de gewonde zij van Christus aan, f. 15 (detail).

NOTEN

1 Michael, 'Tiberius Psalter' (1999).

2 Voor sir Robert Cotton zie het Vespasiaanse Psalter, no. 3, en 'The Origins of the British Library's Collections of Manuscripts', p. 328.

3 Kauffmann, *Biblical Imagery* (2003), p. 52.

4 *King Alfred's Old English Prose Translation of the First Fifty Psalms*, red. Patrick O'Neill, Medieval Academy Books, 104 (2001), p. 13 <http://www.medievalacademy.org/resource/resmgr/maa_books_online/oneill_0104.htm#ma0104_footnote_nt004>, bezocht op 22 april 2015; voor het *Gallicanum* Psalter zie het Lotharius Psalter, no. 7.

5 Nigel Morgan en Paul Binski, 'Private Devotion: Humility and Splendour', in *The Cambridge Illuminations: Ten Centuries of Book Production in the Medieval West*, red. Paul Binski en Stella Panayotova (Londen, 2005), pp. 163–169 (p. 164).

IS EXTENDENS IESUS BRACHIUM SUUM THOMAS TETIGIT VULNERA EIUS ET

14

HET THEODORUS PSALTER

Een Byzantijns visueel commentaar op de Psalmen

Psalter, in Grieks.
Constantinopel, 1066.

- 230 x 200 mm
- ff. 208
- Additioneel 19352

Een van de verfijndste en gecompliceerdste reeks afbeeldingen die ooit in de westerse of oosterse kerk voor de Psalmen zijn vervaardigd, is dit opmerkelijke manuscript. In tegenstelling tot de inleidende afbeeldingen die zijn gevonden in kostbare psalters in het Latijnse Westen, heeft dit psalter meer dan vierhonderd illuminaties die in de binnen- en buitenmarges van het boek zijn geschilderd. Deze afbeeldingen en verklarende inscripties bieden een rijk visueel commentaar op de Bijbelse tekst dat is afgeleid van oudere Byzantijnse voorbeelden en bedoeld is voor een specifiek publiek en bepaalde omstandigheden. Samen maken ze ook deel uit van de mooiste voorbeelden van de ascetische stijl van Byzantijnse kunst. De naturalistische voorstellingen geven aanwijzingen om spirituele lezingen van de Bijbel te verdiepen. Hoewel ze aanzienlijk beschadigd zijn, hebben deze illuminaties veel van hun oorspronkelijke kwaliteit en visuele invloed behouden (ill. 14.1).

In tegenstelling tot het merendeel van de Byzantijnse manuscripten bevat het huidige psalter veel teksten en afbeeldingen die de context waarin ze waren gemaakt, wilden markeren en eren. Hoewel ze nooit onderworpen zijn aan een langdurig wetenschappelijk onderzoek, wijzen deze details nu erop dat de geschiedenis van het boek door modern onderzoek moet worden blootgelegd. Volgens de eerste regel van twee inscripties aan het eind van het boek, ieder bestaand uit zes regels, geschreven in goudinkt over rood, werd het manuscript in februari 1066 voltooid. Michael, abt van het machtige Stoudiosklooster in Constantinopel, had de opdracht gegeven. Zoals we weten uit andere bronnen wordt abt Michael Mermentoulos op de tegenoverliggende pagina afgebeeld. Hij biedt zijn boek aan Christus aan en, eerder in het boek, wordt hij door Christus als abt geïnstalleerd voor Johannes de Doper, beschermheilige van het klooster, en Theodorus (759-826), de bekendste abt en een van belangrijkste iconenverdedigers binnen de Byzantijnse kerk. In de tweede inscriptie, slechts geschreven met rode inkt, noemt degene die verantwoordelijk was voor het schrift en de

14.1 | Een oude man: 'het beste daarvan is moeite en leed' (Psalmen 90:10), f. 121v (detail).

OMMEZIJDE
14.2–14.3 | De patriarch Nikephoros en Theodoros van Stoudios houden een *clipeata*-icoon van Christus vast. Ze discussiëren voor keizer Leo V, en beeldenstormers maken zich op om een *clipeata*-icoon van Christus te verwijderen, bij Psalm 25:5; en (ertegenover) de jonge David, met zijn harp en herdersstaf in zijn hand, beschermt zijn kudde, bij Psalm 26; ff. 27v-28.

γέρων

Ε

Κ

Ο

Τ

Κ

ΚΕ

Ψαλμὸς τῷ Δαυίδ:

Κρῖνόν μοι κύριε ὅτι ἐγὼ ἐν ἀκακίᾳ μου ἐπορεύθην:

Καὶ ἐπὶ τῷ κυρίῳ ἐλπίζων οὐ μὴ ἀσθενήσω:

Δοκίμασόν με κύριε καὶ πείρασόν με:

Πύρωσον τοὺς νεφρούς μου καὶ τὴν καρδίαν μου:

Ὅτι τὸ ἔλεός σου κατέναντι τῶν ὀφθαλμῶν μού ἐστι:

Καὶ εὐηρέστησα ἐν τῇ ἀληθείᾳ σου:

Οὐκ ἐκάθισα μετὰ συνεδρίου ματαιότητος:

Καὶ μετὰ παρανομούντων οὐ μὴ εἰσέλθω:

Ἐμίσησα ἐκκλησίαν πονηρευομένων:

Καὶ μετὰ ἀσεβῶν οὐ μὴ καθίσω:

Νίψομαι ἐν ἀθῴοις τὰς χεῖράς μου:

Καὶ κυκλώσω τὸ θυσιαστήριόν σου κύριε:

ὁ ἅγιος Νικηφόρος ὁ πατριάρχης

ὁ ἅγιος Πέτρος

ὁ ἅγιος Πέτρος ἐλέγχων μετὰ τοῦ πατριάρχου τὸν εἰκονομάχον

οἱ εἰκονομάχοι

chrysografie[1] zichzelf Theodorus, aartspriester (*protopresbyter*) van het Stoudiosklooster en schrijver (*bibliographos*). Hij kwam oorspronkelijk uit Caesarea in Cappadocië. Volgens veel recente schrijvers was Theodorus ook de illuminator van het boek.

Het totale boek is een later (en groter) voorbeeld van een type geïllustreerd psalter dat halverwege de negende eeuw in Constantinopel opdook. Deze boeken, die bekend staan als 'marginale psalters', bevestigen op een krachtige manier het nut van de afbeeldingen als hulpmiddel voor bezinning en spirituele ontwikkeling binnen de Byzantijnse kerk. Daarmee vertrouwden ze op het succes van degenen die, zoals Theodorus, als verdediging aanvoerden dat afbeeldingen van de persoon van hun voorbeeld symbolische en geen stoffelijke weergaven waren. Bovendien pleitten ze met succes ervoor dat hun creatie en haar nut geen verafgoding was en in strijd met het tweede gebod. Als weerspiegeling van een belangrijk beeldspraakelement in de voorbeelden, en als eerbetoon aan de doorslaggevende rol die het klooster heeft gespeeld in de verdediging van iconen, bevat het huidige psalter verschillende iconofiele (letterlijk: 'iconenliefhebbende') commentaren op de Bijbelse tekst. Bij Psalm 25 heeft de illuminator iconoclasten weergegeven als de bedriegers, huichelaars en slechte mensen met wie de psalmist weigert om te gaan (Psalm 26:4-5, ill. 14.2). Ook heeft hij

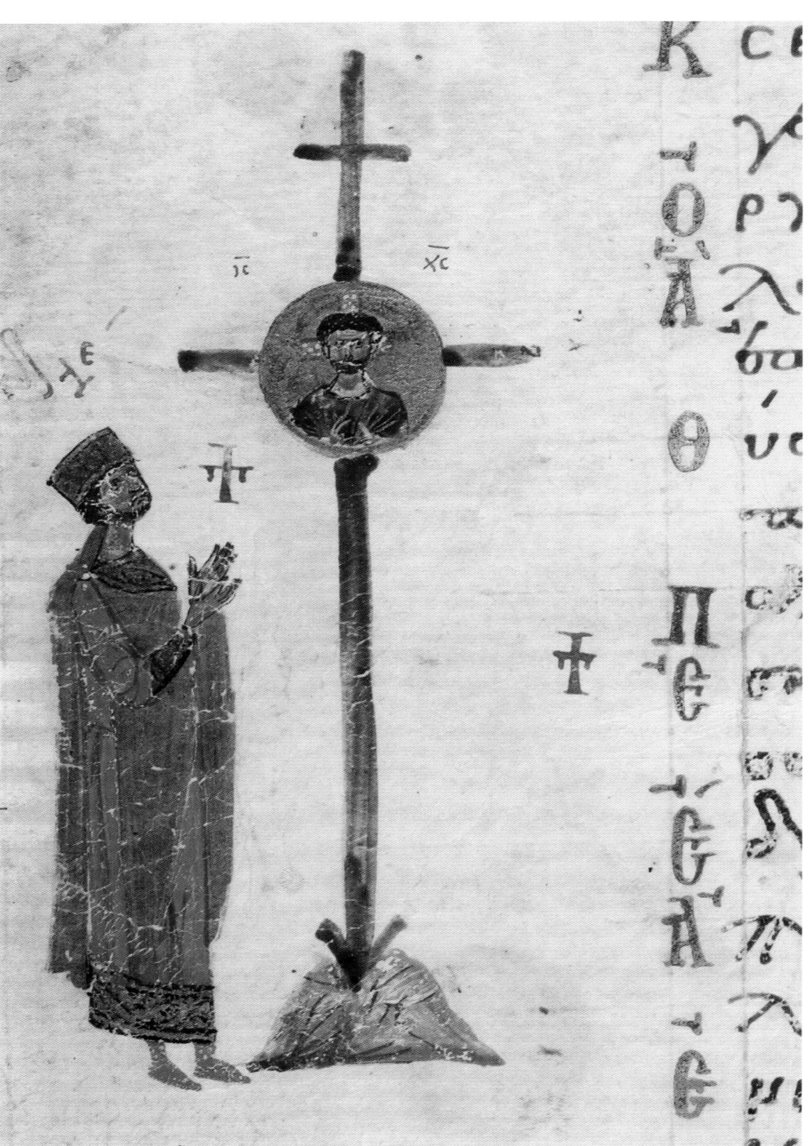

Deze pagina
14.4 | Koning David tilt zijn handen op in gebed voor het kruis, in het midden een *clipeata*-icoon van Christus, bij Psalm 4:7, f. 3v (detail).

Tegenover boven
14.5 | Koning David (links) en Gideon (rechts), gezegend door God, wijzen naar een *clipeata*-icoon van de Maagd en het Kind; en de annunciatie (rechts); bij Psalm 71:6, f. 91v (detail).

Tegenover onder
14.6 | Het volk van Israël aanbidt het gouden kalf; als hij hun afgodendienst ziet wanneer hij van de berg Sinaï afdaalt, breekt Mozes de tafels van de Wet; bij Psalm 105:16-22, f. 143v (detail).

συμπαραμενεῖ τῷ ἡλίῳ :·
Καὶ πρὸ τῆς σελήνης γενεὰς γε-
νεῶν :·
Καταβήσεται ὡς ὑετὸς ἐπὶ πόκον :·
Καὶ ὡσεὶ σταγὼν ἡ στάζουσα ἐπὶ τὴν γῆν :·
Ἀνατελεῖ ἐν ταῖς ἡμέραις αὐτοῦ δι-

[ὁ Δα(υὶ)δ λέγ(ει)] [Μ(ήτη)ρ Θ(εο)ῦ] [Γεδεὼν εἰς τ(ὸν) πόκον] [ὁ χαιρετισμός]

Ἀβειρών :·
Καὶ ἐξεκαύθη πῦρ ἐν τῇ συναγωγῇ
αὐτῶν :·
Φλὸξ κατέφλεξεν ἁμαρτωλούς :·
ΠΓ Καὶ ἐποίησαν μόσχον ἐν Χωρήβ, καὶ προ-
σεκύνησαν τῷ γλυπτῷ :·
Καὶ ἠλλάξαντο τὴν δόξαν αὐτῶν ἐν ὁμοι-
ώματι μόσχου ἔσθοντος χόρτον :·
Καὶ ἐπελάθοντο τοῦ Θ(εο)ῦ τοῦ σώζοντος
αὐτούς :·
Τοῦ ποιήσαντος μεγάλα ἐν Αἰγύπτῳ :·

[ἡ μοσχοποιΐα] [ὁ Ἀαρ(ὼν) λέγ(ει) πρὸς τ(ὸν) Μωϋσῆν ἴδε τί ἐποιήσατε] [ἀπλάκ(ες)]

op vrijzinnige manier iconen over de pagina's gestrooid, vooral *clipeata*-afbeeldingen (afbeeldingen geschilderd op ronde borden) van Christus[2], die niet alleen door heiligen, religieuzen en de rechtvaardigen wordt aanbeden, maar ook door de psalmist zelf. Het onderlinge verband tussen het christelijke verhaal en de Joodse voorgeschiedenis wordt bij zulke afbeeldingen krachtig neergezet, zoals in het commentaar op Davids gebed 'Heer, laat het licht van uw gelaat over ons schijnen' (Psalm 4:7). David is daarbij voor het kruis met een *clipeata*-icoon van Christus (ill. 14.4) afgebeeld. Hetzelfde geldt voor de afbeelding van de annunciatie die een verklaring is bij Psalm 71:6, en de begeleidende afbeelding van David en Gideon voor een *clipeata*-icoon van de Maagd en Kind (ill. 14.5). Op een andere plaats, wanneer de illuminator de afwijzing van de psalmist om andere goden te aanbidden verklaart, laat hij de veroordeelde voorwerpen van iconenverering duidelijk zien door ze als verzuilde standbeelden af te beelden, zoals wanneer de Israëlieten in Horeb het gouden kalf aanbidden (ill. 14.6).

In zijn marginale psalter heeft de illuminator ook veel bijgedragen aan het visuele commentaar op de Bijbelse tekst. Bij het slot van Psalm 76 heeft hij een prachtige geïllumineerde pagina gemaakt die woord en beeld samensmelt in een verering van Gods 'macht... onder de volkeren' (ill. 14.7). Om de afbeelding heen staan de wateren van de Rode Zee waardoor de Israëlieten werden geleid 'door de hand van Mozes en Aäron'. De schapen verwijzen naar de psalmist die de Israëlieten 'als schapen' noemde, en naar Davids eigen rol als schaapherder (zie ill. 14.3). Het herderschap van Mozes en Aäron, onder wakend oog van God, heeft abt Michael ongetwijfeld rechtstreeks aangesproken; tijdens zijn installatie riep hij ook Christus aan om hem te tonen hoe hij 'de sterkste herder van zijn kudde' kon zijn (f. 191v). Aan het slot van de Psalmen en net voor Michaels installatie wordt dit thema kort samengevat in verzen over Davids zorg voor zijn dierlijke en menselijke kudde; misschien heeft Michael, net zoals David, de verzen zelf geschreven. Ergens anders in het manuscript zijn, in een uitgebreide serie afbeeldingen die de Psalmen verbinden met de prestaties van de heiligen van de kerk onder leiding van Christus, veel voorbeelden voor abt Michael en zijn monastieke kudde aangehaald.

14.7 | Christus op een troon kijkt naar Mozes en Aäron die het volk van Israël leiden, bij Psalm 76:20-21, f. 99v.

Literatuur

Sirarpie Der Nersessian, *L'Illustration des psautiers grecs du moyen age*, II: *Londres, Add. 19.352* (Parijs, 1970).

Byzantium: Treasures of Byzantine Art and Culture from British Collections, red. David Buckton (Londen, 1994), no. 168.

The Glory of Byzantium: Art and Culture of the Middle Byzantine Era, a.d. 843–1261, red. Helen C. Evans en William D. Wixom (New York, 1997), no. 53.

Theodore Psalter: Electronic Facsimile (cd-rom), red. Charles Barber (Champaign, IL, 2000).

Noten

1 Voor chrysografie zie 'One Thousand Years of Art and Beauty', p. 21.

2 Voor de *imago clipeata* zie de Londense Canontafels, no. 1.

ὩΔΗΓΗϹΑϹ ὩϹ ΠΡΟΒΑΤΑ ΤΟΝ ΛΑΟΝ ϹΟΥ
ΕΝ ΧΕΙΡΙ ΜΩΫϹΗ ΚΑΙ ΑΑΡΩΝ
ΙϹ ΧϹ
μωϋσῆς
ἀαρών

15

DE SILOS BEATUS

Een Spaanse visie op de Apocalyps

Openbaring, met het commentaar van Beatus van Liébana, en Hiëronymus' commentaar op Daniël, in Latijn.
Silos, 1091 (schrift) en 1109 (illuminatie).

- 380 x 240 mm
- ff. 279
- Additioneel 11695

Dankzij lange en gedateerde colofons en andere inscripties in de Silos Beatus (Beatus is de naam voor een handschrift met het commentaar van Beatus van Liébana op de Apocalyps) hebben we precieze, hoewel ietwat tegenstrijdige, informatie over de identiteit van de schrijvers, de kunstenaar en de datum en plaats van de vervaardiging van het boek. In een twee pagina's tellend colofon verklaart Dominicus, een monnik van het Santo Domingo-klooster in Silos (Noord-Spanje) dat abt Fortunius (r. 1073 - ca. 1100) hem en zijn familielid Munnio opdracht heeft gegeven om het boek te maken, en dat ze de Apocalyps in april 1091 hebben voltooid (*perfectus est igitur hic liver* [*liber*]). Een latere inscriptie stelt dat onder abt Fortunius 'slechts een heel klein gedeelte voltooid was' (*minima pars ex eo facta fuit*), en dat het boek en de illuminatie in 1109 werden afgemaakt door prior Petrus (*complevit et conplendo ab integro illuminabit*). Daardoor is algemeen erkend dat de uitgebreide en expressieve miniaturen niet gelijktijdig met het schrift werden geschilderd maar een jaar of twintig nadat de tekst was voltooid, werden toegevoegd.

De Silos Beatus bevat de zogenoemde 'Beatus-tekst', die bestaat uit het boek Openbaring met een uitgebreid commentaar dat waarschijnlijk rond 780 is samengesteld door Beatus van Liébana. Beatus heeft de tekst van Openbaring in 68 secties verdeeld, van ongeveer tien tot twaalf verzen, die *storiae* worden genoemd. De Bijbelse tekst is niet de Vulgaat-vertaling van Hiëronymus, maar eerder een *Vetus Latina* vertaling van voor de Vulgaat, die in verband wordt gebracht met Noord-Afrika. Na elke *storia* heeft Beatus een commentaar op die verzen toegevoegd, samengesteld uit geschriften van de kerkvaders. 35 kopieën van zijn werk zijn bewaard gebleven en 26 ervan zijn geïllumineerd.[1] De Beatus-manuscripten zijn geïllustreerd met een min of meer gestandaardiseerde serie afbeeldingen, die overeenkomen met de *storiae*. Over het algemeen staan deze scènes na de Bijbelse tekst en voor het commentaar, en dat geldt ook voor de Silos Beatus. Door de krachtige stijl en presentatie in de Silos horen ze bij de boeiendste middeleeuwse schilderkunstwerken.

De afbeeldingen illustreren de Bijbelse verzen, maar ze geven ook een visueel commentaar als aanvulling op het geschreven commentaar. Dus in een van de

15.1 | Johannes voor Christus, met een tweesnijdend zwaard aan elke kant van zijn mond, en de zeven gemeentes als bogen (onder), Openbaring 1:10-20, f. 24 (detail).

OMMEZIJDE
15.2-15.3 | De apocalyptische vrouw en de draak, Openbaring 12:2-18, ff. 147v-148 (details).

In medio candelabris aureis similem filium hominis

et presteme aurum ad mamillas

illus zona aurea

gladius ex utraque parte acutus

clavis

septem stellas in dextera eius

ubi Iohannes cecidit ad pedes domini

angelus

Laudocie

ad
ubi draco caruxia
Terciam partem
stellarum
draco caruxia

cherubin
serafin

lacus leonum
ubi danihel missus fuit et abbacuc portans illi prandium
Rex incenatus pro danielo
dolens somnium fugit
ab occulis eius.

grootste scènes, verspreid over twee pagina's, wordt de grote rode draak van de tekst, met zeven koppen en tien hoorns (*draco magnus rufus habens capita septem et cornua decem*, Openbaring 12:3), afgebeeld als een enorme rood met grijze slang (ill. 15.2-15.3); onder de staart van het monster zijn groepjes sterren geschilderd (de 'staart trok een derde van de sterren aan de hemel mee', Openbaring 12:4). De draak gaat, in de bovenste hoek, de confrontatie aan met 'een vrouw bekleed met de zon en de maan onder haar voeten (*mulier amicta sole et luna sub pedibus ei[u]s*), met naast haar het geschreven relevante vers (Openbaring 12:1). In de andere hoek op de volgende pagina wordt het kind van de vrouw 'weggevoerd naar God en zijn troon' (Openbaring 12:5). In het midden vechten aartsengel Michaël en andere engelen met de draak (*Michael et angeli eius cum draco[ne] pugnant*) (Openbaring 12:7).

De schilderwerken zijn kleurrijk en intens. Daarom wordt hun stijl soms getypeerd als mozarabisch (van musta' rib, 'gearabiseerd'), een beschrijving van kunst die voor christenen in islamitisch Spanje is gemaakt (of *al-Andalus*), en kunst die in christelijk Noord-Spanje in de achtste tot de elfde eeuw is gemaakt. Zoals een kunsthistoricus zei: 'Mozarabisch schilderwerk is een kunst van kleur'[2], en dit is duidelijk te zien in de sprekende composities in de Silos Beatus, met heldere achtergrondstrepen en levendige tinten. In de illustratie van de derde *storia* (Openbaring 1:10-20) bijvoorbeeld vormen registers van blauw, rood, oranje en groen de achtergrond voor Johannes' visie van de Ene, gezeten op een troon, met een 'tweesnijdend zwaard'; hier te zien als *gladius ex utraque parte*, dat uit zijn mond komt (Openbaring 1:17, ill. 15.1). De zeven gouden kandelaars of lampen, die de 'zeven geesten van God' vertegenwoordigen, staan boven aan de pagina. Eronder zijn de zeven gemeentes, de ontvangers van het boek, weergegeven als bogen in hoefijzervorm die doen denken aan de gestreepte bogen van de grote moskee in Cordoba.

Zoals in zoveel van de Beatus-manuscripten is de Openbaring van de Silos Beatus gekoppeld aan een andere profetische tekst, het boek van Daniël. De illustraties voor Daniël hebben hetzelfde palet en schematische ontwerp als die in de Beatus-sectie, maar ze zijn niet in gekaderde en gekleurde panelen geplaatst. Dat is duidelijk te zien bij de scène van Daniël en de leeuwenkuil, boven koning Darius in bed, die niet kan slapen uit bezorgdheid om Daniëls lot, met de titel 'De slaap vlucht van zijn ogen' (*somnium fugiit [sic] ab occulis eius*; Daniël 6:18, ill. 15.5).[3]

Vorige pagina's (links)

15.4 | 'Christus in majesteit', de evangelistensymbolen en de oudsten die instrumenten bespelen, met het Lam in het midden, Openbaring 4-5, f. 86v (detail).

Vorige pagina's (rechts)

15.5 | Daniël in de leeuwenkuil, en (onder) koning Darius, slapeloos door bezorgdheid, Daniël 6:12-18, f. 239 (detail).

Tegenover

15.6 | De vier ruiters van de Apocalyps, met de macht om te zegevieren, te doden door het zwaard, hongersnood, dodelijke ziekten en wilde dieren, Openbaring 6:1-8, f. 102v (detail).

Literatuur

Meyer Shapiro, 'From Mozarabic to Romanesque in Silos', *Art Bulletin*, 21 (1939), 313–374.

John Williams, *The Illustrated Beatus: A Corpus of the Illustrations of the Commentary on the Apocalypse*, 5 dln. (Londen, 1994–2003).

Beatus of Liebana: Codex of Santo Domingo de Silos Monastery, facsimile editie met commentaar (Barcelona, 2001–03).

Ann Boylan, 'The Silos Beatus and the Silos Scriptorium', in *Church, State, Vellum, and Stone: Essays on Medieval Spain in Honor of John Williams*, red. Therese Martin en Julie A. Harris, The Medieval and Early Modern Iberian World, 26 (Leiden, 2005), pp. 173–233.

Noten

1 Williams, *Illustrated Beatus* (1994), I, pp. 20, 10–11.

2 Shapiro, 'Mozarabic to Romanesque' (1939), p. 324.

3 In de Vulgaat, *somnus recessit ab eo*.

equum aluum
et qui sedebat
super eum habe
bat arcum
equum rosseum
et qui sedebat
super eum abebat
gladium.
et se quebatus
eum infernus
equus niger
et qui sedebat
super eum
abebat
stateram.
equus pallidus
et qui sedebat
super eum abebat gladium.

16

DE BIJBEL VAN STAVELOT

Monumentale kunst

Bijbel, in Latijn.
Stavelot, bij Luik, 1093-1097.

- 580 × 390 mm
- ff. 232 (vol. 1), ff. 241 (vol. 2)
- Additioneel 28106, 28107

Rond dezelfde periode dat Dominicus en Munnio werkten aan hun grote commentaar op de Apocalyps (de Silos Beatus, no. 15) schreef de monnik Goderannus dat hij en broeder Ernesto vier jaar hadden gewerkt aan een bijbel in het sint Remaclus-klooster in Stavelot, niet ver van Luik (België). Goderannus beschreef nauwkeurig wat er was bereikt in het enorme tweedelige boek. Hij legde vast dat het schrijven, de illuminatie en het binden (*scriptura, illuminatione, ligatura*) in 1097 helemaal waren voltooid. Ondanks deze specificering zijn wetenschappers het er nog steeds niet over eens of de twee monniken (of op zijn minst Ernesto) de kunstenaars en de schrijvers waren van dit indrukwekkende werk. Sommigen denken dat de kunstenaars betaalde leken waren in plaats van monniken, en daarom uit het lange colofon zijn weggelaten. Bovendien duidt het verschil in stijl tussen initialen en ander schilderwerk dat meer dan twee mensen bij de productie betrokken zijn geweest; er zijn vijf verschillende kunstenaars vastgesteld.[1]

Wat duidelijk is, is de kwaliteit en de monumentaliteit van het schilderwerk in de Bijbel van Stavelot. De beroemdste afbeelding, die het Nieuwe Testament inleidt, is de paginagrote visie van 'Christus in majesteit', omringd door de symbolen van de vier evangelisten (ill. 16.1). Dit schilderwerk is een krachtige, icoonachtige, frontale voorstelling van Christus aan het eind der tijden. Christus heeft een gouden kruis in zijn linkerhand en zijn voeten rusten op een schijf die de wereld, verdeeld in drie delen, voorstelt; dit is een gestileerde 'T-O' kaart van de *orbis terrarum* ('de globe van de aarde', gemaakt van de letter 'T' in de letter 'O'). Bij tijdgenoten heeft deze afbeelding misschien herinneringen opgeroepen aan grootschalige schilderwerken in de aspis.[2] De zittende of staande profeten en evangelisten, elk afgebeeld aan het begin van hun boek, zijn expressief en geïnspireerd; bij de inleiding van hun evangelie houden ook staande evangelisten tekstrollen vast. Er is in de bijbel ook op veel kleinere schaal geschilderd, in gehistorieerde initialen. De meest complexe iconografie is die van de lange initiaal 'I'(*n*) van Genesis waarmee het eerste deel van de Bijbel begint (ill. 16.2-16.3). De afbeeldingen staan in groepjes in en rond de initiaal en

16.1 | 'Christus in majesteit', zijn voeten op een 'T-O' kaart, met de symbolen van de vier evangelisten in de hoeken, aan het begin van het Nieuwe Testament, additioneel 28107, f. 136.

16.2 | Genesis-initiaal 'I'(*n*), met de kruisiging, graflegging, opstanding en 'Christus in majesteit' (van onder naar boven in de middelste medaillons), additioneel 28106, f. 6 (detail van het bovenste deel).

TEGENOVER

16.3 | Genesis initiaal 'I'(*n*), met de annunciatie, geboorte, doop en kruisiging (van onder naar boven in de middelste medaillons), additioneel 28106, f. 6 (details van het onderste deel).

VIT
VIR
unus
de rama
thaim
sophim
de monte
effraim.
& nomen
eius el
chana
filius hiero
boam. filii
heliu. filii thau.
filii suph ephrate
us. & habuit duas
uxores. Nomen uni
anna. & nomen secunde
fenenna. Fueruntq; fenen
ne filii. anne autem non erant
liberi. Et ascendebat uir ille de

16.4 | **Hanna's gelofte en offer, 1 Samuel, additioneel 28106, f. 97 (detail).**

geven niet, zoals gebruikelijk was, de scheppingsdagen weer maar een serie scènes die samen een gelaagde exegese van het verlossingsverhaal vormen. De woorden *In principio* zijn in de initiaal van boven naar beneden te lezen, maar de serie afbeeldingen in de medaillons begint onder aan de pagina met de annunciatie en gaat dan omhoog, met als hoogtepunt een afbeelding van 'Christus in majesteit' (ill. 16.2-16.3). De kruisiging is het centrale deel van de compositie, en daar omheen zijn andere afbeeldingen uit het Oude en het Nieuwe Testament geplaatst. Aan de linkerkant van de initiaal staat de verdrijving uit Eden, Noach die de ark bouwt, het offer van Isaak (ill. 16.3) en Mozes die de stenen tafels van de wet ontvangt en dan breekt, onder de predikende Christus en engelen (ill. 16.2). Gebeurtenissen die daarmee in verband staan, zijn rond deze scènes geplaatst, zoals de aanbidding van het gouden kalf onder Mozes. Rechts van de centrale as staat een zelden voorkomende lange voorstelling van Christus' parabel van de werkers in de wijngaard (Matteüs 20:1-6), waarin het koninkrijk van de hemel wordt vergeleken met een landheer die dagloners inhuurt om op verschillende tijdstippen van de dag in zijn wijngaard te werken. Rondom deze medaillons waarin het inhuurproces wordt afgebeeld, zijn de arbeiders bezig met het snoeien en de zorg voor de wijnranken.

Bij andere gehistorieerde initialen in het Oude Testament staan minder mensen, maar ze stellen nog steeds het verhaal voor. In de geïllustreerde initiaal 'F'(*uit*) ('Er was') aan het begin van 1 Samuel worden de gebeurtenissen van het eerste hoofdstuk onthuld in verfijnde tekeningen op een geschilderde achtergrond (ill. 16.4). In het onderste gedeelte van de initiaal reizen Elkana en zijn twee vrouwen naar Silo om een offer te brengen, en hij geeft beide vrouwen voedsel. Hanna draait zich om, en 'at niet' omdat 'de Heer haar moederschoot had gesloten' (1 Samuel 1:7, 5). Boven benadert ze de priester Eli, die haar vertelt dat God haar vraag om een kind heeft verhoord. Helemaal boven aan de initiaal verschijnen Hanna en Elkana met het kind (Samuel) naar wie ze zo lang hebben verlangd. Ze offeren uit dankbaarheid 'een driejarige stier, een efa meel en een zak wijn' (1 Samuel 1:24-28). Deze samengevoegde illustraties, vaak gecombineerd met verschillende passages in dezelfde afbeelding, duiden op een relatief hoog niveau van vertrouwdheid met en begrip van de Bijbelse tekst. Dat houdt ook in dat als broeders Goderannus en Ernesto de illuminatie van de Bijbel niet zelf hebben voltooid, ze deze wel hebben ontworpen en toezicht hebben gehouden op het werk dat door anderen werd uitgevoerd.

Literatuur

François Masai, 'Les Manuscrits à peintures de Sambre et Meuse aux XIe et XIIe siècles: pour une critique d'origine plus méthodique', *Cahiers de Civilisation Medievale*, 10 (1960), 169–189.

Wayne Dynes, *The Illuminations of the Stavelot Bible* (New York, 1978).

Walter Cahn, *Romanesque Bible Illumination* (Ithaca, NY, 1982), pp. 130–136.

John Lowden, 'Illustration in Biblical Manuscripts', in *The New Cambridge History of the Bible*, 4 dln. (Cambridge, 2012–15), II: *From 600 to 1450*, red. Richard Marsden en E. Ann Matter (2012), pp. 446–482.

NOTEN

1 Dynes, *Stavelot Bible* (1978), vooral pp. 70–93.

2 Cf. Lowden, 'Illustration' (2012), p. 454.

17

HET EGERTON EVANGELIELECTIONARIUM

Verluchte liturgie

Evangelielectionarium, in Latijn. Duitsland, ca. 100.

- 260 x 185 mm
- ff. 50
- Egerton 809

Een reden waarom zo veel prachtige kopieën van de vier evangeliën bewaard zijn gebleven, is dat lezingen uit de evangeliën een onderdeel van de dienst waren in de oosterse en westerse kerk. Vele hebben de evangeliën op volgorde staan, waarvan elk begint met een portret van de evangelist die zijn boek schrijft. Maar andere boeken werden samengesteld als lectionaria (letterlijk: 'lezingen' bevattend, lezingen- of leesroosters). Hierin staan de passages in de leesvolgorde van het kerkelijk jaar. De volgorde werd op den duur gestandaardiseerd, en het belang wordt onderstreept door honderden evangelielectionaria die zijn overgebleven.[1] Vooral het Egerton Evangelielectionarium is een prachtig exemplaar, omdat het vier paginagrote illustraties bevat van belangrijke feesten die te maken hebben met de uitgekozen passages: Kerstmis, Pasen, Hemelvaartsdag en Pinksteren (ill. 17.1-17.2, 17.4, en ill. op p. 5).

Vanuit stilistisch oogpunt doen de schilderwerken met hun heldere kleuren en gouden kaders denken aan de Ottoonse werken uit de tiende en elfde eeuw. Bij Pinksteren bijvoorbeeld zweven de apostelen boven een fort; kleine vlammen rusten op hun hoofd (ill. 17.2). Ook de tekst is geschreven in goud, in bladvormige initialen en schrift. De relevante lezing tegenover de afbeelding: *Si quis diligit me, sermonem meum servabit* ('Wanneer iemand mij liefheeft, zal hij zich houden aan wat ik zeg') (Johannes 14:23) is deels in grote gouden letters geschreven (ill. 17.3). De tekst gaat door met een verwijzing naar de 'pleitbezorger, de heilige Geest die de Vader jullie namens mij zal zenden en alles duidelijk zal maken' (Johannes 14:26), en die is te zien op de afbeelding. Bij de passages staat de naam van de relevante evangelist, hier te zien bovenaan de pagina *S. Ioh[anne]m*. Op dezelfde manier is Christus bij de Hemelvaart in het midden geplaatst, en zweeft hij op een roze wolk in een halve mandorla die wordt vastgehouden door engelen, tegen een gouden achtergrond (ill. 17.4). De apostelen en de Maagd eronder kijken naar hem op; velen heffen hun handen in de orante-houding van een gebed dat bekend is uit oude christelijke kunst en daarna in

17.1 | De drie vrouwen bij het graf worden aangesproken door een engel, met slapende soldaten erboven, bij de lezing voor Pasen, Marcus 16:1, f. 27v.

OMMEZIJDE
17.2–17.3 | Pinksteren, met de apostelen wier hoofd wordt aangeraakt door vlammen, en de duif van de heilige Geest (boven), bij de lezing van Pinksteren, Johannes 14:23 (tegenover), deels geschreven in goud, ff. 35v-36.

IN DIE SCO PENTECOST. S. IOHAN.

IN illo. t. Dixit dns ihc discipulis suis.

SI QVIS DILIGIT ME SERMONEM MEUM SERUABIT.

ET PATER MEUS DILIGET EUM.

ET AD EUM UENIEMUS. ET MANSIONEM apud eum faciemus. Qui non diligit me sermones meos non seruat. Et sermonem quē audistis non ē meus. sed eius qui misit me patris. Hęc locutus sum uobis apud uos manens. Paraclytus autē sps scs quē mittet pater in nomine meo. ille uos docebit omnia. & suggeret uobis omia quęcumq. dixe

oosterse en westerse tradities.[2] Ook de engel die bij het graf aan de drie vrouwen verschijnt, is stoffelijk maar lijkt in de ruimte te zweven; de gewapende soldaten op het dak zijn in diepe slaap (ill. 17.1). Terwijl dit misschien statischer is dan kunst uit andere perioden, zoals de vloeiende Angelsaksische tekenstijl die te zien is in het Harley Psalter en de Oudengelse hexateuch (no. 10 en 11) uit Canterbury, zouden weinigen het eens zijn met de mening uit het begin van de twintigste eeuw; het werk in het Egerton Evangelielectionarium werd verworpen als 'stijf, vlak en oninteressant'.[3]

Hoewel het nu apart wordt bewaard, had het Egerton Evangelielectionarium eerst een boekband van houten planken die samen dikker waren dan de tekstpagina's (elke plank is 1,6-1 cm dik). De planken zijn nu bedekt met blauw fluweel dat later is toegevoegd, en een groot vijftiende-eeuws schilderwerk van twee heiligen, dat is geplakt op het voorplat. Maar de planken zelf kunnen uit de twaalfde eeuw komen en al vanaf het begin bij het boek hebben gehoord. Dat ze zijn overgebleven en later zijn opgeknapt, betekent dat zulke boeken voor de liturgie werden gebruikt, niet alleen voor lezingen maar ook voor bezinning en om te laten zien, zoals nu nog wordt gedaan in veel christelijke tradities. In een even oud verslag van een processie die was geregeld door aartsbisschop Egbert van Trier (r. 977-993) in de Sint-Eucharius, een abdij net buiten Trier, staat dat deze 'kruisen en kaarsen, wierookvaten, en teksten [of boeken] van de evangeliën bedekt met edelstenen bevatte' *(Crucibus, & cereis, thuribulis quoque textibusque Evangelii gemmatis)*.[4] Het Egerton Evangelielectionarium wordt in verband gebracht met Trier, en vooral met de Rijksabdij Sankt Maximin; in de Sotheby catalogus van mei 1840 staat dat het manuscript 'een lange tijd een gewoon voorwerp was voor aanbidding of jaloezie van degenen die de bibliotheek bezochten in het eens zo geprezen Maximinusklooster'. Het manuscript werd bij die verkoop voor 23 pond en 2 shilling gekocht voor Engeland. Hiervoor werd een fonds gebruikt dat door Francis Henry Egerton, de achtste graaf van Bridgewater (1756-1829), in 1829 was nagelaten.

17.4 | De Hemelvaart, met Christus die naar de hemel gaat, geflankeerd door engelen, en onder de Maagd Maria en de apostelen; degenen vooraan houden een boek vast, bij de lezing van Hemelvaartsdag, Marcus 16:12, f. 33v.

LITERATUUR

Wilhelm Köhler, 'Die Karolingischen Miniaturen', in *Zweiten Bericht uber die Denkmaler Deutscher Kunst* (Berlijn, 1912), pp. 51–77 (p. 62).

D.H. Turner, *Romanesque Illuminated Manuscripts in the British Museum* (Londen, 1966), pp. 19–20, pl. 11.

Janet Backhouse, *The Illuminated Page: Ten Centuries of Manuscript Painting in the British Library* (Londen, 1997), no. 23.

Canossa 1077: Erschütterung der Welt, red. Christoph Stiegemann en Matthias Wemhoff, 2 dln. (München, 2006), II, no. 399.

NOTEN

1 Zie het Syrische lectionarium, no. 25, en het evangelielectionarium van de Sainte-Chapelle, no. 29.

2 Vergelijk het Winchester Psalter, ill. 20.5.

3 J. A. Herbert, *Illuminated Manuscripts* (London, 1911), p. 153.

4 *Historia inventionis S. Celsi*, red. Jean Bolland, *Acta Sanctorum*, Februari 3 [1658], 396–404 (*Bibliotheca Hagiographa Latina*, 1720–21).

18

HET BURNEY EVANGELIARIUM

Een keizerlijk vierdelig evangeliarium

Vier evangeliën, in Grieks. Constantinopel, 10e eeuw (schrift) en helft 12e eeuw (portretten).

- 220 x 170 mm
- ff. 214
- Burney 19

Het meest gangbare Byzantijnse boek is het tetraevangelion. Het is een boek waarin de vier evangeliën op volgorde als aparte teksten staan, maar ook als een viervoudige eenheid in één boekband. Onder de ongeveer tweeduizend manuscripten die zijn overgebleven, getuigt het huidige manuscript van het voortdurende belang van de keizerlijke hoofdstad Constantinopel voor boekproductie met de hoogste kunstzinnige kwaliteit.

De meest luxueuze tetraevangelia zijn verfraaid met verfijnde geschilderde portretten van de evangelisten. In deze kopie wordt elke *incipit* (aanhef) voorafgegaan door een paginagroot portret, waarin de beeldende elementen krachtig en goed gemodelleerd zijn geschilderd met dik aangebrachte kleuren, waarmee niet alleen de fysieke vorm maar ook de emotionele intensiteit wordt benadrukt. Elk portret heeft een gouden achtergrond en een inscriptie met de naam van de heilige. Matteüs, Lucas en Marcus (ill. 18.1-18.2, 18.4) zijn afgebeeld als schrijvers. Ze houden een pen en perkament vast en ze zitten voor een laag kabinet, waarop en waarin ander schrijfgerei ligt, zoals inktpotten en messen. Op elk kabinet staat een visvormige standaard met een lessenaar en daarop het boek waaruit de evangelist, eerder als schrijver dan als geïnspireerd auteur, zijn tekst kopieert. Achter elke evangelist staat een hoog gebouw dat de visuele verschijning van de figuur nog meer benadrukt. Terwijl Matteüs en Lucas actief bezig zijn met schrijven, zit Marcus in een nadenkende houding, zoals in de klassieke beeldhouwkunst en bij afbeeldingen van filosofen uit de oudheid. Het portret van Johannes (ill. 18.3) is nog opmerkelijker. In tegenstelling tot de drie voorafgaande portretten in het boek en andere portretten van Johannes in oudere Byzantijnse manuscripten is de evangelist zittend en alleen afgebeeld.[1] Maar deze illuminatie toont hem staand en vergezeld van een discipel, zoals in veel latere evangeliën in de oosterse traditie.[2] Geleid door de hand van God dicteert Johannes zijn tekst rechtstreeks aan Prochorus, een van de zeven wijze mannen die worden genoemd in Handelingen 6:5. Het rotsachtige landschap steekt af tegen de landelijke omgeving van de andere drie portretten en wijst op een berglocatie op het eiland Patmos waar, volgens

18.1 | Matteüs reikt naar voren om zijn pen in inkt te dopen en verder te gaan met schrijven, aan het begin van zijn evangelie, f. 1v.

Ommezijde (links)
18.2 | Lucas zit te schrijven, aan het begin van zijn evangelie, f. 101v.

Ommezijde (rechts)
18.3 | Johannes met zijn assistent Prochorus, Johannes dicteert, aan het begin van zijn evangelie, f. 165.

ΜΑΤΘΑΙΟC

Ο ΘΕΟΛΟΓΟΣ

18.4 | **Marcus in gedachten tijdens het schrijven, aan het begin van zijn evangelie, f. 63v (detail).**

de apocriefe Handelingen van Johannes, toegeschreven aan Prochorus, het Johannesevangelie was geschreven. Dit verslag verduidelijkt de korte verwijzing in Openbaring 1:9 naar de vijftien jaar durende aanwezigheid van Johannes op het eiland. De hoge leeftijd van Johannes in dit boek en veel andere werken uit de orthodoxe traditie[3] staat in contrast met zijn jeugdige verschijning in veel westerse kunstwerken.[4]

Het verfijnde minuskelschrift van de Bijbelse tekst en de decoratie van de geïllumineerde titelvignetten die de inleiding van elk evangelie aangeven, werden in de tiende eeuw voltooid, maar de evangelistenportretten werden een paar eeuwen later geschilderd. Qua stijl zijn deze rechtstreeks gekoppeld aan een onderling nauw verbonden groep geïllumineerde tetraevangelia die waren bedoeld voor privégebruik van de aristocratie; een paar ervan heeft voor hun portretten bijna identieke patronen en gelijksoortige kaders. Hoewel het niveau en de stijl van uitvoering verschillen, werden deze illuminaties toegeschreven aan de Kokkinobaphos meester, die is vernoemd naar twee gerelateerde kopieën van de predikingen van James, een monnik uit het Kokkinobaphos-klooster in Constantinopel.[5] Twee van de tetraevangelia die zijn geïllumineerd door de Kokkinobaphos meester zijn gedateerd als de tweede helft van de twaalfde eeuw en ze hebben historische banden met de keizerlijke familie Komnenos (r. 1081-1185).[6] Het huidige boek verschilt van de rest van de groep; het is in twee aparte stadia samengevoegd, niet geheel een product uit de twaalfde eeuw. Heel ongebruikelijk is dat er nooit hulpmiddelen, zoals hoofdstuk- of Ammoonse sectienummers[7], voor de lezer zijn bijgeplaatst.

Nieuwe inzichten in de latere geschiedenis duiden erop dat ook dit boek in direct verband staat met de familie Komnenos. Ondanks pogingen in het begin van de negentiende eeuw om een fictieve herkomst van het paleis Escorial van Filips II van Spanje († 1598) aan te voeren, weten we nu dat halverwege de achttiende eeuw de tetraevangelia onderdeel waren van de Biblioteca Vallicelliana in Rome.[8] Toen bevatte het een nu verloren gegane inscriptie, daterend uit 1550, die de komaf van Constantijn Komnenos († 1531) beschreef.[9] Hij was door de Turken uit Griekenland verbannen en had tot zijn dood in Italië gewoond, waar hij in Santi XII Apostoli in Rome werd begraven. Deze inscriptie die kort voor de dood van Constantijns erfgenaam, Arianita (in 1551 in Rome), werd gemaakt, zou een aanwijzing kunnen zijn dat het boek nog steeds in handen was van Komnenos. Iets later, in circa 1600, werd het samengestelde boek geregistreerd in een van de fondscollecties van de Vallicelliana, de bibliotheek van de Portugese humanist Achilles Statius (1524-1581). Statius vestigde zich in Rome en verzamelde boeken uit eind 1550, kort nadat het boek waarschijnlijk niet meer in Komnenos' bezit was. Het manuscript dankt zijn naam aan een latere eigenaar, de wetenschapper en verzamelaar Charles Burney (1757-1817).[10]

NOTEN

1 Zie het Guest-Coutts Nieuwe Testament, no. 9.
2 Zie het Armeense Evangeliarium, no. 44.
3 Zie ook het Griekse Harley Evangeliarium, ill. 24.2.
4 Voor westerse voorbeelden van een jeugdige Johannes zie het gouden Harley Evangeliarium, de Silos Beatus, de Arnstein-bijbel, de Welles Apocalyps, het Holkham Bijbels prentenboek, de Bijbel van Clemens VII en het Evangeliarium van kardinaal Francesco Gonzaga, ill. 4.1, 15.1, 23.1, 31.2, 31.4, 32.3, 34.6, 43.2.
5 Vaticaanstad BAV, MS Vat. gr. 1162, en Parijs, BnF, MS grec 1208.
6 Vaticaanstad, BAV, ms Urb. gr. 2, en Oxford, Christ Church, ms gr. 32.
7 Voor de sectienummers van Ammonius zie de Londense Canontafels, no. 1 en 'One Thousand Years of Art and Beauty', p. 18.
8 Moretti, 'La miniatura medievale' (2008).
9 Voor deze inscriptie zie Giuseppe Maria Bianchini, *Evangeliarium Quadruplex latinae versionis antiquae seu veteris italicae*, 2 dln. (Rome, 1749), I, p. DXXIX.
10 Voor Burney's collectie zie 'The Origins of the British Library's Collections of Manuscripts', p. 329.

LITERATUUR

Byzantium: Treasures of Byzantine Art and Culture from British Collections, red. David Buckton (Londen, 1994), no. 176.

Simona Moretti, 'La miniatura medievale nel Seicento e nel Settecento: fra erudizione, filologia e storia dell'arte', *Rivista di Storia della Miniatura*, 12 (2008), 137–148 (pp. 142–143).

19

HET MELISENDE-PSALTER

Een psalter voor een kruisvaarderskoningin

Psalter, in Latijn.
Jeruzalem, tussen 1131 en 1143.

- 215 × 145 mm
- ff. 218
- Egerton 1139

Gedurende iets minder dan een eeuw, tussen 1099 en 1187, heersten kruisvaarderskoningen over Jeruzalem. De stad die in 638 door de Byzantijnse keizer was overgegeven aan kalief Omar, werd weer overheerst door de christenen als bekroning van de prestaties tijdens de eerste kruistocht. Maar in 1187 viel Jeruzalem in handen van Sultan Ṣalāḥ ad-Din Yūsuf ibn Ayyūb († 1193), in het Westen bekend als Saladin. Een van de waardevolste overblijfselen van het Jeruzalem tijdens de kruistochten is het huidige psalter, vernoemd naar koningin Melisende († 1161). Na de dood van haar vader Boudewijn II in 1131, regeerde zij samen met haar man Fulco van Anjou tot diens dood in 1143, waarna ze tot 1152 met haar zoon Boudewijn III de scepter voerde.

Als weerspiegeling van de culturele smeltkroes in het kruisvaarderskoninkrijk brengt het psalter oosterse en westerse tradities bij elkaar. De lay-out van het manuscript komt overeen met de in die tijd westerse verwachtingen van een hoogstaand gebedenboek, en het was duidelijk bedoeld voor een lid van de heersende Latijnse elite. De teksten, allemaal in Latijn en volgens de conventies van de Latijnse kerk, staan in een prachtig schrift met vergulde initialen en titels en soms geschreven in rode en blauwe inkt. In navolging van een westerse traditie die voor het eerst werd toegepast in het Tiberius Psalter (no. 13), heeft het boek een inleidende afbeeldingencyclus die de Psalmen verbinden met het leven van Christus (ill. 19.4-19.6), gevolgd door een westerse kalender, met de feesten van de Latijnse kerk en verfraaid met afbeeldingen van de dierenriemtekens. De Psalmen worden volgens continentaal gebruik getoond in acht secties[1], die worden onderbroken door prachtige aanhefpagina's van gepolijst goud. De beginregels van elke psalm zijn geschreven in goud op een paarse achtergrond. Verschillende verfijnde met pen getekende initialen bij de hoofdverdelingen hebben menselijke en dierlijke figuren in draaiende vegetatieve vormen (ill. 19.2).[2] De makers van de boekband namen voor de deugden en ondeugden, afgebeeld op het voorplat (ill. 19.1), het voorbeeld van de *Psychomachia* van de laat-Latijnse dichter Prudentius (geb. 348, † na 405), en voor de scènes op het achterplat de leer van Werken van Barmhartigheid van de Latijnse kerk.[3]

Toch heeft het psalter ook kenmerken die de autochtone culturen, bestaande uit orthodoxe en monofysitische christenen en moslims, in het kruisvaarderskoninkrijk

19.1 | David vecht om zijn schapen te beschermen (1 Samuel 17:34-36), wordt gezalfd door Samuel (1 Samuel 16:13), vecht met Goliat (1 Samuel 17:41-49), ontvangt brood en Goliats zwaard van de priester Achimelech (1 Samuel 21:1-10), knielt in berouw en maakt een altaar voor de Heer (2 Samuel 24:10-25; 1 Kronieken 21:8-30) en speelt samen met musici (1 Kronieken 15:16-22); tussen deze scènes staan de afbeeldingen van de deugden en ondeugden; bovenste hoek van de boekband (detail).

Ommezijde

19.2–19.3 | Koning David zit harp spelend in het onderste deel van de openingsinitiaal 'B'(*eat/us/*) ('Gezegend') van Psalm 1, en de tekst gaat door op de tegenoverliggende pagina, geschreven in goud op paarse panelen, ff. 23v-24.

FI DES
DA VID
LEO
VRSVS
SA MV EL
VNGI TVR DAVI D
BE TH LE EM
HV MI LITAS
PV DICI TIA
SVPER
DAVID
GO LIAS
DAVID
ABIMELEC
DO EG
FOR TIT VDO
AVARITIA
DIS CORD
LV XV RIA
EGO PECCAVI
DAVID
AL TA RE
LARG ITAS

e
A
T

VIR QVI
NON ABIIT
IN CONSI
LIO IMPIO-
RVM· ET IN VIA
PECCATORVM NO͞
STETIT· ET IN
CATHEDRA P-
ESTILENTIE
NON SEDIT·

ΤΥΤΟ
ΤΒΡΕΦ
ΟΥΡΝΟΝ
ΚΓΗΝΕϹΤ
ΕΡΕΟϹ

weerspiegelen. Dat is het duidelijkst te zien bij de laatste miniatuur van de inleidende cyclus. De kunstenaar, Basilios, heeft deze miniatuur gemaakt naar voorbeeld van een Byzantijnse afbeelding, de *Deësis*, die bestaat uit Christus (hier op een troon terwijl hij een boek vasthoudt), geflankeerd door de Maagd en Johannes de Doper. Voor de andere 23 inleidende miniaturen haalt dezelfde illuminator de meeste inspiratie uit de afbeeldingencyclus die de belangrijke feestdagen van het Byzantijnse kerkelijk jaar aangeven en die werden toegepast in Griekse manuscripten van de evangeliën.[4] Terwijl een paar afbeeldingen, zoals de aanbidding van de wijzen, de presentatie van Jezus in de tempel en Christus' hemelvaart (ill. 19.4-19.6), afkomstig is uit het verhaal van de vier evangelisten, zijn andere, zoals de tenhemelopneming, gebaseerd op de leer van de oosterse kerk.[5] Bij sommige afbeeldingen staan ook opvallende teksten in het Grieks, zoals bij de presentatie waar een tekstrol, die wordt vastgehouden door de profetes Anna, verklaart 'dat dit kind hemel en aarde schiep'. Een andere kunstenaar koos Byzantijnse artistieke voorbeelden voor de negen afbeeldingen bij de Latijnse gebeden tot de Maagd en tot acht heiligen, die volgen op de Psalmen en het Hooglied. En onderaan het achterplat is de koning die de Werken van Barmhartigheid uitvoert, gekleed in Byzantijnse keizerlijke kleding. Bovendien hebben de makers van het boek misschien toegang gehad tot en inspiratie gehaald uit islamitische kunst. In twee grote initialen bijvoorbeeld is in elkaar verweven decoratie vervangen door geometrische patronen, die kunnen zijn ontleend aan islamitische voorbeelden. De verschillende kenmerken op de ivoren boekbanden zijn ook te vinden in islamitische ivoor- en bewerkt-metaalkunst.

Een paar moderne wetenschappers betwijfelen of koningin Melisende de eerste eigenaresse van het boek is.[6] Hoewel er geen direct bewijs is, geeft een reeks aan getuigenissen aan dat het hoogstwaarschijnlijk wel voor haar bedoeld is geweest. De oorspronkelijke schrijver bijvoorbeeld geeft op de kalender slechts drie recente historische gebeurtenissen aan, die elk heel belangrijk waren voor Melisende: de inname van Jeruzalem in 1099, de dood van haar Armeense moeder in 1126/1127 en de dood van haar vader in 1131. Bovendien zijn de Latijnse gebeden verwoord in vrouwelijke vorm. De iconografie van de zeldzame ivoren boekbanden zijn ook een duidelijke koppeling tussen koning David en zijn christelijke opvolgers als heersers over Jeruzalem. En op de nog zeldzamere even oude zijden rug staan kruisvaarderskruisen. In zijn geheel genomen is de pracht en praal van het psalter absoluut een koningin waardig.

Literatuur

Hugo Buchthal, *Miniature Painting in the Latin Kingdom of Jerusalem* (Oxford, 1957).

The Glory of Byzantium: Art and Culture of the Middle Byzantine Era, a.d. 843–1261, red. Helen C. Evans en William D. Wixom (New York, 1997), no. 259.

Barbara Zeitler, 'The Distorting Mirror: Reflections on the Queen Melisende Psalter (Londen, B.L., Egerton 1139)', in *Through the Looking Glass: Byzantium through British Eyes*, red. Robin Cormack en Elizabeth Jeffreys (Aldershot, 2000), pp. 69–83.

Jaroslav Folda, *Crusader Art in the Holy Land: From the Third Crusade to the Fall of Acre, 1187–1291* (Cambridge, 2005).

Vorige pagina's

19.4–19.5 | Geleid door een engel rijden de drie wijzen naar Bethlehem om hun geschenken aan de Maagd en het Christuskind aan te bieden (Matteüs 2:9-11); en (ertegenover) in de tempel van Jeruzalem, Simeon tilt het Kind op voor Maria en Jozef, en Anna dankt God (Lucas 2:25-38); ff. 2v-3.

Tegenover

19.6 | Christus vaart ten hemel ondersteund door engelen; (eronder) hij verlaat Maria, die is geflankeerd door twee engelen en de apostelen, f. 11.

noten

1. Voor deze verdeling zie het Vespasiaanse Psalter, no. 3.
2. Voor het gebruik van paars zie de Canterbury Royal Bible, no. 5.
3. Voor de werken van genade zie de Bijbel van Floreffe, no. 22.
4. Voor de feestdagen zie het Griekse Harley Evangeliarium, no. 24.
5. Voor de tenhemelopneming zie het Winchester Psalter, no. 20, en het Griekse Harley Evangeliarium, no. 24.
6. Zie bijvoorbeeld Zeitler, 'The Distorting Mirror' (2000).

20

HET WINCHESTER PSALTER

Een verlucht tweetalig psalter

Psalter, in Latijn en Frans; de apostolische geloofsbelijdenis en gebeden, in het Frans. Winchester, helft 12e eeuw.

- 320 × 230 mm
- ff. 142
- Cotton Nero C. iv

Na de Normandische verovering was Frans, en niet Engels of Latijn, de belangrijkste taal van de Engelse aristocratie. Het is dan ook niet zo vreemd dat de Bijbel al vroeg in het Frans werd vertaald. En gegeven het belang van de Psalmen in de middeleeuwse kerk werden er een paar Franse vertalingen gemaakt, inclusief drie of vier versies van Hiëronymus' *Gallicanum* tekst.[1] Er zijn twaalf manuscripten uit de twaalfde tot de dertiende eeuw bekend van het zogenoemde Oxford Psalter, een in Engeland samengestelde vertaling, gebaseerd op de *Gallicanum* versie. Alle staan in verband met Engeland.[2] Het Winchester Psalter is het mooiste exemplaar van deze Engelse manuscripten.

In het psalter is de psalmtekst gerangschikt in parallelle kolommen, met links de Franse en rechts de Latijnse tekst, waardoor het belang van de versie in de landstaal naar voren komt (ill. 20.2). De tekst was nauwkeurig ingedeeld en geschreven zodat op de pagina hoofdstukken en verzen van elke versie met elkaar overeenkomen. De Franse versie is meer interpretatief dan letterlijk. De gezegende man (*Beatus vir*) in het eerste vers bijvoorbeeld wordt een baron (*Beonuret barun*) die geen advies aanneemt van misdadigers (Engels: *felon*, Frans: *des feluns*).

Net zoals in veel andere luxueuze psalters, inclusief het Tiberius Psalter (no. 13), die een eeuw eerder in Winchester werden gemaakt, begint het boek met een aantal paginagrote afbeeldingen. In het Winchester Psalter zijn er 38 bewaard gebleven. Het lijkt aannemelijk dat deze afbeeldingen oorspronkelijk in paren op de tegenoverliggende pagina's waren gerangschikt. De volgorde was waarschijnlijk chronologisch, te beginnen met de schepping en andere scènes uit Genesis, gevolgd door het leven van David en Christus, en eindigend met het laatste oordeel. Een prachtige stronk van Isaï, compleet met de acanthus in 'Winchester-stijl' in de takken (ill. 20.1), is een voorbeeld van de fijne tekenstijl en delicate kleurwassingen die we in deze composities zien.[3] De meeste scènes zijn in twee of meer registers gerangschikt, en vooral de evocaties zijn dramatisch, vooral die geschubde, gehoornde duivels bij de verleiding van Christus (ill. 20.3) en de laatste afbeelding van de gevangen verdoemden in de open muil van de hel (ill. 20.6).[4]

20.1 | De stronk van Isaï, met koning David, de gekroonde Madonna en Christus, met staande profeten aan elke kant, f. 9 (detail).

Ommezijde (links)
20.2 | Versierde en gehistorieerde initialen 'B'(*eonuret*) ('Gezegend') en 'B'(*eat\us*) ('Gezegend'), de laatste met een schrijvende en vioolspelende koning David, aan het begin van Psalm 1, f. 46 (detail).

Ommezijde (rechts)
20.3 | De verzoeking in de woestijn, f. 18.

chi ne alat el cunseil des feluns.
et en la ueie des pecheurs ne stout.
et en la chaere de pestilence ne sist.
ais en la lei de nostre seignor la
uolunted. e en la sue lei purpen
serat par iurn e par nuit.
iert ensement cume le fust qued
est plantet de iuste les decurs des
ewes. ki dunrat sun fruit en son tens.
sa fuille ne decurrat. e tute les coses
q il unq̃s ferad. serunt fait pspres.
ient eissi li felun nient eissi. mais
ensement cume la puldre que li
uenz getet de la face de terre.
npurico ne surdent li felun en iuise
ne li pecheor el conseil des dreituriers.

q̃ n̄ abiit in consilio impiorum.
& in uia peccatorum non stetit. & in
cathedra pestilentię non sedit.
ed in lege domini uoluntas eius.
& in lege eius meditabitur
die ac nocte.
t erit tanquã lignũ q̃d plantatũ
est secus decursus aquarũ. quod
fructũ suũ dabit in tempore suo
t folium eius non defluet. & omĩa
quecũq; faciet prosperabuntur
on sic impii non sic. sed tanquam
puluis quem proicit uentus a
facie terre
deo non resurgunt impii in iudicio
neq; peccatores in consilio iustorum.

ICI LO RUVAT DEIABLES K'IL FE
SIST DE PIERES PAIN AL DESERT:
ICI LO RUVAT DES CENDRE DEL PINNACLE
DEL TEMPLE:
179

deus

Maar het Winchester Psalter bevat ook twee afbeeldingen die zijn uitgevoerd in een andere stijl en met een ander onderwerp: de dood van de Maagd en de Maagd op de troon (ill. 20.4-20.5). Deze worden soms het 'Byzantijnse tweeluik' genoemd, want de schilderwerken bevatten in zowel stijl als inhoud Byzantijnse elementen, zoals de juwelen stroken of *loroi* op de gewaden van de engelen die de Maagd flankeren en de *labara* of vaandels, die ze vasthouden.[5] De uitbeelding van de dood van de Maagd (met de tekst: *Ici est la sumption de nostre Dame*) stamt af van Byzantijnse *koimesis* of tenhemelopneming-scènes (letterlijk: in slaap vallen), maar met toegevoegde westerse elementen zoals de open doodskist voor het bed.[6]

Het psalter dankt zijn naam aan aspecten van het boek die de Winchester oorsprong aangeven. Daaronder vallen heiligendagen op de kalender, die vooral betrekking hebben op die stad, zoals van de bisschoppen Æthelwold († 984) en Brinstan († 934), en heiligen die daar begraven zijn of waarvan relieken worden bewaard, zoals Eadburh († ca. 951), een benedictijner non en dochter van Edward de Oudere, en Grimbald († 901?), de medeoprichter van de New Minster (later Hyde Abbey). De verzameling gebeden bevat ook een Latijns gebed aan sint Swithun († 863), een andere bisschop van Winchester en een van de opdrachten aan de kathedraal van Winchester. Het gebed is geschreven in de mannelijke vorm (*ego miser peccator*, 'Ik, een miserabele zondaar'), en verwijst vooral naar het huis van de heilige (*in domo tua*) en zijn kerk (*hac eccl[es]ia*). Op de kalender staan ook twee abten van Cluny in Bourgondië: Hugh († 1109) en Mailous († 994). Halverwege de twaalfde eeuw was de in Cluny opgeleide jongere broer van koning Stefanus, Hendrik van Blois (r. 1139-1171), de bisschop van Winchester. Hij was een van de rijkste mannen in Europa en een vermaard kunst- en reliekenverzamelaar. (Toen Hendrik als bisschop van Winchester werd geïnstalleerd, weigerde hij afstand te doen van het winstgevende abtenambt van Glastonbury; beide behield hij tot zijn dood.) Zijn waardevolle collectie bestond waarschijnlijk ook uit Byzantijnse iconen of andere afbeeldingen die misschien dienden als voorbeeld of inspiratie voor het tweeluik. Door de verwijzingen naar Cluny, het gebed voor de kathedraal en Hendriks rijkdom is het geloofwaardig dat hij de mecenas van zo'n weelderig boek was, zelfs als de onderdelen in de landstaal aanduiden dat hij het als geschenk wilde geven aan een leek. Daarom staat het manuscript ook wel bekend als het Psalter van Hendrik van Blois.[7]

LITERATUUR

Francis Wormald, *The Winchester Psalter* (Londen, 1973).

Kristine Haney, *The Winchester Psalter: An Iconographic Study* (Leicester, 1986).

Holger Klein, 'The So-Called Byzantine Diptych in the Winchester Psalter, British Library, ms Cotton Nero C. IV', Gesta, 37 (1998), 26–43.

Ruth J. Dean en Maureen B. M. Boulton, *Anglo-Norman Literature: A Guide to Texts and Manuscripts*, Anglo-Norman Text Society, Occasional Publication Series, 3 (Londen, 1999), no. 445–456.

Geoff Rector, 'An Illustrious Vernacular: The Psalter en romanz in Twelfth-Century England', in *Language and Culture in Medieval Britain: The French of England, c. 1110–1500*, red. Jocelyn Wogan-Browne (York, 2009), pp. 198–206.

VORIGE PAGINA'S

20.4–20.5 | De dood van Maria, met Christus (midden) die haar ziel ontvangt als een ingezwachtelde menselijke figuur met aureool; en (ertegenover) de gekroonde Madonna, geflankeerd door engelen; ff. 29, 30 (details).

TEGENOVER

20.6 | Een engel sluit de deur van de hel, f. 39 (detail).

NOTEN

1 Voor het *Gallicanum* Psalter zie de Moutier-Grandval Bijbel, no. 6.

2 Dean en Boulton, *Anglo-Norman Literature* (1999).

3 Voor een ander voorbeeld van de Winchester acanthus zie de afbeelding van het Tiberius Psalter, no. 13, op p. 329.

4 Vergelijk de muil van de hel in het Tiberius Psalter, ill. 13.1; voor de stronk van Isaï zie het st. Omer Psalter, no. 33.

5 Vergelijk het Evangeliarium van kardinaal Francesco Gonzaga, no. 43.

6 Voor een ander voorbeeld van de tenhemelopneming zie het Griekse Harley Evangeliarium, ill. 24.3.

7 Wormald, *Winchester Psalter* (1973), p. 107.

21

DE WORMS BIJBEL

Een Romaanse reuzenbijbel

Bijbel, in Latijn.
Frankenthal, vlak bij Worms.
Ca. 1148.

- 535 × 355 mm
- ff. 301 (dl. 1), ff. 274 (dl. 2)
- Harley 2803, 2804

Aan het eind van de elfde en twaalfde eeuw ondernamen scriptoria in heel West-Europa ambitieuze projecten om sierlijke, leesbare en complete bijbels in een of meer delen te maken. Samen heten ze nu 'Romaanse toonbijbels' of 'reuzenbijbels'. Recent noemde een wetenschapper ze 'waarschijnlijk de uitgebreidste, duurste en mooiste groep bijbels die ooit is gemaakt.'[1] Hun formaat en de leesbaarheid van de teksten kan een verwijzing zijn naar hun doel. Net zoals de oudere Angelsaksische en Karolingische bijbels geven hun enorme afmetingen aan dat deze boeken niet waren bedoeld voor persoonlijk maar voor gemeenschappelijk gebruik.[2] Deze gemeenschappen waren religieus en bestonden uit monniken of kanunniken. De meeste middeleeuwse ordes, zoals de benedictijnen, volgden de Regel van Benedictus, met voorgeschreven dagelijkse Bijbelse lezingen, en het lijkt aannemelijk dat deze mooie en zeer leesbare boeken werden gebruikt in het *opus dei* ('werk van God') als onderdeel van de dagelijkse kerkdienst of voor lezingen in de kapittelzaal of refter.

De collecties van de British Library bevatten een aantal prachtige exemplaren van deze indrukwekkende manuscripten, die met hun middeleeuwse boekbinding meer dan 18 kilo kunnen wegen. Een Duits voorbeeld van dit fenomeen is de Worms Bijbel, die een zeventiende-eeuwse inscriptie bevat waarin staat dat het boek behoorde aan de augustijner abdij van Maria Magdalena in Frankenthal, ongeveer tien kilometer van Worms. Frankenthal was een belangrijk scriptorium en deze bijbel kan in de abdij zijn gemaakt.[3] Er is een heel kleine inscriptie, precies op de hoek van de lage kantlijn in het eerste folio voor de tekst echt begint; het bestaat uit een datum, 1148 (*anno MCXLVIII*), waarschijnlijk die van het begin of de voltooiing van het werk.

Zoals de meeste Vulgaat-bijbels bevatten de twee delen van de Worms Bijbel verscheidene brieven van Hiëronymus, die als inleidend materiaal zijn geplaatst.[4] De beide delen beginnen met een grote afbeelding van een zittende Hiëronymus, terwijl hij schrijft (ill. 21.1). De eerste tekst is Hiëronymus' brief aan bisschop Paulinus van Nola († 431), waarin

21.1 | Hiëronymus, schrijvend, met een monnik met tonsuur die een inktpot vasthoudt, Harley 2803, f. 1v (detail).

INCIPIT·EPLA·SCI·
HIERONIMI·PBRI·
AD PAULINUM·
PBRM·DE·OMNI
BUS·DIUINE·HIST
ORIE·LIBRIS:

[F]RATER
AMBROSIUS.
tua mihi mu
nuscula pferens
detulit. et suauis
simas litteras que a
principio amicicia
rũ fidem pbate iam
fidei et ueteris amici
cie pferebant. Vera enim
illa necessitudo est. et xpi
glutino copulata. quã non
utilitas rei familiaris. ñ psentia tantũ
corporũ. non subdola. et palpans adu

21.2 | De schepping van het licht en de schepping van Eva eronder, in de initiaal 'I'(*n*), aan het begin van Genesis, Harley 2803, f. 6v (detail).

TEGENOVER

21.3 | Job, bedekt met zweren, wordt gekweld door een duivel, aan het begin van het boek Job, Harley 2803, f. 288v (detail).

INCIP·LIBER·IOB:
ERAT· IN

Hiëronymus er bij Paulinus op aandringt dat hij de Bijbel ijverig moet bestuderen, ernaar moet leven en zich erop moet bezinnen (*inter haec vivere, ista meditari*).[5] Hier houdt Hiëronymus een pen en een mes vast, waarmee hij kan corrigeren; een kleine figuur met tonsuur (misschien de opdrachtgevende abt) houdt een inktpot op naar Hiëronymus om deze te voorzien van inkt. De eerste woorden van de brief zijn leesbaar: *Frater ambrosius tua m[ih]i munuscula* ('Broeder Ambrosius [heeft] uw kleine geschenken aan mij [gegeven]'). Meteen naast de scène staat een grote letter 'F'(*rater*), waar de tekst zelf begint. Het is versierd met heldere, gestileerde decoratie van acanthusblad, die is verweven rondom de letter, en karakteristieke Germaanse ornamentale gouden randen dan wel een sluiting van imitatie bewerkt metaal.

In de grote initiaal waarmee het boek Genesis een paar pagina's verder begint, wordt dicht vlechtwerk verbonden met de bladvormige decoratie, en de afbeeldingen gaan over in de initiaal 'I'(*n*); de gekaderde decoratie bevat ook het tweede woord van de tekst, *principio* ('In het begin') (ill. 21.2).[6] Bovendien bevat het twee scènes uit Genesis: bovenaan de letter beveelt God *Fiat lux* ('Laat er licht zijn'), terwijl (onder) in de banderol zijn observatie staat dat *Non est bonu[m] homine[m] esse solum, facimus ei adiutoriu[m] simile sui* ('Het is niet goed dat de mens alleen is, ik zal een helper voor hem maken die bij hem past', Genesis 28). De schaduw in de huidtinten is geschilderd in groen en roze, en de afbeelding heeft verfijnde details, zoals de snee in de zij van de slapende Adam van waaruit de achter hem staande Eva komt.

De kenmerken van de gestileerde acanthus, sluiting, kleuren en tinten zijn ook te zien in de andere grote initialen waarmee elk Bijbelboek begint. Het meest aanwezig is de auteur van dat boek, vaak terwijl hij schrijft of een tekstrol met een citaat uit zijn tekst vasthoudt. Job bijvoorbeeld leunt in de initiaalletter van zijn boek, bedekt met zweren en met een duivel die hem kwelt (ill. 21.3). Hij jammert: *pereat dies in qua nat[us] su[m et] nox in q[ua] dictu[m] e[st] c[on]cept[us] e[st] homo* ('Laat de dag dat ik geboren ben vergaan, en ook de nacht die zei: "Een jongen is verwekt."' Job 3:3). In het Nieuwe Testament worden de evangelisten vergezeld door hun symbolen, die vooral rondom het schrijfproces zijn gerangschikt, en in sommige gevallen houden ze de boeken en de inktpotten op, waarbij ze de goddelijke inspiratie van de evangeliën benadrukken (ill. 21.4).

21.4 | Lucas, schrijvend, met zijn symbool van een os die een boek vasthoudt, aan het begin van zijn evangelie, Harley 2804, f. 199 (detail).

Literatuur

Walter Cahn, *Romanesque Bible Illumination* (Ithaca, NY, 1982), no. 9, p. 238, pls 146, 149, 201.

C.R. Dodwell, *The Pictorial Arts of the West, 800–1200* (New Haven, 1993), pp. 282–283.

Aliza Cohen-Mushlin, *The Making of a Manuscript: The Worms Bible of 1148* (British Library, Harley 2803–2804), Wolfenbütteler Forschungen, 25 (Wiesbaden, 1983).

Aliza Cohen-Mushlin, *A Medieval Scriptorium: Sancta Maria Magdalena de Frankendal*, Wolfenbütteler Mittelalter-Studien, 3, 2 dln. (Wiesbaden, 1990), vooral I, 154–155; II, ill. 4–6, 20, 340, 342, 344, 345, 349, 350–354, 357, 364, 366–368.

Christopher de Hamel, *The Book: A History of the Bible* (Londen, 2001), pp. 83–84. 4–6, 20, 340, 342, 344, 345, 349, 350–354, 357, 364, 366–368.

Christopher de Hamel, *The Book: A History of the Bible* (Londen, 2001), pp. 83–84.

Noten

1. Dorothy Shepard, 'Romanesque Display Bibles', in *The New Cambridge History of the Bible*, 4 dln. (Cambridge, 2012–15), II: *From 600 to 1450*, red. Richard Marsden en E. Ann Matter (2012), pp. 392–403 (p. 392).
2. Vergelijk de Canterbury Royal Bible, no. 5, en de Moutier-Grandval Bijbel, no. 6.
3. Zie Cohen-Mushlin, *Medieval Scriptorium* (1990).
4. Voor de inleidende stof zie het Lindisfarne evangeliarium, no. 2.
5. Brief 53, *PL*, 22, 547.
6. Vergelijk de Genesis-initiaal in de Bijbel van Stavelot, ill. 16.2–16.3.

ītēplo oran lix
egno sicut puer.
pforamē acu lx
in regnū dei.
us dicit. lxi
inat.
io. lxii
lxiii
att sitacu lxiiii
unt. et fleuit sup
rūs electus. lxv
baptismo iohīs.
hīm uinee. lxvi
lxvii
xorē habu lxviii
dauid introgat.
hilatio. lxix
ad lxx
tione. lxxi
fici.
ā incor uide. lxxii
lxxiii
lxxiiii
gladio. lxxv
te oliue lxxvi
n confortat.
licit. lxxvii

Lucas. I. ·xi· sō i v s.

VO

NIAM QVIDEM:

22

DE BIJBEL VAN FLOREFFE

Visuele Bijbelse exegese

Bijbel, in Latijn.
Maasvallei, 2e of 3e kwart van de 12e eeuw.

- 475 × 330 mm
- ff. 273 (vol. 1), ff. 256 (vol. 2)
- Additioneel 17737, 17738

Tijdens de middeleeuwen begrepen kerkelijke Bijbellezende gemeenschappen de tekst op meer dan één niveau. Hierin volgden ze het advies van de kerkvaders die ervoor pleitten dat de Bijbel moreel, allegorisch en letterlijk werd geïnterpreteerd. In een inleidende brief van zijn *Moralia* in Job legde bijvoorbeeld Gregorius de Grote († 604) uit:

> *primum quidem fundamenta historica pronimus, deinde per significationem typicam in arcem fidei fabricam mentis erigimus; ad extremum quoque per moralitatis quasi superducto aedificum colore vestimus.*[1]
>
> eerst leggen we het historische fundament, dan bouwen we een fort van geloof op in de structuur van de geest door typologische betekenis, en ten slotte bekleden we het gebouw met kleur door morele interpretatie.

De meest verfijnde Bijbelse illustraties verenigen een of meer van deze interpretatieve middelen in hun ontwerp. Aan het eind van de elfde en twaalfde eeuw was deze complexe exegetische compositie vooral populair in de Maasvallei, in het huidige België. Deze methode, vaak met talrijke inscripties en Bijbelse citaten in de afbeelding, werd uitgevoerd ter decoratie van boeken, kistjes van bewerkt metaal, kruisen en relikwieënkastjes.

Een van de uitgebreidste en meest complexe voorbeelden van dit type decoratie in een medium komt voor in een grote tweedelige bijbel die werd gemaakt in de premonstratenzer abdij van Floreffe, aan de rivier de Sambre vlak bij Namen. Het tweede deel begint met het boek Job dat is geïllustreerd met een geweldig en complex schilderwerk van twee pagina's (ill. 22.2-22.6). Delen van de afbeelding zijn letterlijk weergegeven verzen van het eerste hoofdstuk van Job. Aan de bovenkant van de linkerpagina bijvoorbeeld zitten zeven mannen en drie vrouwen

22.1 | De kruisiging, met een offerdier (onder), aan het begin van het Lucasevangelie, additioneel 17738, f. 187 (detail).

Ommezijde

22.2–22.3 | Allegorie van de deugden en de werken van barmhartigheid; en (ertegenover) de verheerlijking en het Laatste Avondmaal, additioneel 17738, ff. 3v-4 (detail).

et p̄prium sanguinem in
adijt semel in sancta...
es sacerdos in eternū
secundū ordine melchis
Placebit dō sup vitulū: cornua
producentem & ungulas.
Dix̄ pat̄ ad seruos suos. Adducite
vitulum saginatum & occidite.

QVEM MOYSES VELAT, VOX ECCE PATERNA REVELAT: QVEMQ(ue) PROPHETIA TEGIT, EST FILIVS ECCE MARIA.:.

hic est filius meus dilectus in quo michi complacui.:.

Nolite timere.:.

Bonum est nos hic esse

LEX VETVS IMPLETVR, VT VERVM PASCHA PARETVR. VINVM FIT SANGVIS, CARO [illegible] SVBDITVR ANGVIS.:.

...QVE TRANSFORMAT ET FORMAM CORDA REFORMAT. VERA MINISTRA CERNANT SPERNANT PERITVRA. PARTEM DE CELIS HANC SPERET QVISQ(ue) FIDELIS. SI SVA SIT VITA FACTIS FIDEI REDIMITA

Omnia fac cum consilio
PRVDENTIA
OBEDIENTIA
Spes non confundit
SPES

22.4 | Geloof, hoop en liefde, omringd door de personificatie van de zeven gaven van de heilige Geest, additioneel 17738, f. 3v (detail).

samen aan een lange tafel die is gedekt met verschillende borden (ill. 22.2, 22.5). Deze groep mensen stelt Jobs kinderen voor: zijn zeven zonen 'gaven om de beurt een feest, ieder in zijn eigen huis, en nodigden dan hun drie zusters uit om bij hen te komen eten en drinken' (Job 1:4). Na elk feest bracht Job een offer voor elk van hen (Job 1:5), zoals is geciteerd op de tekstrol die hij in zijn linkerhand houdt, in de scène direct boven het banket (ill. 22.2, 22.5).

Daarmee in contrast zijn de afbeeldingen onderaan, die qua betekenis gelaagder zijn. De drie theologische deugden (ill. 22.2, midden), geloof, hoop en liefde, omringd door de personificaties van de zeven gaven van de heilige Geest, corresponderen met een morele interpretatie van Job, geschreven door Gregorius in zijn *Moralia* in Job (ill. 22.2, 22.4). Gregorius legt uit dat Jobs drie dochters moeten worden beschouwd als de drie theologische deugden, en zijn zonen als de zeven gaven van de Geest die worden genoemd in Jesaja 11:2. Het achtste rondeel bevat de rechterhand van de Heer, die verkondigt *Dextera Domini fecit virtutem* ('De rechterhand van de Heer doet machtige daden', Psalm 118:16), en wijst direct naar beneden naar een figuur van Christus, met stralen die diagonaal reiken naar twaalf zittende mannen met een aureool (ill. 22.2, 22.4). Deze afbeelding voegt nog een allegorische interpretatie van de Bijbelse tekst toe; de zeven zonen van Job worden vergeleken met de apostelen, die tijdens Pinksteren worden vervuld van de zevenvoudige genade.[2] Onder de apostelen staat een andere interpretatie van deze gaven in de zeven Werken van Barmhartigheid, die komen uit Matteüs 25:35-36 en Tobit 1:17, hier geïllustreerd door scènes van het voeden van de hongerigen, het kleden van de naakten, waarmee het bieden van beschutting voor de daklozen en het bezoeken van de gevangenen misschien zijn samengevoegd (ill. 22:6).

Op de rechterpagina staat de verheerlijking; Christus, geflankeerd door Mozes en Elia, wordt 'verheerlijkt' en verschijnt in majesteit aan Johannes, Petrus en Jakobus (Matteüs 17:1-9, Marcus 9:2-8, en Lucas 9:28-36), direct erboven staat een laatste avondmaal met Christus die de voeten van Petrus wast (ill. 22.3). Net zoals de tegenoverliggende pagina bieden talrijke inscripties een interpretatie van de afbeeldingen en hun relatie met de tekst erna. Direct boven de twee scènes legt een *titulus* ('titel') uit: 'wat Mozes met

NE PECCENT NATI · SUNT A PATRE SANCTIFICATI · DUO PRO QUOQ DEO FERT DATA GRA PIO.

DONO DONANTUR SUMMO · QUI SUMMA PRECANT

een sluier bedekte, zie daar, wordt door de stem van de vader onthuld, en wat de profeten bedekten, wordt door Maria aan het licht gebracht' (*Quem Moyses velat vox ecce paterna revelat. Quemq[ue] prophetia tegit est enixa Maria*). Deze complexiteit is ook te zien in de paar initialen die de evangeliën illustreren. Elke initiaal is allegorisch, in twee of drie registers, en bevat een inscriptie op een tekstrol die de symboliek ervan uitlegt. Aan het begin van Lucas bijvoorbeeld leidt een dieroffer de kruisiging in (ill. 22.1). Aan de linkerkant van het offer houdt een gekroonde David een vers uit Psalm 69:32 vast: 'dat behaagt de Heer meer dan offerdieren, dan stieren met hun horens en hoeven'.

LITERATUUR

Walter Cahn, *Romanesque Bible Illumination* (Ithaca, NY, 1982), no. 46, pp. 198–199, 230, 265, pls 154–155, 170–171.

Gretel Chapman, 'The Bible of Floreffe: Redating of a Romanesque Manuscript', *Gesta*, 10 (1971), 49–62.

Anne-Marie Bouché, 'The Spirit in the World: The Virtues of the Floreffe Bible Frontispiece: British Library, Add. Ms. 17738, ff. 3v–4r', in *Virtue & Vice: The Personifications in the Index of Christian Art*, red. Colum Hourihane (Princeton, 2000), pp. 42–65.

The Practice of the Bible in the Middle Ages, red. Susan Boynton en Diane J. Reilly (New York, 2011), pp. 117–118.

TEGENOVER BOVEN

22.5 | Job brengt een offer, en (onder) zijn zeven zoons en drie dochters vieren feest (Job 1:4), additioneel 17738, f. 3v (detail).

ONDER

22.6 | Brood voor de hongerigen, kleding voor de naakten, beschutting voor de daklozen en bezoek aan de gevangenen, additioneel 17738, f. 3v (detail).

NOTEN

1 *PL*, 75, 713.

2 Bouché, 'Virtues of the Floreffe Bible' (2000).

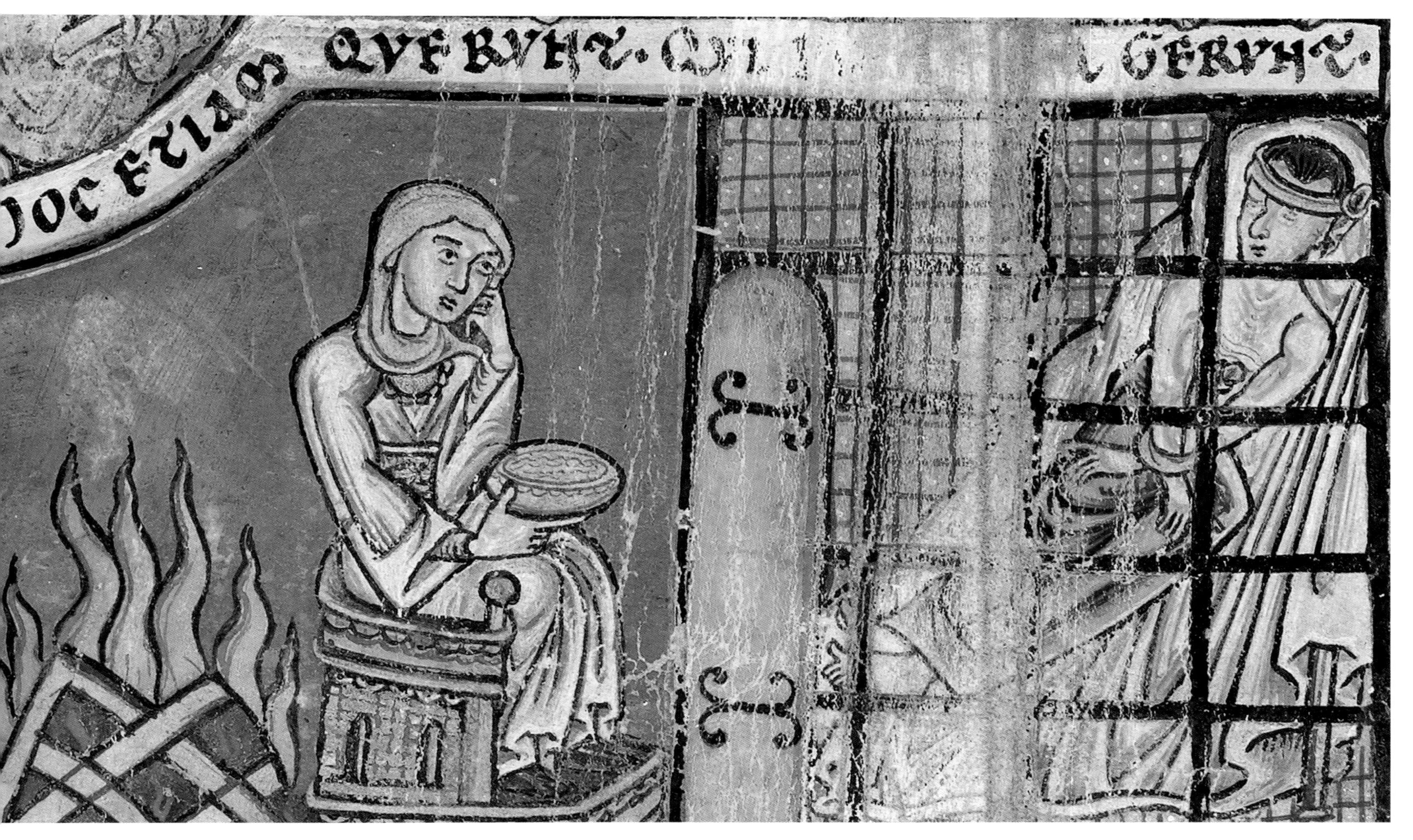

23

DE ARNSTEIN-BIJBEL

Een toonaangevende monastieke bijbel

Bijbel, in Latijn.

- 540 × 355 mm
- ff. 235 (dl. 1), ff. 243 (dl. 2)
- Harley 2798, 2799

Naast hun formaat en leesbaarheid onderscheiden Romaanse reuzenbijbels zich door de schoonheid van hun decoraties. Sommige voorbeelden bevatten ook de drie vertalingen van Hiëronymus van de Psalmen in parallelle kolommen[1]: de *Gallicanum*, de *Romanum*, en de *Hebraicum* (een vertaling rechtstreeks uit het Hebreeuws, maar die nooit voor de liturgie werd gebruikt, ill. 23.4). Dit virtuoze vertoon van leerstof is te vinden in reuzenbijbels die vooral in het Maas- en Rijnland werden gemaakt. Deze bijbels geven aan dat het grootse monastieke boeken waren, en vormen een belangrijk materieel bewijs van de status en rijkdom van de kloosters die de opdracht gaven en ze maakten[2]; het zijn 'symbolen van gezamenlijke monastieke autoriteit'.[3]

De tweedelige Arnstein-bijbel, waarin de drie versies van de Psalmen zijn geïllustreerd, werd gemaakt in de premonstratenzer Maria-en-Nicolaas-abdij in Arnstein (Duitsland). De abdij werd in 1139 gesticht door de laatste graaf van Arnstein, Lodewijk III († 1185), die lekenbroeder werd en zijn kasteel doneerde aan de nieuwe orde, in 1120 opgericht in Prémontré, Noord-Frankrijk. (Lodewijks vrouw Guda werd een kluizenares en woonde op het abdijterrein.) De bijbel staat in nauw verband met de Bijbel van Floreffe (no. 22), die voor een ander premonstratenzer huis werd gemaakt. Net zoals in de bijbel van Floreffe zijn historische annalen met belangrijke gebeurtenissen voor de abdij eraan toegevoegd.[4] De notitie voor 1172 meldt dat het boek (*liber iste*) in dat jaar werd geschreven door een broeder met de naam Lunandus. Bovendien wordt gevraagd of de lezer bidt dat zijn ziel in vrede rust: *Qui ergo legit, dicat: Anima eius requiescat in pace.*

Zoals eigen is aan deze grote bijbels opent elk Bijbelboek met een grote gedecoreerde of gehistorieerde initiaal. Er zijn in de twee delen verschillende stijlen gebruikt; de evangelistenportretten en de initiaal voor het boek Spreuken in het tweede deel zijn bijzonder gedetailleerd, en volledig geschilderd en verlucht met goud (ill. 23.1-23.3). De illustraties aan het begin van elk evangelie worden niet in de initiaal verweven, maar

23.1 | Evangelistenportret van Johannes, met de eerste woorden van zijn tekst, zijn symbool van een adelaar, en (boven) Christus maakt een zegenend gebaar en houdt een gouden boek vast, aan het begin van het Johannesevangelie, Harley 2799, f. 185v (detail).

Inpri
cipio era
uerbum
uerbu

23.2 | Evangelistenportret van Marcus, schrijft het eerste woord van zijn tekst, aan het begin van zijn evangelie, Harley 2799, f. 166 (detail).

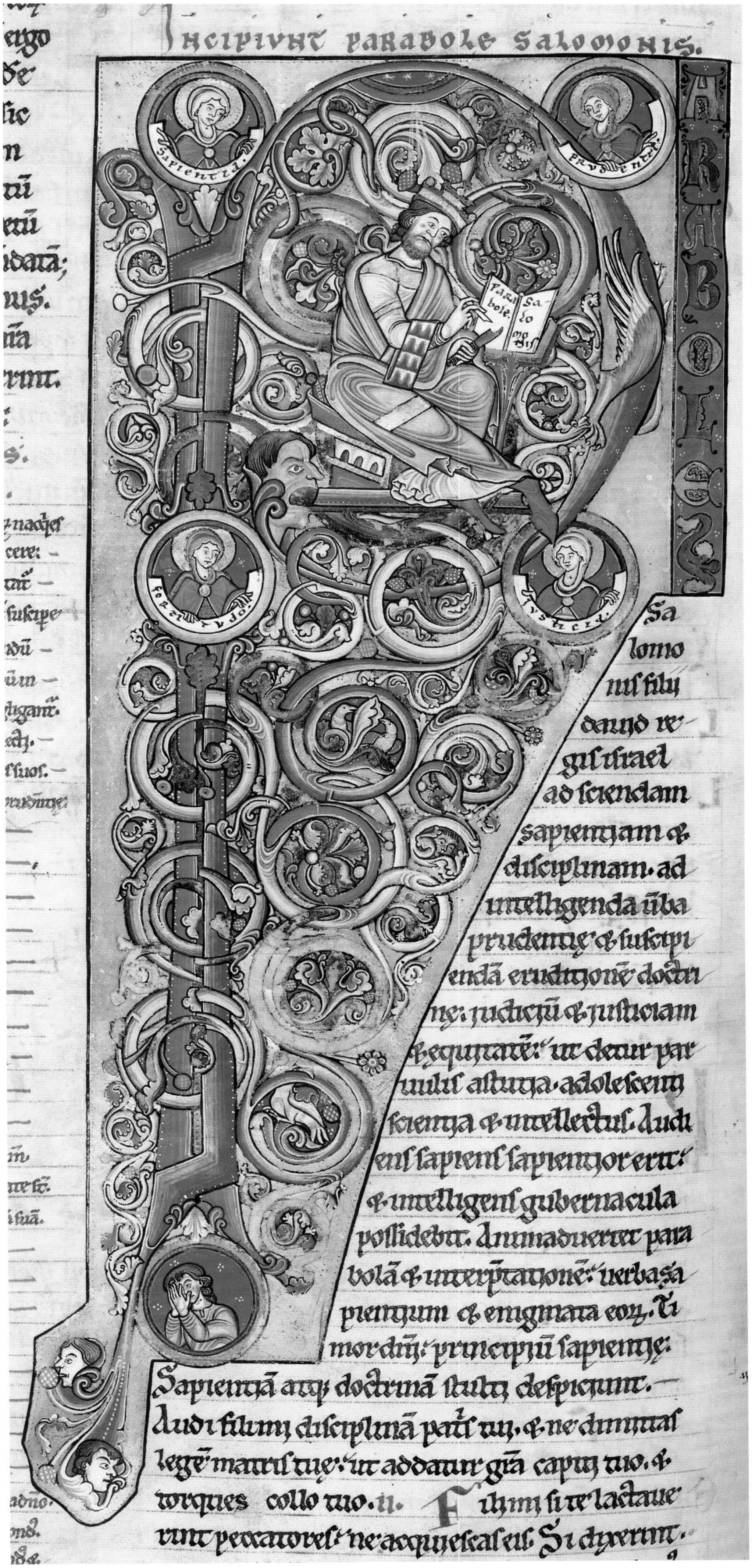

23.3 | Salomo schrijft *Parabole Salomonis*, met de bustes van wijsheid, voorzichtigheid, standvastigheid en gerechtigheid (met de klok mee vanaf linksboven), aan het begin van Spreuken, Harley 2799, f. 57v (detail).

zijn combinaties van woorden en afbeeldingen. Elke evangelist heeft een pose die gewoon was in de eeuwen van evangelistenportretten, zittend aan een katheder terwijl hij een pen en vaak een mes voor correcties vasthoudt en zijn evangelie samenstelt. Rondom de evangelist zijn de letters van het eerste woord of woorden van het evangelie versierd met gebladerte, weefpatronen en metalen sluitingen. Marcus bijvoorbeeld leunt naar voren om met zijn ganzenveer te schrijven: *Initiu[m] eva[n] g[elli Jesu] Xri [Christi]* ('Het begin van het evangelie van Jezus Christus', ill. 23.2). Rondom hem en binnen het kader is het eerste woord groot geschreven, de 'I' en 'N' vullen de lengte van de ruimte. De positie van Johannes aan het begin van zijn evangelie is wat centraler, en zijn initiaalwoorden zijn in meerdere facetten gerangschikt (ill. 23.1). Zijn adelaar inspireert de evangelist, misschien legt hij hem letterlijk 'woorden in de mond', omdat de adelaar de lippen van Johannes aanraakt met zijn snavel. Johannes kijkt niet omlaag naar het vers dat hij heeft geschreven: *In pri[n]cipio erat vrbum, & verbu[m]* ('In het begin was het Woord, en het Woord [was met God, en het Woord was God]'). In plaats daarvan kijkt hij op en gebaart hij naar Christus, die hem zegent. Christus houdt een gouden boek in zijn andere hand waarmee de tekst dat hij het Woord is dat tot vlees is gemaakt, visueel wordt uitgedrukt.

De afbeelding van Salomo die het boek Spreuken illustreert, is net zo exegetisch (ill. 23.3). Een gekroonde Salomo zit in het midden van de letter 'P' terwijl hij de eerste woorden (*Parabole Salomonis*) op dezelfde manier als de evangelisten schrijft. Hij wordt vergezeld door personificaties van de deugden, die op de tekstrollen zijn te zien: *Sapientia*, *Prudentia*, *Fortitudo* en *Iusticia* (wijsheid, voorzichtigheid, standvastigheid en gerechtigheid), elk passend voor dit Bijbelse 'wijsheidsboek', en een toelichting op de inhoud.

De initialen in andere delen van het boek zijn uitgevoerd met inkt en kleurwassingen, zonder een gouden achtergrond. Bij een van de grote verdelingen van de psalmen – Psalm 101 – zijn de drie vertalingen zorgvuldig gerangschikt zodat ze op dezelfde plaats op de pagina beginnen. In plaats van afbeeldingen van David zijn de figuren hier Christus die een zegenend gebaar maakt, de Maagd en het Kind, en een bisschop die een staf en een boek vasthoudt; daarmee wordt een christologische interpretatie van de tekst uitgedrukt.

23.4 | **Christus maakt een zegenend gebaar, Maria met het Kind en een bisschop, aan het begin van Psalm 101, Harley 2799, f. 40 (detail).**

Literatuur

Herbert Köllner, 'Ein Annalenfragment und die Datierung der Arnsteiner Bibel in London', *Scriptorium: Revue Internationale des Etudes Relatives aux Manuscrits*, 26 (1972), 34–50.

Walter Cahn, *Romanesque Bible Illumination* (Ithaca, NY, 1982), pp. 230, 253, no. 8, pls 157, 162.

Bruno Krings, *Das Pramonstratenserstift Arnstein a.d. Lahn im Mittelalter* (1139–1527) (Wiesbaden, 1990).

Peter Lasko, *Ars Sacra*, 800–1200, 2e ed. (New Haven, 1994), p. 229.

Janet Backhouse, *The Illuminated Page: Ten Centuries of Manuscript Painting in the British Library* (Londen, 1997), no. 41.

Noten

1. Voor deze versies zie 'One Thousand Years of Art and Beauty', pp. 12–13, het Vespasiaanse Psalter, no. 3, en het Lotharius Psalter, no. 7.
2. De Bijbel van Floreffe, no. 22, bevat ook een psalter met drievoudige verdeling en er zijn twee Engelse voorbeelden – Cambridge, Trinity College, MS R.17.1, en de kopie, Parijs, BnF, MS lat. 8846.
3. C. M. Kauffmann, *Biblical Imagery in Medieval England, 700–1550* (Londen, 2003), p. 149.
4. Nu Darmstadt, Hessische Landesbibliothek, MS 4128.

[Q]uia suauis est dominus in eternum misericordia eius et usque in generationem et generationem ueritas eius.

Misericordiam et iudicium. ps dauid.

Misericordiam et iudicium cantabo tibi domine. Psallam et intelligam in uia inmaculata. quando uenies ad me. Perambulabam in innocentia cordis mei in medio domus mee. Non proponebam ante oculos meos rem iniustam: facientes preuaricationes odiui. Non adhesit mihi cor prauum: declinantem a me malignum non cognoscebam. Detrahentem secreto proximo suo hunc persequebar. Superbo oculo et insaciabili corde: cum hoc non edebam. Oculi mei ad fideles terre ut sedeant mecum: ambulans in uia inmaculata. hic mihi ministrabat. Non habitabit in medio domus mee qui facit superbiam: qui loquitur iniqua non direxit in conspectu oculorum meorum. In matutino interficiebam omnes peccatores terre: ut disperderem de ciuitate domini omnes operantes iniquitatem. Oratio pauperis cum anxius fuerit et coram domino fuderit precem suam.

Domine exaudi orationem meam et clamor meus ad te ueniat. Non auertas faciem tuam a me. in quacumque die tribulor inclina ad me aurem tuam. In quacumque die inuocauero te uelociter exaudi me. Quia defecerunt sicut fumus dies mei et ossa mea sicut cremium aruerunt.

---

quoniam suauis est dominus in eternum misericordia eius et usque in seculum seculi ueritas eius.

Misericordiam et iudicium. ps dauid.

Misericordiam et iudicium cantabo tibi domine. psallam et intelligam in uia inmaculata: quando uenies ad me. Perambulabam in innocentia cordis mei in medio domus mee. Non proponebam ante oculos meos rem malam. facientes preuaricationes odiui. et non adhesit mihi cor prauum. Declinantes a me malignos non cognoscebam. detrahentem aduersus proximum suum occulte hunc persequebar. Superbo oculo et insaciabili corde: cum hoc simul non edebam. Oculi mei super fideles terre ut sedeant hi mecum. ambulans in uia inmaculata. hic mihi ministrabat. Non habitabit in medio domus mee qui facit superbiam. qui loquitur iniqua non direxit in conspectu oculorum meorum. In matutinis interficiebam omnes peccatores terre. ut disperderem de ciuitate domini omnes qui operantur iniquitatem. Oratio pauperis cum anxius fuerit et coram domino effuderit precem suam.

Domine exaudi orationem meam et clamor meus ad te perueniat. Non auertas faciem tuam a me. in quacumque die tribulor inclina ad me aurem tuam. In quacumque die inuocauero te uelociter exaudi me. Quia defecerunt sicut fumus dies mei et ossa mea sicut in frixorio confrixa sunt.

---

et quia bonus dominus in perpetuum misericordia eius et ad generationem et generationem fid[illegible]

Misericordiam et iudicium. ps dau[id].

Misericordiam et iudicium cantabo tibi domine. psa[llam] erudiar in uia perfecta. quando uenies ad me. Ambulabo in sim[plici]tate cordis mei in medio domus [mee]. Non proponebam coram oculis me[is] uerbum belial: facientem declin[a]tiones odiui. nec adhesit mihi cor prauum recedet a me. mal[um] nesciam. Loquentem in abscon[dito] contra proximum suum. hunc interficiam. Superbum oculis et altum corde: cum hoc non potero. Oculi mei ad fideles t[erre] ut habitent mecum. ambulans in uia simpliciter hic mihi ministrab[at]. Non habitabit in medio domus mee fa[ciens] dolum. loquens mendacium non [dirige]bit in conspectu oculorum meorum. Ma[ne perdam] omnes impios terre. ut int[erficiam] de ciuitate domini uniuersos qui [operan]tur iniquitatem. Oratio pauperis sollicitus fuerit et coram domino fude[rit] [ser]mo[nem] suum.

Domine exaudi orationem meam et clamor meus ad te ueniat. ne abscondas faciem tuam a me. In die tribulationis mee inclina ad me aurem tuam. in qua die inuocauero te uelociter exaudi me. Quoniam consumpti sunt sicut fumus dies mei et ossa mea quasi frixura contabu[erunt].

24

HET GRIEKSE HARLEY EVANGELIARIUM

Evangeliën om persoonlijke spiritualiteit te stimuleren

Vier evangeliën, in Grieks. Cyprus of Palestina, eind 12e eeuw.

- 225 x 165 mm
- ff. 269
- Harley 1810

De meeste geïllumineerde manuscripten van de vier evangeliën zijn verlucht met portretten van de vier evangelisten. Maar sommige bevatten ook uitgebreidere geïllustreerde reeksen.[1] In de Byzantijnse traditie wordt de tekst op verschillende manieren door zulke afbeeldingen begeleid: ze kunnen zijn geplaatst op aparte pagina's, rondom de tekst in lege kantlijnen, in de koppen aan het begin van de tekst, of ongebruikelijker, in het tekstblok zelf. Of het nu ging om open friezen of gekaderde miniaturen, geïntegreerde afbeeldingen vereisten een zorgvuldige planning van de makers van een boek en waren opzettelijke keuzes. Als weerspiegeling van de herhalingen in de vier evangelieverhalen bevatten sommige uitgebreide reeksen meerdere versies van dezelfde episode.[2] Andere meer bescheiden reeksen richtten de aandacht niet alleen op de belangrijke momenten in het verhaal, maar ook op afbeeldingen die van het grootste belang waren voor het christelijke geloof en gebed.

Naast de vier evangelistenportretten (ill. 24.1-24.2) bevat het huidige tetraevangelion zeventien gekaderde miniaturen, waarvan zestien in het tekstblok zijn geplaatst, en één, een afbeelding van de geboorte, in de openingskop van het Matteüsevangelie. Met uitzondering van de gezamenlijke kruisafneming en rouwklacht in het Lucasevangelie, die worden afgebeeld in twee parallelle, horizontale stroken in hetzelfde kader, concentreert elke miniatuur zich op één scene. Hoewel het hele verhaal van de afbeeldingen voor- en achteruit in de tijd gaat, waarbij de volgorde van elk van de vier verslagen van de evangelisten wordt gevolgd, wordt geen enkel onderwerp herhaald. Bijna zonder uitzondering wordt de keuze van het onderwerp niet bepaald door het evangelieverhaal maar door de liturgische context waarin de tekst werd gebruikt. De voorgeschreven lezingen voor kerkelijke feestdagen bepaalden de keuze van de afbeeldingen; ze dienden niet zozeer als illustratie van de tekst, maar meer als hulpmiddel voor bezinning tijdens kerkdiensten. Deze functie is vooral duidelijk in het geval van de tenhemelopneming van de Maagd (ill. 24.3), die is geïnspireerd

24.1 | Lucas zit te schrijven, aan het begin van zijn evangelie, f. 139v (detail).

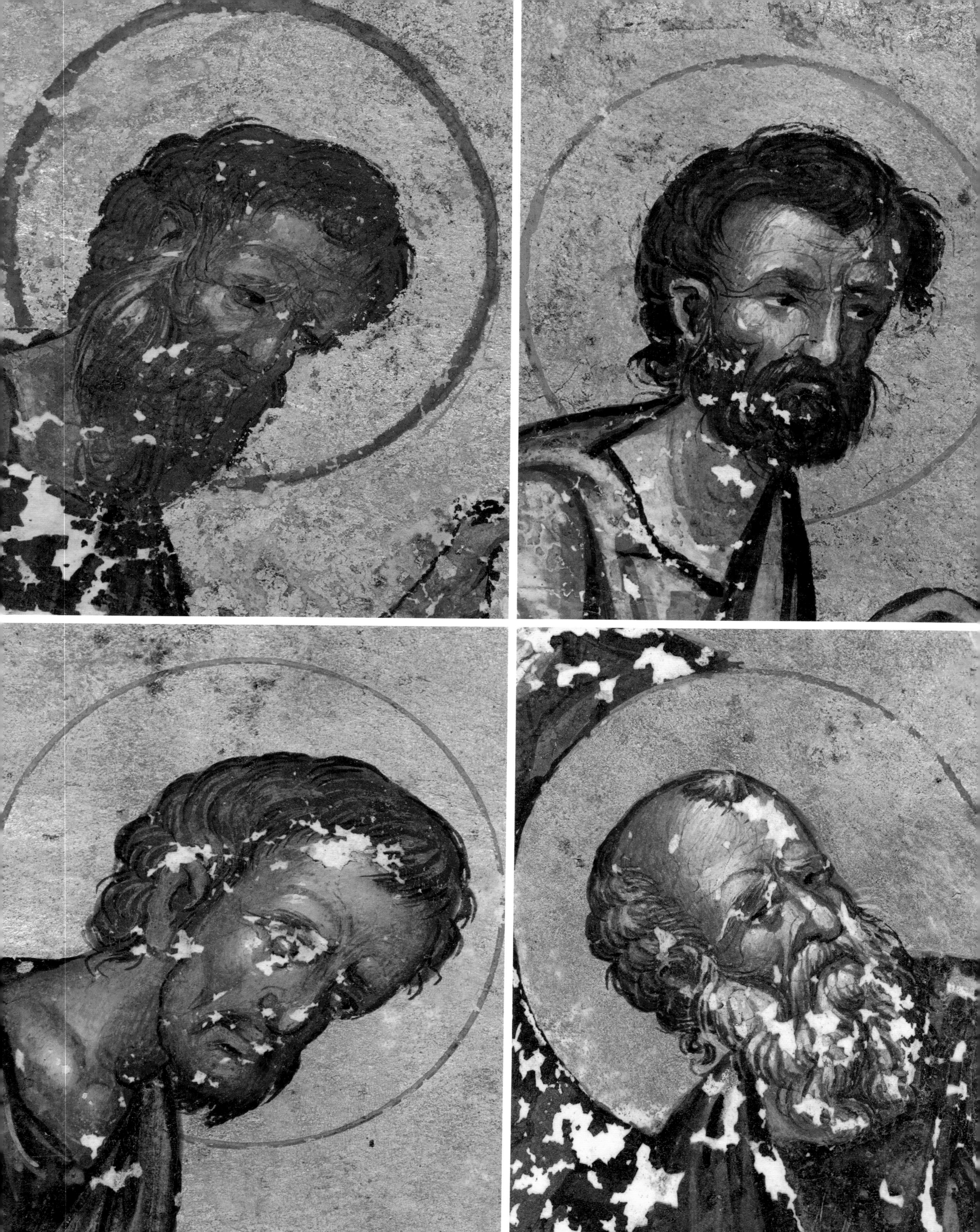

Tegenover
24.2 | De hoofden van de vier evangelisten, genomen van hun portretten aan het begin van hun evangelie, ff. 25v, 93v, 139v, 211v (details).

door de begeleidende tekst van Lucas (11:27), waarin een vrouw tegen Jezus zegt: 'Gelukkig de schoot die u gedragen heeft en de borsten waaraan u gedronken hebt.'[3] Deze passage is onderdeel van de lezing voor het orthodoxe feest van de tenhemelopneming van de Maagd op 15 augustus, waarop de dood van de Maagd Maria, de moeder van Jezus, wordt herdacht. De begeleidende afbeelding verwijst naar de niet-Bijbelse verslagen van de laatste dagen van de Maagd (ill. 24.3); hoewel het onderwerp gebruikelijk is in andere kunstvormen komt het slechts in één ander tetraevangelion voor.[4] Ook de pinksterscène in het Johannesevangelie verwijst naar het verslag van de neerdaling van de heilige Geest op de apostelen in Handelingen (Handelingen 2:1-4), en niet naar de woorden van de evangelist maar naar het gebruik in de dienst op de zevende zondag na Pasen, het feest van Pinksteren.

Rechts
24.3 | De Maagd Maria valt in slaap in het gezelschap van de apostelen, en haar ziel wordt door Christus naar de hemel gedragen, in het evangelie van Lucas, f. 174.

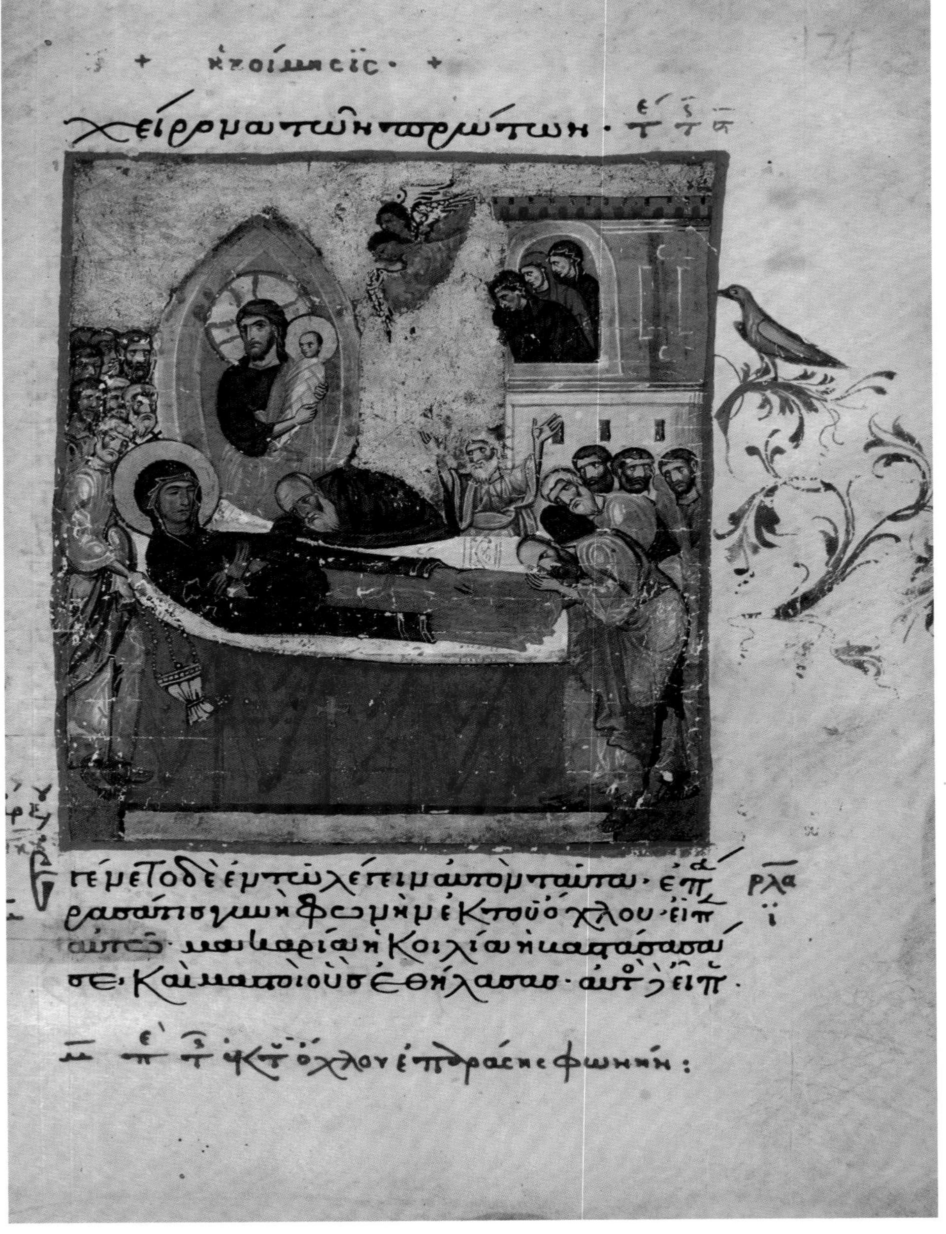

Ὁ μὲν οὖν κς μετὰ τὸ λαλῆσαι αὐτοῖς
ἀνελήφθη εἰς τὸν οὐρανὸν καὶ ἐκάθι-
σεν ἐκ δεξιῶν τοῦ θυ· ἐκεῖνοι δὲ ἐξελ-

24.4 | Christus stijgt naar de hemel, in het zicht van de apostelen en Maria, aan het eind van het evangelie van Marcus, f. 135v (detail).

Bovendien is de Hemelvaart aan het eind van het Marcusevangelie (ill. 24.4), waarop de gebeurtenissen van de begeleidende tekst terugkomen, bedoeld om de lezer een geschikt icoon te bieden voor bezinning op de christelijke feestdag, de hemelvaart van Christus.

Recent onderzoek heeft de context waarin dit manuscript en zijn illuminaties werden gemaakt, erg verhelderd. Het boek is deel van een groep manuscripten die in nauw verband met elkaar staan, voornamelijk tetraevangelia, die waarschijnlijk allemaal werden gemaakt aan de grenzen van het Byzantijnse rijk, in Palestina of Cyprus. Hun ongebruikelijk volledige afbeeldingen, zoals te zien is in dit voorbeeld, zijn heel opvallend, vooral omdat ze groot zijn in verhouding tot de tekst waarbij ze staan. Gedegen onderzoek heeft aangeduid dat dit tetraevangelion het werk was van een team van twee of drie kunstenaars, die nauw samenwerkten. De afbeeldingen die in verband staan met de belangrijkste feestdagen, kregen niet alleen de meeste ruimte in het boek maar ze werden ook gemaakt door de beste kunstenaars. In afbeeldingen zoals de tenhemelopneming van de Maagd en de Hemelvaart heeft deze illuminator meer emotionele intensiteit aan zijn onderwerpen gegeven dan zijn medewerkers, die voornamelijk anekdotische details vermijden, en trouw de traditionele voorbeelden hebben gevolgd. Uitgerust met de benodigde middelen voor de lezer, inclusief canontafels, capitula, sectienummers, inleidingen[5] en zijn figuratieve illuminatie, lijkt het manuscript zijn doel binnen de orthodoxe vroomheid eeuwenlang te hebben gediend. Om zijn aantrekkelijkheid voor tijdgenoten te vergroten hebben latere kunstenaars, waarschijnlijk in de dertiende of veertiende eeuw, marginale afbeeldingen van dieren, vogels en planten toegevoegd. Dit is bijvoorbeeld duidelijk te zien aan het begin van het Lucasevangelie en rechts van de tenhemelopneming (ill. 24.1 en 24.3). Een andere kunstenaar heeft zelfs later, misschien in de zestiende eeuw, grote delen van de figuratieve illuminaties geretoucheerd en in sommige gevallen overgeschilderd, wat hij bijna zeker heeft gedaan om ruimten te vullen waar de oorspronkelijke pigmenten waren afgeschilferd of zwaar waren beschadigd.

Literatuur

Annmarie W. Carr, *Byzantine Illumination, 1150–1250: The Study of a Provincial Tradition* (Chicago, 1987), pp. 50–69, 251–252.

Byzantium: Treasures of Byzantine Art and Culture from British Collections, red. David Buckton (Londen, 1994), no. 194.

Elisabeth Yota, 'Le Tétraévangile Harley 1810 de la British Library: contribution à l'étude de l'illustration des tétraévangiles du Xe au XIIIe siècles', niet gepubliceerde thesis, Universiteit van Freiburg, 2001, <http://doc.rero.ch/record/7810/>, bezocht op 20 april 2015.

Noten

1 Zie bijvoorbeeld het Harley Echternach Evangeliarium, no. 12.

2 Zie het tetraevangelion van tsaar Ivan Alexander, no. 35.

3 Voor een afbeelding van deze episode zie het evangelielectionarium van Sainte-Chapelle, ill. 29.4. Voor de tenhemelopneming van Maria, zie het Winchester Psalter, ill. 20.4.

4 Yota, 'Le Tétraévangile' (2001), p. 126.

5 Voor canontafels en sectienummers zie de Londense Canontafels, no. 1; voor *capitula* zie het Guest-Coutts Nieuwe Testament, no. 9.

25

EEN SYRISCH LECTIONARIUM

Een Syrische voorstelling van de evangeliën

Evangelielectionarium, in Syrië. Mosul, tussen 1216 en 1220.

- 470 × 395 mm
- ff. 264
- Additioneel 7170

In de eerste eeuwen van de kerk was het christendom stevig in Noord-Syrië en Irak gevestigd. De nieuwe volgelingen maakten toen een van de eerste versies van de Bijbel in de landstaal, een Aramese taal die wijdverspreid was in het gebied. Terwijl de meeste eerste Syrische schrijvers geen belangrijke decoratie in hun kopieën van de Bijbel toepasten, namen de makers van een paar latere manuscripten Byzantijnse en Arabische tradities als voorbeeld om hun Bijbelse teksten te benadrukken. Hun werk weerspiegelt niet alleen het overwicht van Byzantijnse iconografie in de oosterse kerk, maar ook het syncretisme van oosterse christelijke kunst die vele soorten decoratie deelden met islamitische kunst, vooral na de Arabische overwinning op Syrië in de zevende eeuw.

Het huidige manuscript is een van de beeldendste voorbeelden van Syrisch christelijk boekschilderwerk. Het boek, dateerbaar tussen 1216 en 1220, wat we weten dankzij een korte inscriptie van de schrijver, bevat de evangelielezingen die waren voorgeschreven tijdens diensten van het Syrische orthodoxe kerkelijk jaar. Het grote formaat en krachtige schrift bevestigen dat het was bedoeld als kanselbijbel[1], en de verfijnde illuminatie geeft aan dat het was bestemd voor een belangrijk bedehuis want dat kon rijke donateurs aantrekken om de kosten van zo'n onderneming op zich te nemen. Een tweelingmanuscript, dat nu wordt bewaard in het Vaticaan[2], was in ieder geval een geschenk van een dorpshoofd aan het klooster van Mār Mattei, vlak bij Mosul.[3] Hoewel het Vaticaanse lectionarium was geschreven door een monnik van Mār Mattei, hebben een paar moderne wetenschappers de illuminatie van beide manuscripten toegeschreven aan commerciële kunstenaars die afkomstig waren uit Mosul. Het Londense boek werd daar in 1820 verkregen.

Van de 49 overgebleven afbeeldingen die waren gemaakt voor het boek[4], licht de grootste de belangrijke feesten van de kerk toe. Elke afbeelding neemt een halve pagina in beslag, en roept krachtige gevoelens op rond de belangrijke gebeurtenissen in het leven van Christus zoals die worden verteld door de evangelisten. Bij de lezing voor Palmzondag

25.1 | Christus komt op een ezel aan in Jeruzalem, vergezeld van zijn discipelen; een paar mensen begroeten hem en leggen voor hem hun gewaad op de grond, anderen klimmen in een boom om hem te zien; f. 115 (detail).

25.2 | De drie vrouwen, die olie brengen om Jezus' lichaam te zalven, ontmoeten een engel die op een steen zit voor het lege graf; rechts, de verrezen Christus verschijnt aan Maria Magdalena; f. 160 (detail).

staat bijvoorbeeld een kleurrijke afbeelding van Christus' aankomst in Jeruzalem. Het talent van de illuminator voor complexe patronen zorgt ervoor dat de bedrijvige activiteit wordt versterkt en dat de blik van de kijker over de hele pagina wordt getrokken (ill. 25.1). Op de voorgrond rechts leggen twee uitbundige figuren hun gewaad onder de hoeven van Christus' ezel en in het midden houden twee soortelijke figuren zich nog maar net vast aan een boom. Links staan een paar figuren buiten; ze komen uit huizen, kijken naar de aankomst en staan op een gebouw met een complexe, hoekige geometrie. Aan de rechterkant komen Christus en zijn discipelen in Jeruzalem via een in een schuine hoek geplaatst golvend geel pad. Vogels cirkelen boven hen en handen worden uitgestoken om te begroeten. Kleur, vorm en compositie maken de afbeelding visueel complex.

25.3 | Terwijl Christus dineert in het huis van de farizeeër Simon, zalft een vrouw zijn voeten met kostbare olie en droogt ze met haar haar, f. 106 (detail).

Voor Pasen heeft de illuminator twee episoden in één afbeelding van contrasterende rust en mysterie laten versmelten. In een en hetzelfde kader ontmoeten de drie vrouwen voor het lege graf een in het wit geklede engel, en draait een van hen zich om en ziet de verrezen Christus (ill. 25.2). In tegenstelling tot de aankomst in Jeruzalem staan alle figuren, vegetatie en architectuur stevig op hun plaats en in hetzelfde visuele vlak. In beide illustraties hebben de figurale elementen en gouden achtergrond te maken met de christelijke artistieke traditie, en herinneren decoratieve kenmerken, zoals de bovenste rand en gestileerde bomen, aan islamitische artistieke vormen.

Naast de grote feestelijke afbeeldingen geven kleinere miniaturen, zo groot als een enkele tekstkolom, veel christelijke wonderen en kleinere feesten aan. Voor de zesde zondag van de vastentijd heeft de kunstenaar

25.4 | **Geleid door de hand van God schrijven Johannes (boven) en Lucas (onder) de openingswoorden van hun evangelie, f. 6 (detail).**

afgebeeld 'Onze Verlosser Jezus in het huis van de farizeeër Simon, toen hij de zonden van de gevallen vrouw kwijtschold', zoals staat geschreven in het Syrische bijschrift (ill. 25.3). Hier ligt het aandachtspunt op de rijkelijk gedrapeerde tafel en de gasten die aanzitten. Maar als de kijker de blik van alle zittende figuren volgt, wordt hij eerst geleid naar Christus en dan van zijn wijzende rechterhand naar de vrouw die zijn voeten met haar haar afdroogt, zoals wordt verteld door Lucas (7:36-50). Rechts van haar, bijna verloren in het patroon van het tafelkleed, staat haar flesje mirre waarmee ze de voeten van Christus heeft gezalfd. Zijzelf heeft een aureool als teken dat haar zonden door Christus zijn vergeven en ze wordt afgebeeld als Maria Magdalena, zoals de naamloze vrouw uit Lucas in een commentaar wordt genoemd. Misschien het opvallendst zijn twee geïllumineerde pagina's aan het begin van het boek die elk twee evangelisten portretteren (één pagina is te zien als ill. 25.4). Hoewel deze illuminaties hun onderwerpen hebben gehaald uit de toen heersende stroming van westerse en oosterse evangelie-illustratie en een westerse fleurs de lis bevatten, is de voorstelling duidelijk Arabisch. Naast de herhaalde decoratieve vormen die doen denken aan islamitische kunst uit die tijd, beeldt de illuminator de schrijvers van de evangeliën af in een omgeving die absoluut Arabisch is. Slechts de hand van God, hun aureolen en de Syrische bijschriften kenmerken hen als evangelisten.

Literatuur

Jules Leroy, *Les Manuscrits syriaques a peintures conservés dans les bibliotheques d'Europe et d'Orient: contribution a l'étude de l'iconographie des églises de langue syriaque*, 2 dln. (Parish, 1964), I, pp. 302–313.

The Glory of Byzantium: Art and Culture of the Middle Byzantine Era, a.d. 843–1261, red. Helen C. Evans en William D. Wixom (New York, 1997), no. 254.

Bas Snelders, *Identity and Christian–Muslim Interaction: Medieval Art of the Syrian Orthodox from the Mosul Area* (Leuven, 2010), pp. 151–213.

Rima Smine, 'Reconciling Ornament: Codicology and Colophon in Syriac Lectionaries British Library Add. 7170 en Vatican Syr. 559', *Journal of the Canadian Society for Syriac Studies*, 13 (2013), 77–87.

Rima Smine, *The Illuminations of Syriac Lectionaries* (nog te verschijnen).

NOTEN

1. Vergelijk de Romaanse reuzenbijbels: de Stavelot, Worms, Floreffe en Arnstein Bijbels, no. 16, 21, 22 en 23.
2. Vaticaanstad, BAV, ms Vat. syr. 559. De twee manuscripten hebben bijna een identieke illustratiestijl.
3. Smine, 'Reconciling Ornament' (2013).
4. Additioneel 7170 bevat slechts 48 afbeeldingen; de andere is de Universiteit van Birmingham, Cadbury Research Library, Mingana ms Syr. 590.

26

DE HARLEY *BIBLE MORALISÉE*

Koninklijke instructie

Bible Moralisée* (Makkabeeën en het Nieuwe Testament), in Latijn. Parijs, 2e kwart van de 13e eeuw.

- 400 x 275 mm
- ff. 31 (Harley 1526), ff. 153 (Harley 1527)
- Harley 1526, 1527

Tijdens de regeringsperiode van Lodewijk VIII (r. 1223-1226), zijn geweldige vrouw Blanca van Castilië († 1252) en hun zoon Lodewijk IX (r. 1226-1270), later de heilige, was Parijs het artistieke centrum van Europa. Onder de spectaculairste artistieke creaties waren vier voorbeelden van een soort prentenbijbel met de naam *Bible Moralisée* voor leden van de Franse koninklijke familie of hun nauwste betrekkingen. Elke bijbel bevat letterlijk duizenden rijk geschilderde en vergulde afbeeldingen die zijn ontworpen om 'een impressie van onovertroffen weelde te scheppen.'[1] In deze bijbels zijn Bijbelse scènes 'gemoraliseerd' in beeld en tekst. In elk exemplaar verduidelijkt een paar medaillons, de een boven de ander, de Bijbelse passage en een symbolische of theologische interpretatie ervan. Aan de rechterkant van elke afbeelding staat een kort Bijbels fragment of een verklarende zedenles.

Twee van de manuscripten bevatten een afbeelding van een koning en een koningin, of een koning, en een kunstenaar die werkt aan medaillons zoals die in de *Bibles moralisées*. Men denkt dat de eerste twee boeken, nu allebei in Wenen, waren gemaakt voor Blanche en Lodewijk (de ene in het Frans en de tweede is vanuit het Frans vertaald in het Latijn).[2] De andere twee oude versies, waarvan er een is verdeeld tussen Oxford, Parijs en de Harley collectie in de British Library; de tweede bevindt zich nu in Toledo (met een klein gedeelte in New York), zijn zelfs nog ambitieuzere ondernemingen.[3] Misschien is Blanche de opdrachtgeefster geweest, en had zij het bestemd als huwelijksgeschenk voor haar zoon Lodewijk IX en diens bruid, Margaretha van Provence (1221-1295), ter gelegenheid van hun huwelijk in 1234. Het Harley manuscript bevat het boek Makkabeeën en het Nieuwe Testament, nu in twee delen die alleen al meer dan 1.600 afbeeldingen bevatten.

Deze gemoraliseerde bijbels zijn in ieder opzicht inderdaad buitengewone creaties. De productie ervan in een atelier in Parijs moet een enorm en uitermate duur karwei zijn geweest, omdat de boeken vlak na elkaar lijken te zijn gemaakt, in een periode van ongeveer tien jaar,

26.1 | 'Christus in majesteit', vergezeld door de vier levende wezens (Openbaring 4:6-7), met de moralisatie van de evangelisten en hun symbolen (onder), Harley 1527, f. 120v (detail).

OMMEZIJDE
26.2–26.3 | Een openingspagina die de acht medaillons met Bijbelse scènes toont (beurtelings naar beneden) met hun geïllustreerde moralisatie en mondeling commentaar (Openbaring 4:6-5:8), Harley 1527, ff. 120v-121.

Et in ar
cuitu
sedis
quatuor ani
malia plena
oculis ante et
retro. Et aial
primum simile
leoni. et secundum
animal simile
vitulo. et tertium
aial hns facie
quasi hominis.
et quartum aial
simile aquile
volanti.

Per quatuor
anima
lia signi
ficantur quatuor
euangeliste.
Per leonem mar
cus qui loquitur
de resurrectione
xpi. Per vitulum
lucas qui loquitur
de passione. per
hominem mathei
qui loquitur de
humana...

E
die a
centa
scs. o
ompi
qui e
turu

H
bam
re scs
qd ui
cent
uan
nent
in on
bz su
taten
dare
ficis
faice.

n sibi s3 dño attribuentes:

terat aperire librum. neq3 in celo .i. angeli. neq3 in terra .i. homines. neq3 subtus t'ram .i. anime a corporibz separate.

tyrannorum 7 contra inferiores que ab hereticis inferuntur.

E t vidi et iohs in
medio
throni 7 .iiii. a
nimaliu 7 in
medio senioꝝ
agnu stante
quasi occisu
habentem cor
nua .vii. 7 ocu
los .vii. q sut

H sps dei
oc qd
agn9
stetit
tanqua occi
sus sigfcat q
xpc passus e
in humanita
te. deitate in
tegra remane
te. Septem cor
nua 7 .vii. ocli
qui sut septe
sps sigfcat .vii.
gras qua ha
bebat xpc et
quas dat sui
contra temptacio
nes queve
niunt ab alto
per tribulacones

accep
nu
thro
sign

7 d
scr
pre
ten
deli

26.4 | De Ene gezeten op de troon, houdt het boek met de zeven zegels vast (Openbaring 5:1-6), met de zedenpreek van de kruisiging (onder), Harley 1527, f. 121 (detail).

van 1225 tot 1235. Elke geïllustreerde pagina heeft acht medaillons, en de tegenoverliggende pagina heeft dezelfde lay-out, zodat de kijker zestien afbeeldingen op elke geïllustreerde openingspagina ziet (ill. 26.2-26.3). Bovendien werden, in tegenstelling tot de normale procedure, de afbeeldingen eerst getekend. Pas daarna werden de Bijbelse fragmenten en verklarende titels toegevoegd. In de oude Parijse kopieën is de achterkant van elke geïllustreerde pagina leeg gelaten. In de Harley sectie van de *Bible Moralisée* zijn lijnen als gevolg van druksporen zichtbaar, wat aanduidt dat dit boek en zijn Toledo tweelingbroer werden gemaakt met hetzelfde sjabloon.[4]

De verbazingwekkende complexiteit van de afbeeldingen, hun moralisatie en de begeleidende teksten duiden aan dat de koninklijke ontvangers van de *Bibles moralisées* de boeken in het bijzijn van privékapelaans of -priesters hebben bekeken of gelezen. Een paar afbeeldingen en bij elkaar horende illustraties zijn redelijk makkelijk te begrijpen. 'Christus in majesteit' bijvoorbeeld zit op een troon; hij houdt een gesloten boek vast en is omringd door de vier levende wezens uit Openbaring 4:6-7; hij is boven een afbeelding van de vier evangelisten geplaatst. Zij schrijven aan lessenaars op tekstrollen en zijn vergezeld van hun symbolen (ill. 26.1). De toegevoegde moralisatie stelt eenvoudigweg: 'De vier beesten stellen de vier evangelisten voor' *(Per q[ua]tuor animalia signicantur q[ua] tuor evangeliste)*. Maar de meeste afbeeldingen en hun moralisaties vereisen een uitgebreidere interpretatie van hun visuele of tekstuele symbolische of typologische commentaar. Op de volgende pagina bijvoorbeeld staat de afbeelding van de 'Ene die is gezeten op de troon'; hij is in het wit gekleed, terwijl hij het boek van de zeven zegels vasthoudt en is omringd door de oudsten en de vier levende wezens. De Bijbelse tekst echter beschrijft hoe Johannes zag 'een staand lam alsof het was geslacht, met zeven horens en zeven ogen' (Openbaring 5:6, ill. 26.4). En de afbeelding van de kruisiging eronder illustreert Christus als lam: *Hoc q[uo]d agn[us] stetit tamqua[m] occisus sig[ni]cat q[uod] X c [Christus] passus e[st] in huma[n]itate* ('Het lam dat daar staat alsof het is geslacht stelt Christus voor die heeft geleden door de menselijke vorm aan te nemen'). Door het grote aantal complexe allegorieën zou het een langdurige taak worden om ze allemaal te bekijken en te interpreteren, en dat kan deels de gelimiteerde productie van deze uiterst gedetailleerde Bijbelse prentenboeken verklaren.

NOTEN

1. Lowden, *Bibles moralisées* (2000), I, p. 140.
2. Vienna, ÖNB, Cod. 1179 en 2554.
3. Oxford, Bodleian Library, MS Bodley 270b; Parijs, BnF, MS lat. 11560; Toledo, Tesoro del Catedral; New York, Morgan Library, MS M.240.
4. Lowden, *Bibles moralisées* (2000), I, vooral 119–121, 167–180.

LITERATUUR

Nigel Morgan, *Early Gothic Manuscripts*, 2 dln., A Survey of Manuscripts Illuminated in the British Isles, 4 (Londen, 1982–88), II: *1250–1285* (1988), p. 138.

John Lowden, *The Making of the Bibles moralisees*, 2 dln. (University Park, PA, 2000), I: *The Manuscripts*, vooral pp. 139–187.

John Lowden, 'The Apocalypse in the Early-Thirteenth-Century Bibles moralisees: A Re-Assessment', in *Prophecy, Apocalypse and the Day of Doom, Proceedings of the 2000 Harlaxton Symposium*, red. Nigel Morgan, Harlaxton Medieval Studies, 12 (Donington, 2004), pp. 195–217 (pp. 198, 207–212, 216, pls 20, 26–28, 31).

27

EEN APOCALYPS

Een Engelse geïllustreerde Apocalyps

Openbaring (niet in perfecte staat), met fragmenten uit het commentaar van Berengaudus, in Latijn.
Londen of Westminster, ca. 1260.

- 290 × 220 mm
- ff. 38
- Additioneel 35166

Het laatste boek van de Bijbel, het boek Openbaring, was een van de laatste teksten die als deel van de Bijbelse canon in de westerse kerk werd erkend. Inderdaad, zijn status was ook lang onzeker binnen het oosterse christendom. Openbaring is een profetisch boek, waarin de visie van eschatologische gebeurtenissen door een engel werden 'gezonden en duidelijk gemaakt' aan Johannes (Openbaring 1:1). Na de Psalmen was het boek in het Latijnse Westen het meest gebruikelijke boek om te illustreren en te verspreiden in een enkel deel.[1] Deze geïllustreerde manuscripten worden meestal Apocalyps genoemd, van het Griekse werkwoord *ἀποκαλύπτω*, 'onthullen'. Een belangrijke groep van ongeveer 25 boeken werd in de negende tot de twaalfde eeuw in Spanje gemaakt.[2] In Engeland en Frankrijk werden er zelfs meer gemaakt, meer dan tachtig kopieën, waarvan 22 alleen al in de tweede helft van de dertiende eeuw, inclusief dit boek.[3] De opvallende visies op het laatste der tijden die in de geïllustreerde Apocalyps staan, maken deel uit van de krachtigste en uitgebreidste verhalende schilderwerken die uit de middeleeuwen bewaard zijn gebleven. En de boeken die in Engeland zijn gemaakt, 'maken deel uit van de prachtigste Engelse Bijbelse illustraties'.[4]

Het British Library manuscript is een van de vier dertiende-eeuwse manuscripten die worden gekarakteriseerd als de 'Westminster groep' van de apocalypsen, en dat is gebaseerd op hun gestileerde associatie met de kunst van Westminster Palace en Abbey tijdens de regeerperiode van Hendrik III (r. 1216-1272), soms de 'hofstijl' genoemd. De eerste eigenaar van het manuscript is niet bekend, maar de kwaliteit van de afbeeldingen en delicate kleurwassingen is zodanig dat een aristocratische mecenas voor de hand ligt. De kunstenaar heeft de figuren met gevoel voor beweging en waarneming weergegeven. Hij beeldt bijvoorbeeld de eerste ruiter van de Apocalyps uit als een elegante en vorstelijke overwinnaar op een galopperend paard; de ruiter schiet een pijl af die het kader van de afbeelding raakt (Openbaring 6:2, ill. 27.3). De illustratie verlevendigt de Bijbelse tekst die onder de afbeelding staat: 'ik zag dit: een wit paard met een ruiter, die een boog droeg. Hij kreeg een zegekrans en trok op als een overwinnaar, de overwinning tegemoet' (*et*

27.1 | De hoer van Babylon zit op het beest (Openbaring 17:1-7), f. 20 (detail).

Ommezijde
27.2–27.3 | Engelen en oudsten aanbidden het lam, dat het boek van de zeven zegels overneemt van 'Christus in majesteit', omringd door de symbolen van de vier evangelisten (Openbaring 5:5-14); en (ertegenover) het eerste zegel van de ruiter van het witte paard (Openbaring 6:2); ff. 6v-7.

Et abstulit in desertum in spiritu. et vidi mulierem sedentem super bestiam coccineam plenam nominibus blasphemie. habentem capita vii. et cornua decem. Et mulier erat circumdata purpura et cocco. et inaurata auro et lapide precioso et margaritis habens poculum aureum in manu sua plenum abhominatione. et inmundicia fornicationis eius. nomen scriptum misterium. Babilon magna mater fornicationum. et abhominationum terre.

Per desertum omnis impiorum multitudo designatur. eo quod ipsi deseruerunt deum et ideo derelicti sunt ab eo. In desertum quod mulier meretrix inventa est; quia multitudine impiorum civitas

Diabolus itaque sanguineus est quia auctor est mortis omnium et perditionis. Que bestia plena nominibus blasphemie esse dicitur eo quod ipse diabolus auctor sit omnium blasphemiarum. Quid sint autem capita vii. et cornua x. angelus in sequentibus exponit. Et mulier erat circumdata purpura et cetera. Purpura sanguine tingitur. Coccus vero sanguinis habet colorem. Suntque vestimenta regalia. per que potestas secularis designatur. Purpura igitur et coccus sanguinis speciem habent quia potestas secularis mortifera est et periculum sempiternum affert hiis qui eam amplius quam celestem gloriam amplectuntur. Possumus et per vestimenta sanguinea opera impiorum intelligere per que ipsi morte perpetua dampnabuntur. Quodque sequitur. Et inaurata auro. per aurum sepe sapientia designatur. Mulier igitur inaurata erat

Et venit & accepit librum
de dextera sedentis super
thronum. Et cum aperu
isset librum: quatuor
animalia & viginti quatuor senio
res ceciderunt coram agno. haben
tes singuli cytharas & phialas aureas
plenas adoramentorum que sunt ora
ciones sanctorum. Et cantabant canticum
novum: dicentes. Dignus es domine
deus accipe librum. & aperire signa
cula eius. Quoniam occisus es: & redemis
ti nos deo in sanguine tuo. ex omni
tribu & populo & nacione. Et fecisti
nos deo nostro regnum & sacerdotes. &
regnabunt super terram. Et vidi: &
audivi vocem angelorum multorum in
circuitu throni & seniorum & quatuor
animalium: & erat numerus eorum
milia milium dicencium voce
magna. Dignus est agnus qui oc
cisus est accipe virtutem. & divi
nitatem. & sapienciam. & fortitudi
nem. & honorem. & gloriam. & bene
dictionem.

Per thronum & quatuor animali
a & seniores: universa ecclesia cum
suis doctoribus designatur. Angeli vero
circa thronum. id est ecclesiam congregate
visi sunt: angeli sunt qui ad custodi
am ecclesie a deo destinati sunt: sicut
paulus apostolus loquitur dicens. Nonne
omnes administratorii sunt spiritus
in ministerium missi. propter eos
qui hereditatem capiunt salutis. Per
maximum autem numerum: eorum
multitudo innumerabilis desig
natur.

Et uidi quod aperuisset agnus unum de septem signaculis. Audiui unum ex quatuor animalibus dicentem. ueni et uide. Et ecce equus albus et qui sedebat super eum habebat arcum. et data est ei corona. et exiuit uincens ut uinceret.

Equus albus: iustos qui ante diluuium fuerunt designat. qui propter innocenciam albi dicuntur. Sessor uero equi dominus est: qui suis sanctis eternaliter presidet. Per arcum autem qui procul sagittas a se mittit et uulnerat: uindicta domini potest designari. quia et primos homines propter inobediencie culpam dampnauit. et cain propter fratricidii reatum septupliciter puniuit. Per coronam nichilominus sicut et per equum album: iusti qui ante diluuium fuerunt designantur. Exiuit uero uincens ut uinceret: quando statuit ut per aquas diluuii omnis multitudo reproborum deleretur. Fac tibi archam de lignis leuigatis. mansiunculas in archa facies. et bitumine lenies intrinsecus et extrinsecus. et sic facies eam. Trecentorum cubitorum erit longitudo arche. Quinquaginta cubitorum: latitudo. et triginta cubitorum altitudo illius. Archa ecclesiam. Noe uero fabricator arche: christum fabricatorem ecclesie figurabat.

6. Et septimus angelus effudit phialam suam in aerem et exiuit
uox magna de templo a throno
dicens: Factum est. Et facta sunt fulgura
et uoces et tonitrua et terre motus factus est
magnus qualis numquam fuit ex quo homines
fuerunt super terram: talis terre motus sic
magnus. Et facta est ciuitas magna in tres
partes et ciuitates gentium ceciderunt. Et babilon magna uenit in memoriam ante deum dare
ei calicem uini indignationis ire eius. Et omnis insula fugit et montes non sunt inuenti. Et
grando magna sicut talentum descendit de celo in
homines et blasphemauerunt deum homines propter
plagam grandinis quoniam magna facta est ue-

Per septimum istum angelum predicatores
sancti qui temporibus antichristi fuerint designantur. Angelus ergo phialam suam in aerem effudit.
quia predicatores sancti uanis et impiis hominibus quod
perpetua pena sint dampnandi denuntiabunt. Et exi-
it uox magna et cetera. Vox magna uox est predicato-
rum. Per templum ecclesia intelligitur. A templo ergo
uox exiuit quia ab ecclesia uox sancte predicationis pro-
cedit. Que et a throno exisse dicitur quia ecclesia dei
thronus est dei et in illa sedens requiescit. Quod
autem hec uox dicat subdendo manifestat. Factum
est id est finis mundi instat in quo omnia que
predicta sunt a domino et a sanctis complebuntur.
Per fulgura miracula que per sanctos suos
facturus est deus designantur. Legimus namque
in superioribus heliam et enoch plurima signa esse
facturos. Per uoces uero predicatio sanctorum per

27.4 | Als de zevende offerschaal over de lucht is gegoten, verwoest een aardbeving de steden van de aarde (Openbaring 16:17-19), f. 19 (detail).

ecce equus albus et qui sedebat sup[er] eum habebat arcum et data est ei corona et exivit vincens ut vinceret).

In geïllustreerde apocalypsen staat over het algemeen een commentaar op de tekst, misschien als gevolg van de complexe interpretatie van de visionaire taal van Openbaring. De Spaanse apocalypsen bevatten het commentaar van Beatus van Liébana, terwijl de apocalypsen die zijn gemaakt in Engeland fragmenten uit een ander commentaar bevatten, de *Expositio super septem visiones libri Apocalypsis*.[5] Deze tekst was samengesteld door ene Berengaudus, wiens identiteit onzeker is, maar die waarschijnlijk werkte in de elfde of begin twaalfde eeuw.[6] In de British Library Apocalyps is het onderscheid tussen de Bijbelse tekst en het commentaar duidelijk, omdat het commentaar is geschreven met rode inkt, in plaats van met zwarte (ill. 27.1-27.4).

Nog opvallender dan de verschillende gekleurde teksten zijn de grootte en het belang van de illustraties. Ze vullen de bovenste helft van elk tekstblok op elke pagina. Erin zijn een paar elementen van de tekst letterlijk afgebeeld, zoals in de afbeelding van het lam 'met zeven horens en zeven ogen', dat het boek van de zeven zegels aanpakt (Openbaring 5:5, ill. 27.2). Andere details geven een glosse, of visueel commentaar op de tekst. De figuur 'die op de troon zat' (Openbaring 5:1) heeft bijvoorbeeld een kruisvormig aureool en een 'T-O' globe aan zijn voeten, waarmee hij visueel de identificatie is van 'Christus in majesteit'.[7] In een zustermanuscript van de British Library Apocalyps, nu in Los Angeles, verduidelijkt het fragment van het commentaar op deze afbeelding dat 'de Ene die op de troon zit' God de Vader is, en het lam is Christus, 'want het lam symboliseert de menselijkheid die Christus heeft aangenomen' (commentaar voor Openbaring 5:7-8).[8] Hoewel de afbeeldingen nogal op elkaar lijken, bevat de British Library Apocalyps een ander deel van Berengaudus' commentaar (dat bij Openbaring 5:11-12). Hierin wordt de betekenis van de andere figuren in plaats van dat van het lam uitgelegd, vooral de engelen, degenen die de zorg voor de kerk van God hebben gekregen (*angeli sunt qui ad custodiam ecc[l]e[siae] a deo desinati sunt*). Zo vormen deze apocalypsen samen met de visuele en tekstuele elementen een complexe, geredigeerde en selectieve exegese van het meest visionaire boek van het Nieuwe Testament.

NOTEN

1. Morgan, 'Latin and Vernacular Apocalypses' (2012), p. 417.
2. Voor deze Spaanse manuscripten zie de Silos Beatus, no. 15.
3. Lewis, *Reading Images* (1995), p. 41.
4. C. M. Kauffmann, *Biblical Imagery in Medieval England, 700–1550* (London, 2003), p. 165.
5. Voor Beatus van Liébana zie de Silos Beatus, no. 15.
6. Morgan, *Getty Apocalypse* (2012), p. 10.
7. Vergelijk de Bijbel van Stavelot, ill. 16.1, en de Harley B*ible Moralisée*, no. 26.
8. Los Angeles, J. Paul Getty Museum, MS Ludwig III 1, *PL*, 17, 809, vertaald in Morgan, *Getty Apocalypse* (2012), p. 41; en vergelijk de Harley *Bible Moralisée*, no. 26, die dezelfde bladzijde illustreert, waar God de Vader een soortgelijke globe vasthoudt en rechtstreeks verschijnt boven de kruisiging, (ill. 26.4, lagere medaillon).

LITERATUUR

Peter Klein, 'Introduction: The Apocalypse in Medieval Art', in *The Apocalypse in the Middle Ages*, red. Richard K. Emmerson en Bernard McGinn (Ithaca, NY, 1992), pp. 159–199 (vooral pp. 189–192).

Suzanne Lewis, *Reading Images: Narrative Discourse and Reception in the Thirteenth-Century Illuminated Apocalypse* (Cambridge, 1995).

Nigel Morgan, *Illuminating the End of Time: The Getty Apocalypse Manuscript*, facsimile uitgave met commentaar (Los Angeles, 2012).

Nigel Morgan, 'Latin and Vernacular Apocalypses', in *The New Cambridge History of the Bible*, 4 dln. (Cambridge, 2012–2015), II: *From 600 to 1450*, red. Richard Marsden en E. Ann Matter (2012), pp. 404–426.

28

EEN BOLOGNEZER BIJBEL

Italiaanse pracht en praal

Bijbel, in Latijn.
Bologna, ca. 1280-1300.

- 385 × 250 mm
- ff. 546 (in twee delen)
- Additioneel 18720

Tijdens de tweede helft van de dertiende eeuw was de noordelijk gelegen Italiaanse stad Bologna een van de vermogendste en invloedrijkste centra voor de productie van verfijnde boeken. Opeenvolgende illuminatoren oefenden hun vaardigheden in honderden kopieën van de kerkelijke (of canon-)wetten, liturgie en de Bijbel. Terwijl de wetboeken de status van de stad aantoonden als de belangrijkste stad in Europa waar men een studie kon volgen in het kerkrecht, kwamen de bijbels in de stad voort uit de aanwezigheid van een van de grootste dominicaner ordes van Europa. De orde van predikheren, gesticht door Dominicus († 1221), had binnen de kerk al snel een sleutelrol in de bevordering van wetenschap en bestrijding van ketterij. Samen met de franciscanen (gesticht in 1209) maakten ze voor deze doelen de zogenoemde Parijse Bijbel, een enkelvoudige kopie van de Latijnse Vulgaat, in relatief klein formaat. Deze bijbel bevat een nieuwe reeks Bijbelse teksten en hulpmiddelen voor de lezers, die opduiken uit de leslokalen en boekhandels in Parijs in het eerste kwart van de dertiende eeuw.[1] In de handen van de bedelbroeders werden zulke zakbijbels een krachtig middel voor de reizende prediker. In Bologna, de laatste rustplaats van Dominicus, leidde de overheersende invloed van zijn orde tot de productie van veel meer van zulke bijbels dan elders in Italië.

Deze bijbel, die nauw is verbonden met de zakbijbels maar dan groter, toont de belangrijke rol van Bologna in de productie en verspreiding van de Parijse versie van de Vulgaat. Net zoals in de zakbijbels bestaat het boek uit de Bijbelse tekst van het Oude en Nieuwe Testament en volgt het dezelfde gecorrigeerde volgorde, die wordt benadrukt door titels die afwisselend met rode en blauwe inkt is geschreven. Elk Bijbelboek wordt ingeleid door een voorwoord, en zeer opmerkelijk, verdeeld in genummerde hoofdstukken die ook worden gebruikt in moderne bijbels. Vaak toegeschreven aan de commentator Stephen Langton († 1228), de aartsbisschop van Canterbury, is dit verwijzingssysteem in al zijn rijpheid te zien in het Bolognezer manuscript, waarin elk hoofdstuk begint met een nieuwe regel met de relevante romeinse cijfers, geschreven met rode

28.1 | Een dominicaner broeder staat links van een zittende figuur die een tekstrol leest, aan het begin van Hiëronymus' brief aan Paulinus, f. 2 (detail).

OMMEZIJDE (LINKS)
28.2 | God schept de wereld; Adam en Eva worden uit de tuin van Eden verdreven; Kaïn en Abel brengen een offer aan God; en Kaïn doodt Abel; aan het begin van Genesis, f. 5 (detail).

OMMEZIJDE (RECHTS)
28.3 | De geslachtslijst van Christus, te beginnen bij Isaï; en (onder) de annunciatie, de geboorte en de presentatie; aan het begin van het Matteüsevangelie, f. 410 (detail).

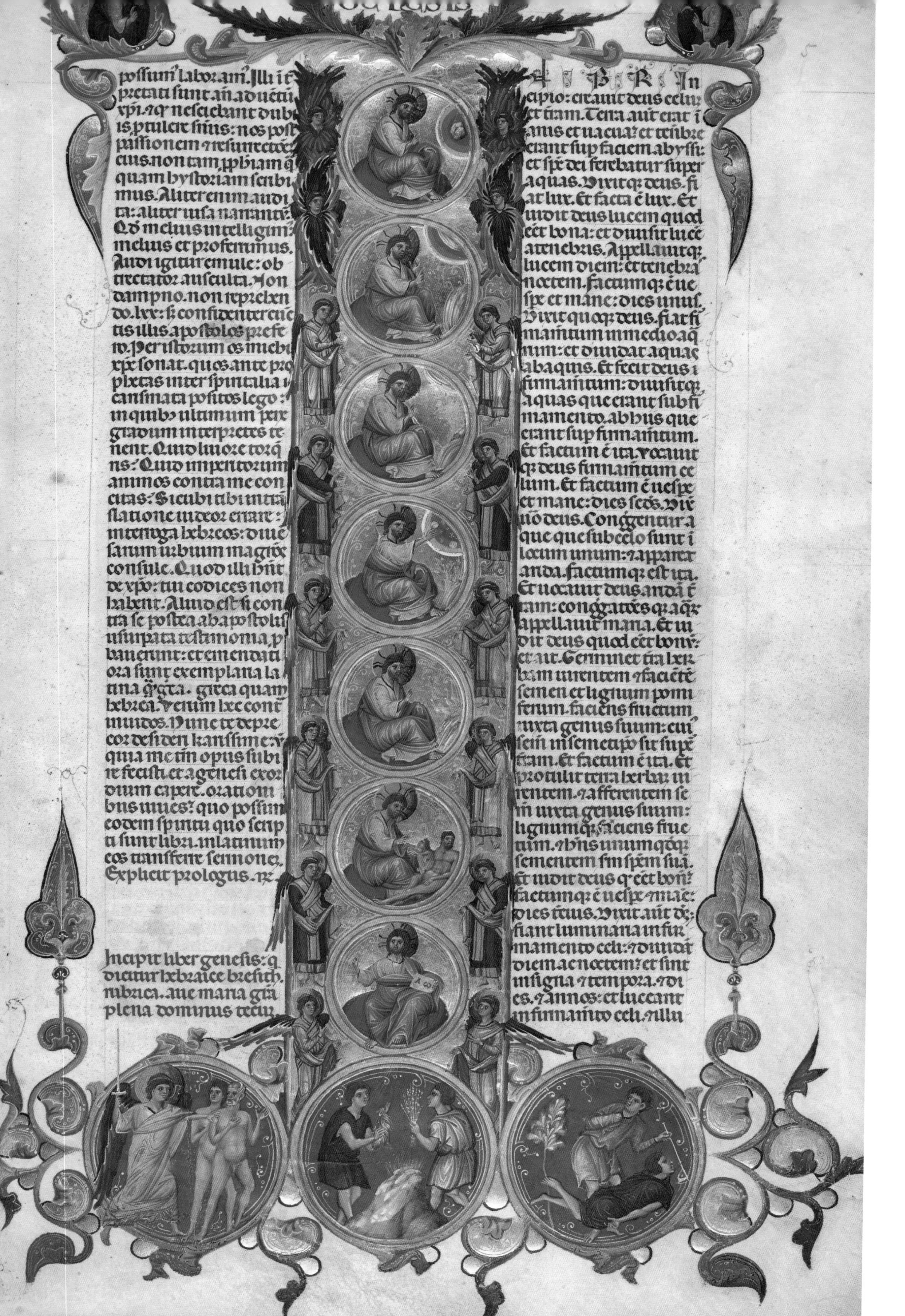

genuit ezechyam. Ezechy[as]
autem: genuit manassen.
Manasses autem: genuit
amon. Amon aute[m]: genuit
iosiam. Iosia[s] aute[m]: genuit
iechoniam et fr[atr]es eius. in trans
migratione babilonis. Et
p[os]t transmigrationem babilo
nis: iechonias genuit sala
tiel. Salatiel autem: genu
it zorobabel. Zorobabel au[tem]:
genuit abiud. Abiud aute[m]:
genuit helyachim. Helya
chim autem: genuit azor.
Azor autem: genuit sadoc.
Sadoc autem: genuit achim.
Achim autem: genuit eli
ud. Eliud autem: gen[uit] elea
zar. E
leazar
autem:
genuit
mathan.
Mathan
autem:
gen[uit] ia
cob. Ia
cob a[utem]:

en blauwe inkt op de regel ervoor. Afbeeldingen van de broeders komen veelvuldig naar voren op de afbeeldingen. Twee dominicaner broeders, in hun witte gewaden en zwarte mantels met capuchon, staan rechts en links van Paulinus, bisschop van Nola († 431), de ontvanger van de brief van Hiëronymus, die adviseerde om de Bijbel toegewijd te bestuderen en een volledig voorwoord voor de Vulgaat schreef.[2] Broeders in de bruine gewaden van de franciscaner orde verschijnen ook als de ontvangers van verscheidene katholieke en pastorale brieven (ill. 28.4).

Toch verschilt het Bolognezer boek, met zijn veel grotere formaat en rijkere illuminatie, duidelijk van de doorsnee zakbijbel. Bij een paar andere, verwante, bijbels die tegen het eind van de dertiende eeuw in Bologna werden geproduceerd, speelden de makers ervan in op een andere commerciële markt. Een markt waarin toekomstige eigenaren konden betalen voor de veel grotere investering van arbeid en talent. En, zeer sensationeel, introduceerden ze aan het begin van het Oude en Nieuwe Testament een weelderige pagina waarop de belangrijkste initiaalletter 'I' over de totale hoogte van de pagina is geplaatst en binnendringt in het tekstblok aan de linker- en rechterkant (ill. 28.2-28.3). Een rijkelijk gekleurde waterval van figuren is geplaatst tegen een achtergrond van goed gepolijst bladgoud en afgemaakt met gehistorieerde en erin verwerkte medaillons in de boven- en ondermarges. Het begin van Hiëronymus' brief aan Paulinus is ook geaccentueerd met vegetatieve decoratie, verschillende erin verwerkte medaillons en een grote initiaal 'F', waarin de vertaler aan het werk te zien is.[3] Ergens anders geven 103 gehistorieerde initialen, van een opmerkelijk uniforme en hoog stilistische kwaliteit en begeleid door prachtig uitgevoerde decoratie in de marges, het begin aan van het voorwoord en van de Bijbelse boeken. De initialen van de chronologisch neergezette historische boeken van het Oude Testament bevatten verhalende scènes; die van de Profeten en evangeliën zijn beperkt tot fictieve portretten van de auteurs, en die van de brieven beelden zowel de auteur als de ontvanger uit (ill. 28.4). In deze figuratieve illuminaties hebben de kunstenaars een eclectische artistieke stijl opgenomen, waarbij Italiaanse elementen zijn vermengd met die uit Byzantijnse kunst. De aartsengelen die staan bij de scheppingsdagen, dragen de Byzantijnse hofkleding (ill. 28.2). Knielende mannen die over hun knieën gedrapeerde tekstrollen lezen, doen denken aan nog oudere tradities (ill. 28.1). Voor een paar van deze kenmerken hebben de illuminators misschien gebruik gemaakt van voorbeelden van kunstwerken die vlak voor die tijd door Byzantijnse kunstenaars zijn gemaakt.

28.4 | **Paulus vertrouwt een geschreven rol toe aan een broeder in de initiaal van zijn Brief aan Filemon (linksboven); en, met een zwaard in de hand, instrueert hij twee figuren, die in de initiaal staan van zijn Brief aan de Hebreeërs (rechts onderaan); f. 481 (detail).**

Literatuur

Alessandro Conti, *La miniatura Bolognese: scuole e botteghe, 1270–1340* (Bologna, 1981), pp. 45–47.

Larry Ayres, 'Bibbie italiane e bibbie francesi: il XIII secolo', in *Il Gotico europeo in Italia*, red. Valentino Pace en Martina Bagnoli (Napels, 1994), pp. 361–374 (pp. 370–371).

Duecento: forme e colori del Medioevo a Bologna, red. Massimo Medica en Stefano Tumidei (Venetië, 2000), no. 114.

Noten

1 In de Parijse bijbel zijn de teksten heel anders gerangschikt dan in de oudere manuscripten en de Hebreeuwse Bijbel, maar de volgorde lijkt wel op die in moderne bijbels. Voor de rangschikking van teksten in de Parijse Bijbel zie Christopher de Hamel, *The Book: A History of the Bible* (Londen, 2001), pp. 120–122.

2 Voor deze brief zie de Worms Bijbel, no. 21.

3 Vergelijk de Worms Bijbel, ill. 21.1.

29

EEN EVANGELIELECTIONARIUM VAN DE SAINTE-CHAPELLE

Illustraties van de evangeliën in het middeleeuwse Parijs

Evangelielectionarium, in Latijn. Parijs, laatste kwart van de 13e eeuw.

- 310 × 200 mm
- ff. 173
- Additioneel 17341

Tijdens de dertiende eeuw werd Parijs een van de belangrijkste stedelijke centra in Europa. Onder Lodewijk IX (r. 1226-1270) groeide de stad aanzienlijk in omvang, rijkdom en invloed.[1] De aanwezigheid van het koninklijk hof met de almaar groeiende regering, een machtig bisdom en een bloeiende universiteit waren absoluut een aanmoediging en ondersteuning voor een levendige commerciële markt. De rijke *libraires* (boekverkopers) op de Rue Neuve-Notre-Dame, de schrijvers en perkamentmakers op de Rue des Ecrivains en illuminators op de Rue Erembourg de Brie hadden hier een vooraanstaande positie. Hun ijverige werk maakte van Parijs een voortreffelijk centrum voor commerciële boekproductie en leidde tot de creatie van een paar van Europa's verfijndste geïllumineerde manuscripten.

Tegen het eind van de dertiende eeuw maakten Parijse illuminators een opmerkelijke reeks afbeeldingen voor dit overdadige evangelielectionarium. Geschilderd met 262 initialen geven deze illustraties het begin van de lezingen aan, voorgeschreven voor de vele feestdagen die toen door de kerk in Parijs werden gevierd. Sommige bestaan uit slechts één scène en zijn in de kom van een gebogen lettervorm geplaatst, zoals Johannes de Doper tijdens een doop (ill. 29.1). Maar de meeste zijn 'ladder-initialen', omgeven door verschillende aparte scènes die op volgorde zijn gerangschikt langs de lange, vaak paginagrote 'I' van *In illo tempore* ('In die tijd'), het traditionele begin van lezingen die tijdens de mis werden gezongen of gezegd. Elk perkamentblad van het boek bevat op zijn minst één initiaal; een paar hebben er twee.

Naast de geboorte en het lijden van Christus illustreren de initialen een grote reeks episoden en verhalen uit de evangeliën, zoals veel wonderen van Christus en parabelen die in eerdere manuscripten nauwelijks werden afgebeeld (ill. 29.2-29.4). Hoewel de meeste initialen episoden tonen uit de lezing waaraan ze voorafgaan, zijn er een paar met afbeeldingen die een complexere relatie hebben met de lezing. De lezing op de vooravond van de tenhemelopneming van de Maagd (14 augustus) bijvoorbeeld heeft te maken met het bezoek van Christus aan Marta en Maria (Lucas 10:38-42). Terwijl het bovenste deel van de initiaal deze tekst illustreert, neemt het onderste deel

29.1 | Johannes de Doper, gekleed in zijn ruwe mantel van kameelhaar, spreekt met Christus (Matteüs 3:13-15), en doopt mensen in de Jordaan (Marcus 1:6-8), f. 3 (detail).

am prope est regnum
dei. Amen dico vobis:
quia non preteribit ge
neratio hec. donec omni
a fiant. Celum et terra
transibunt:
verba autem
mea: non
transient.
Fer. iiij. S.
Mathm.
In illo tempore:
Dixit
ihs turbis
et discipu
lis suis. A
men dico
vobis: non
surrexit i
ter natos

baptiste usque nunc reg
num celorum vim pati
tur. et violenti rapi
unt illud. Omnes e
nim prophete et lex: usque
ad iohannem prophetaverunt.
Et si vultis recipere io
hannes ipse est hely
as qui venturus est.
Qui habet aures audi
endi audiat. Fer. vi.
Initium sci ewangelii s.
marci.
Prima
pium
evan
gelii
ihu xpisti fi
lii dei: sicut
scriptum est

de ihu. Dnica. xxvij.
S. iohem.
In illo tr.
Cum
subleuas
set oclos
ihc et ui
disset qa
multitu
do maxi
ma ue
nit ad
eum: di
cit ad phi
lippum.
Unde e
memus
panes ut
mandu
cent hy?
Hoc aut
dicebat:

et philippus. Duce
torum denariorum
panes n sufficiunt
eis: ut unusquisq
modicum quid acci
piat. Dicit ei unus
ex discipulis eius. a
dreas frater symois
petri. Et puer unus
hic: qui habet qnq
panes ordeaceos et
duos pisces. Sz hec
qui sunt int tantos?
Dicit ergo ihc. facite
homines discumbe.
Erat autem fenum
multum in loco. Dis
cubuerunt ergo ui
ri numero quasi qn
q milia. Accepit er
go ihc panes: et cu
gratias egisset. dist

illo Ex:
Dixit
ihs dis
cipulis
suis: pa
rabolā
hanc.
Homo
quidā
erat di
ves. qui
induieba
tur pur
pura et
bysso: et
epula
bat coti

dabat. Sed
veniebant: et
bant ulcera
ctum est autem
reretur mend
portaretur ab
in sinum abr
tuus est autem
et sepultus ē in
no. Elevans
oculos suos cum
in tormentis
abraham a
lazarum in
Et ipse clama
Pater abrah

Cyriaci. Largi. et Sma-
ragdi. Convocatis
ihesus duodecim. In
vig. sci laurentii. ev.
Si quis vult post me.
In die. Nisi granum.
Tyburcii. et valeriani.
Nichil opertum quod non.
Ypoliti sociorumque eius.
Attendite a fermento.
In vig. assumptionis beate
virg. marie. S. lucam.

In illo tempore. Factum est dum loqueretur ihesus ad turbas: extollens vocem quedam mulier de turba dixit illi. Beatus ven-

-ter qui te portavit: et ubera que suxisti. At ille dixit. Quinimmo: beati qui audiunt verbum dei: et custodiunt illud.

In die assumptionis. Sec. lucam.

In illo tempore. Intravit ihesus in quoddam castellum: et mulier quedam martha nomine excepit illum in domum suam. Et huic erat soror nomine maria: que etiam se

VORIGE PAGINA'S (LINKS)

29.2 | Christus vraagt zijn discipel Filippus hoe ze de menigte kunnen voeden die naar hem toe is gekomen (boven), Andreas ziet de jongen met de vijf broden en twee vissen (midden), en de menigte eet van de broden en de vis, en de resten worden verzameld in manden (onder) (Johannes 6:5-13), f. 136v (detail).

VORIGE PAGINA'S (RECHTS)

29.3 | De rijke man viert feest terwijl de voeten van Lazarus worden gelikt door een hond (boven), de rijke man sterft en zijn ziel wordt meegenomen door een duivel (midden), en Lazarus sterft en zijn ziel wordt meegenomen door een engel (onder) (Lucas 16:19-22), f. 35 (detail).

TEGENOVER

29.4 | Een vrouw in de menigte roept naar Christus (Lucas 11:27-28); Marta verwelkomt Christus in haar huis (Lucas 10:38); en de verrezen Christus verschijnt aan beide Maria's (Matteüs 28:8-10); f. 147v (detail).

ons mee naar het evangelieverhaal waarin, volgens Matteüs, dezelfde Maria een van de twee vrouwen was die Jezus na zijn verrijzenis zagen (Matteüs 28:8-10), ill. 29.4). Deze tweede scène is dus een visueel commentaar van Christus' lofprijzing van de stille vroomheid van Maria in tegenstelling tot Marta's bedrijvigheid: 'Marta, Marta, je bent zo bezorgd en je maakt je veel te druk. Er is maar één ding noodzakelijk. Maria heeft het beste deel gekozen, en dat zal haar niet worden ontnomen' (Lucas 10:41-42). Met deze woorden voorzag Jezus Maria's erkenning van hem als de verrezen Christus.

Om de oorsprong van deze illustraties te kunnen begrijpen, moeten we teruggaan naar de laatste tien regeringsjaren van Lodewijk IX (r. 1226-1270). De eerste Parijse illuminators maakten toen wat duidelijk het model van het huidige manuscript is. Dit oude boek, nu aanwezig in de Franse nationale bibliotheek[2] bevat niet alleen dezelfde reeks van 262 gehistorieerde initialen, maar het heeft ook op elke pagina teksten en illustraties in praktische dezelfde posities. Het Londense manuscript is een opvallend getrouwe kopie van zijn Parijse tegenhanger maar verschillende afwijkingen benadrukken de grotere nauwkeurigheid van de afbeeldingen in het Parijse boek. Bij de illustratie van de rijke man en Lazarus bijvoorbeeld toont de eerste scène bovenaan de initiaal in het Londense boek een Lazarus met mantel en kap die bij de poort van de rijke man staat, een kleine hond likt de zweren op zijn voet (ill. 29.3). In het Parijse boek zit hij, wat de tekst van Lucas beter benadert. Vanuit stilistisch oogpunt verschillen de illuminaties van het Londense boek ook van het Parijse exemplaar. Vooral de sierlijke, kromlijnige randdecoratie die bij de Londense initialen staat, is opvallend, vaak met figurale kenmerken zoals de bisschop in de marge van de pagina met Johannes de Doper (ill. 29.1). De Londense kopie bevat ook naturalisme, wat meer interesse voor ruimtelijk illusionisme toont, zoals wanneer de mannen de resten van de broden en vissen verzamelen en weglopen uit de initiaal (ill. 29.2). Zo beschouwd kijken de kunstenaars van het Londense boek vooruit naar de veertiende eeuw en de innovaties van latere Parijse illuminators zoals Jean Pucelle (bloeitijd 1319-1334).

Samen met het Parijse manuscript en twee oudere evangelielectionaria maakte het Londense boek ooit deel uit van de rijke collecties van de Sainte-Chapelle aan de île de la Cité. Gesticht door Lodewijk IX om relieken die ooit in het bezit waren van Byzantijnse keizers in onder te brengen, werd dit juweeltje van middeleeuwse architectuur in 1248 ingewijd. Steeds meer bewijs toont aan dat het Parijse evangelielectionarium al snel in de Sainte-Chapelle werd gebruikt tijdens koninklijk bezoek, en dat de Londense kopie was gemaakt voor Filips de Schone (r. 1285-1314). Het Londense boek heeft, in tegenstelling tot de andere drie overgebleven lectionaria, blijkbaar nooit een prachtband gekregen. Maar een beschrijving uit 1349 waarin gesproken wordt van 'een grote schoonheid' (*pulcherrimum*)[3] geeft waarschijnlijk weer dat men de illuminaties, met recht, hogelijk waardeerde.

NOTEN

1 Zie ook de Harley *Bible Moralisée*, no. 26.
2 Parijs, BnF, MS lat. 17326.
3 In de inventaris van de Sainte-Chapelle; zie Kauffmann, 'Saint-Chapelle Lectionaries' (2004), p. 6 n. 18.

LITERATUUR

Le Tresor de la Sainte-Chapelle, red. Jannic Durand en Marie-Pierre Laffitte (Parijs, 2001), no. 42.

C.M. Kauffmann, 'The Sainte-Chapelle Lectionaries and the Illustration of the Parables in the Middle Ages', *Journal of the Warburg and Courtauld Institutes*, 67 (2004), 1–22.

30

HET QUEEN MARY PSALTER

Ongekend rijk verlucht psalter

Psalter, in Latijn.
Londen?, 1e kwart van de 14e eeuw.

- 275 × 175 mm
- ff. 319
- Royal 2 B. vii

De voorkeur voor grootformaat en uitgebreide geïllumineerde psalters duurde in Engeland voort tot in de veertiende eeuw. Men wilde geen kleinere, aparte getijden- of gebedenboeken. Een opmerkelijk voorbeeld hiervan is het Queen Mary Psalter, met meer dan duizend afbeeldingen een van de uitgebreidste geïllustreerde Bijbelse manuscripten die ooit zijn gemaakt. De illustraties die de Psalmen inleiden, becommentariëren en versieren, zijn met recht befaamd om hun kunstzinnig verfijnde tekeningen in kleur en schilderwerk. Het manuscript dankt zijn naam niet aan de oorspronkelijke eigenaar maar aan koningin Maria I (r. 1553-1558), aan wie het in 1553 werd geschonken door een enthousiaste douanefunctionaris, Baldwin Smith, die de export van het psalter uit Engeland had voorkomen. Hoewel er geen heraldische of op documenten berustende bewijzen zijn dat de eerste beschermheer of -vrouw ook van koninklijken bloede was, ligt dat door de omvang en kwaliteit van de illustraties wel heel erg voor de hand. Het is opmerkelijk dat alle illustraties door dezelfde persoon lijken te zijn gemaakt. Deze kunstenaar staat door dit boek nu bekend als de 'Queen Mary meester'.

Het psalter is een van de zeven veertiende-eeuwse Engelse manuscripten die een uitgebreide Oude-Testament-afbeeldingencyclus hebben (van ongeveer honderd tot 480 scènes) en het brengt een vroegmiddeleeuwse traditie die aanwezig is in de teksten, opnieuw tot leven.[1] In het merendeel van deze manuscripten, inclusief het Queen Mary Psalter, overheersen de afbeeldingen uit het boek Genesis; dit boek bevat 66 afbeeldingen, van de hele inleidende cyclus van 223 afbeeldingen. Sommige gebeurtenissen, zoals die van de val van de opstandige engelen en God die de dieren schept (ill. 30.1 en zie fig. 10), krijgen elk een hele pagina. Maar deze grotere miniaturen zijn de uitzondering, de meeste scènes staan per paar, twee per pagina bij elkaar in gekaderde registers, zoals de schepping van Adam en Eva, en Gods waarschuwing niet van de boom der kennis te eten (ill. 30.6). Al deze illustraties zijn uitgevoerd als lijntekeningen met donkerbruine inkt, gekleurde schaduw en wassingen in een beperkt palet van groen, paars en bruin, en met verfijnde aandacht voor zorgvuldig aangebrachte details.

30.1 | God de Schepper, en (onder) de val van de opstandige engelen, f. 1v (detail).

Ommezijde

30.2–30.3 | De aankomst in Jeruzalem, met de Drie-eenheid in de initiaal 'D'(*ixit*) onder, aan het begin van Psalm 109; en (ertegenover, met de klok mee vanaf linksboven) Christus laat de blinden zien; gezalfd door een vrouw; bij het Laatste Avondmaal en beantwoordt de farizeeërs, en (marge onderaan) de steniging van Stefanus; ff. 233v-234.

Coment lucifer chayit de ciel e devient diable. e gūt multitude des angeles

Dixit dominus do
mino meo: sede a
dextris meis
Donec ponam i

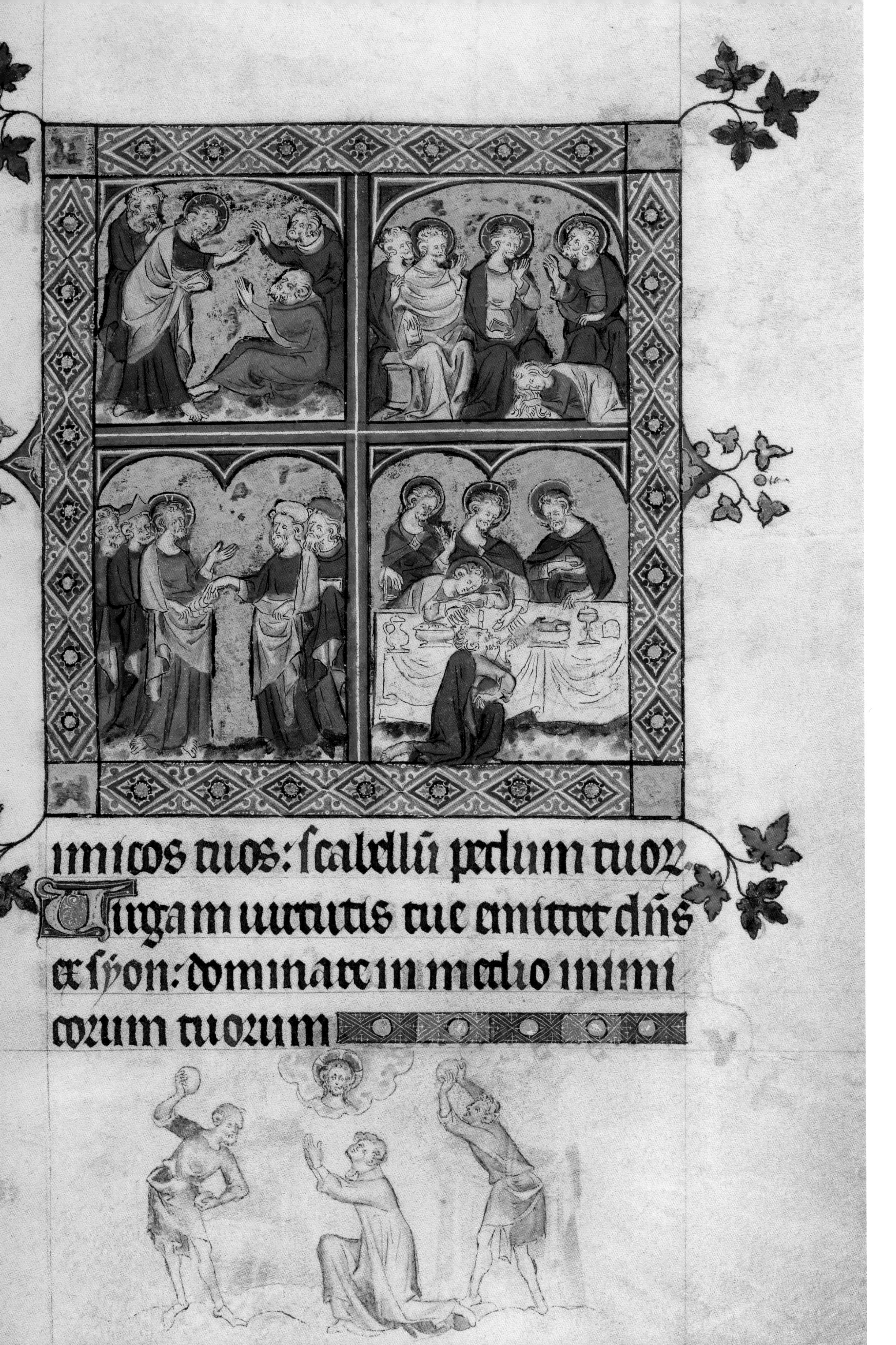

inimicos tuos: scabellū pedum tuoꝝ
Virgam uirtutis tue emittet dñs
ex syon: dominare in medio inimi
corum tuorum

ixit insipiens in
corde suo: nõ est ds.
Corrupti sunt et
abhominabiles fcī

sũt ĩ iniquitatibȝ: non est qui fa
ciat bonum

Deus de celo ꝓspexit super filios ho
minũ: ut uideat si est intelligens

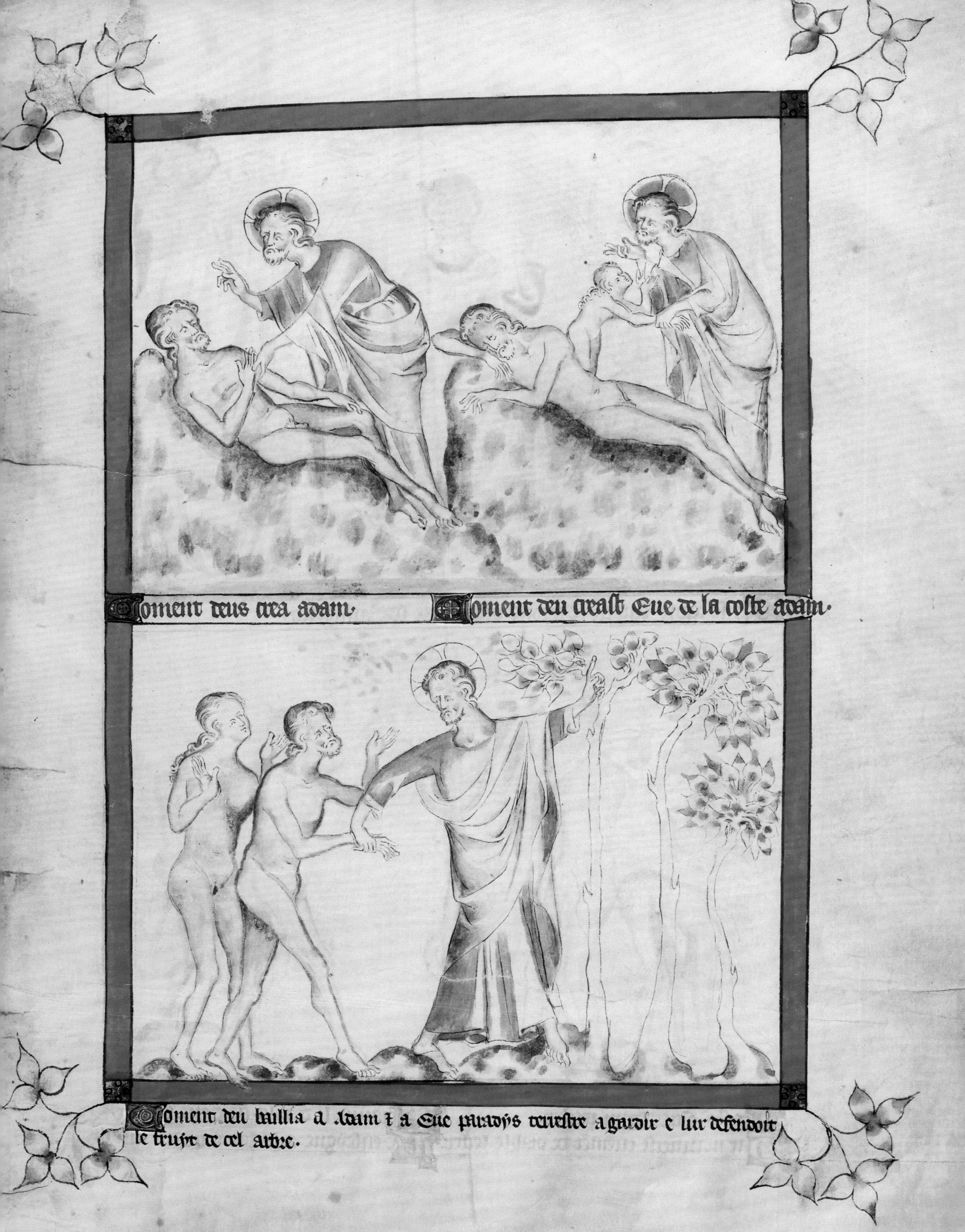
Coment deus crea adam.
Coment deu creast Eue de la coste adam.
Coment deu baillia a Adam ꝛ a Eue paradys terrestre a gardir e lur defendoit
le fruyt de cel arbre.

Vorige pagina's

30.4–30.5 | **Christus onderwijst in de tempel, met de dwaas in de initiaal 'D'(*ixit*) onder, aan het begin van Psalm 52; en (ertegenover) het kind Jezus debatteert met de schriftgeleerden en farizeeërs in de tempel, met een scène van een jachtpartij en valkenjacht (marges onderaan); ff. 150v-151.**

Tegenover

30.6 | **De schepping van Adam en Eva, en de waarschuwing niet van de boom der kennis te eten, f. 3.**

Onder de gekaderde tekeningen staan titels in het Frans, waarvan de meeste kort en bondig zijn. Onder de afbeelding van God die Adam en Eva schept (ill. 30.6) bijvoorbeeld, luidt de titel *Coment deus crea adam* ('Hoe God Adam schiep'), en *Coment deu creast Eve de la coste adam* ('Hoe God Eva schiep uit de zijde van Adam').

De hoofdverdelingen van de Psalmen worden geïllustreerd met een heel andere techniek, met op bladgoud gehistorieerde initialen in kleur of een heldere achtergrond met patronen. Zoals in veel Engelse psalters worden de acht liturgische verdelingen gecombineerd met de 'drievoudige verdelingen' om zo tien verdelingen te krijgen, waarvan elk begint met een grote geïllumineerde initiaal (Psalm 1 is deel van beide systemen).[2] De onderwerpen van deze gehistorieerde initialen werden door de jaren heen gestandaardiseerd en hadden over het algemeen te maken met het leven van David, met de eerste regels van de tekst zelf of met het hoofdstuk of de titel van de psalm. Dus in de initiaal voor Psalm 52, die begint met *Dixit insipiens in corde suo non est Deum* ('De dwaas zei in zijn hart: er is geen God'), wijst een zittende koning, waarschijnlijk David, vergezeld van zijn nar of dwaas, naar God in een wolk erboven (ill. 30.4).

Het psalter heeft ook een grote volledig geschilderde cyclus van het leven van Christus. De serie begint bij Psalm 1 met de annunciatie, de visitatie en de geboorte waarna het doorgaat met de gebeden en de litanie, en eindigt met heiligen die een afbeelding van Christus aanbidden. Een nog uitgebreidere cyclus van figuratieve decoratie is te zien in de onderste marge, of bas-de-page, onder de tekst van het psalter en de daaropvolgende gebeden. Deze zijn zoals de inleidende cyclus uitgevoerd met getinte tekeningen. De afbeeldingen beginnen op de tweede tekstpagina van de Psalmen, en gaan 464 pagina's lang door naar het slot van de litanie. De onderwerpen zijn zoals we mogen verwachten van zo'n enorme verzameling, uitermate gevarieerd hoewel vele in groepen staan. Wonderen van de Maagd verschijnen van Psalm 90 tot 108, onmiddellijk gevolgd door afbeeldingen van heilige martelaren in de volgorde van de kalender. Ze beginnen bij de eerste martelaar, Stefanus (ill. 30.2-30.3), gevolgd door een lange cyclus van het leven van Thomas Becket en Maria Magdalena. Maar andere onderwerpen zijn 'diverser en zonder verband', zoals de scènes van een jachtpartij en een valkenjacht direct onder het begin van Psalm 52 (ill. 30.4-30.5).[3] Gezamenlijk scheppen de verbazingwekkende omvang en schoonheid van de tekeningen en schilderwerken een ontroerende voorstellingswereld, zowel heilig als werelds.

Noten

1. Zie C. M. Kauffmann, *Biblical Imagery in Medieval England, 700–1550* (Londen, 2003), p. 215.
2. Vergelijk het Vespasiaanse Psalter en het Tiberius Psalter no. 3 en 13.
3. Warner, *Queen Mary's Psalter* (1912), p. 39.

Literatuur

George Warner, *Queen Mary's Psalter: Miniatures and Drawings by an English Artist of the 14th Century, Reproduced from Royal MS. 2 B. VII in the British Museum* (Londen, 1912).

Lucy Freeman Sandler, *Gothic Manuscripts, 1285–1385*, 2 dln., A Survey of Manuscripts Illuminated in the British Isles, 5 (Londen, 1986), I, pp. 16–19, 25, 30–34, 38; II, no. 56.

Kathryn A. Smith, 'History, Typology and Homily: The Joseph Cycle in the Queen Mary Psalter', *Gesta*, 32 (1993), 147–159 (ill. 1, 5–8).

Anne Rudloff Stanton, 'The Queen Mary Psalter: A Study of Affect and Audience', *Transactions of the American Philosophical Society*, nieuwe serie, 91 (2001), 1–287.

31

DE WELLES APOCALYPS

Openbaring in het Frans

Openbaring, met commentaar in het Frans, gebonden door Peter van Peckham, *La lumere as lais*. Engeland, ca. 1310.

- 450 × 300 mm
- ff. 215
- Royal 15 D. ii

In de Engelse Apocalyps-traditie valt de Welles Apocalyps op door zijn afmeting, het is 'uitzonderlijk groot' (bijna twee keer zo groot als een modern A3 boek).[1] Inderdaad, het formaat geeft aan dat het boek, net zoals andere grote Romaanse bijbels, waarschijnlijk is gemaakt om op een kansel te leggen, zodat de tekst hardop kon worden voorgelezen.

De meeste Engelse apocalypsen werden vervaardigd in de tweede helft van de dertiende eeuw, maar dit visionaire nieuwtestamentische boek bleef populair tot in de veertiende eeuw. Deze latere Engelse boeken werden voornamelijk in Anglo-Normandisch geschreven in plaats van in Latijn. Daardoor waren ze toegankelijk voor een aristocratisch publiek dat nog steeds streefde naar Franse geletterdheid. Dit manuscript staat nu bekend als de Welles Apocalyps omdat het deel uitmaakte van een verzameling boeken van Lionel de Welles (1406-1461).

Misschien speelde 'een religieuze gelijke' van wereldse geïllustreerde verhalen, zoals Arthur- en andere ridderromans, een rol in de aantrekkingskracht van deze geïllustreerde apocalypsen.[2] Van de 25 geïllumineerde apocalypsen die van 1275 tot 1350 in Engeland zijn gemaakt, zijn twintig exemplaren in het Frans, ofwel in proza ofwel in versvorm.[3] Natuurlijk lenen de epische strijd en heroïsche gevechten die in de Bijbelse teksten worden beschreven, zoals de *grant bataille* in de hemel tussen Michaël en zijn engelen en *le dragun e ses aungeles* (de draak en zijn engelen) (Openbaring 12:7, ill. 31.1), zich voor dramatische illustraties. In de Welles Apocalyps geeft het gebruik van heldere primaire kleuren op een achtergrond met patronen en versimpelde presentaties van de afbeeldingen, zoals het dominante beest met zijn zeven geschubde koppen (*k[i] aveit set testes*, ill. 31.4) dat uit de zee oprijst (*une beste mounter de la mer*), de indruk dat het gaat om een roman.

De illustraties van de Welles Apocalyps zijn van een hoge kwaliteit met een overvloed aan volledig geschilderde miniaturen van de tekst en intrigerende initialen met hoofden van mannen en vrouwen (ill. 31.3). Een van de twee paginagrote miniaturen (ill. 31.2) toont een deur die in

31.1 | De grote strijd in de hemel tussen Michaël en de draak (Openbaring 12:7), f. 154v (detail).

Ommezijde

31.2–31.3 | 'Christus in majesteit', met de 24 oudsten, en de vier levende wezens in de hoeken, en (onder) Johannes klimt op een ladder naar de hemel (Openbaring 4:1-6); en (ertegenover) de hoofden van een vrouw en een man in de initialen, ff. 117v-118.

Etel taunt de iurs ki amuntunt a treis
aunz . e . demi . ke . antecrist regne . Ceo
est tuz les iurs de ceste vie . kar taunt
dure la guere au diable

E grant bataille est fet au ciel .
Michael . e . ses aungles se cumba
tent encountre le dragun . e . ses aunge
les . E . li dragun . e . ses aungeles ne li

Apres ceest uist seint iohan.
Cestes uous le us ouert du
ciel. e. la uoice premere. k il
oi ausi cume de busine
lui dit. Muntez ca. ieo uous mustrai les
choses k uendrunt tost apres ceste uie. e.
tautost fu en espirit. Si cum uous poez ueer
en la procheine figure sauz une del au
tre part la foille deuaunt.

Estes uous un siege mis en ciel.
e. sur le siege un seaunt. e.
li sire. k i seiet resemblout
a regarder cum pere de iaspe
e. sardine. e. le arck du ciel fu en uiroun
le siege. k resemblout auer semblaunce
cum esmeraude.

Ceo. k. seint iohan
ueit le us ouert du ciel.
signefie. k lui bon prelat

xiij.

E ieo ui une beste mounter de la
mer. ke auent. set testes. e. dis coro
nes. e. sur les testes nouns de blastenge.
e. la beste resemblent leopard. e. auent
pez de urs. e. sa buche sicum buche de le
oun. e. li dragun li dona sa uertu. e. sa
graunt puissaunce.

Cel dragun signefie le di
able. ke prent compaig
nie des princes del mun
de. e. de eus efforce sa ba
taille [illegible]

31.4 | **Het beest met zeven koppen (Openbaring 13:1), f. 157v (detail).**

de hemel wordt geopend. De uitleg is geplaatst op de tegenoverliggende pagina: *Apres cest vist seint ioh[a]n. E estes vo[s] le us overt du ciel* ('Hierna keek Johannes op, en zie daar, de open deur van de hemel'). Johannes klimt een ladder op en reikt naar een engel die zegt: 'Dan laat ik je zien wat er hierna gebeuren moet' (Openbaring 4:1). Boven hem staat zijn visioen van 'Christus in majesteit' op een troon, omringd door de 24 oudsten en vier levende wezens, hier afgebeeld als 'die van voren en van achteren een en al oog waren' (Openbaring 4:1-7).

De aanspreekvorm van het begeleidende vers is veranderd van de eerste persoon, zoals in de Vulgaat, naar de derde persoon. Dat kan een aanwijzing zijn dat de tekst bij het tonen van de afbeeldingen hardop werd voorgelezen. Na deze verandering van de Bijbelse tekst is er nog een regel toegevoegd die de aandacht naar de tegenoverliggende afbeelding trekt: *Si cu[m] vo[us] poez veer en la procheine figure sau[n]z une del autre part la foille devau[n]t* ('Zoals u kunt zien op de volgende afbeelding hier aanwezig op het andere deel van de tegenoverliggende blad'). Deze instructie komt alleen in het Welles-manuscript voor. Nog niet zo lang geleden werd gesuggereerd dat het was bedoeld voor de jonge vrouw die in de begeleidende initiaal staat. Ze kijkt rechtstreeks naar de afbeelding als het boek is gesloten.[4] De richting van haar blik kan ook de rol van de afbeeldingen benadrukken als het belangrijkste element van de Apocalypsteksten in de landstaal.

Drie van de oude veertiende-eeuwse geïllumineerde apocalypsen in het Frans, inclusief de Welles Apocalyps, zijn samengebonden met een lange handleiding met religieuze instructies in coupletten op rijm, geschreven door een Engelsman, Peter van Fetcham (Peckham) (bloeitijd 1267-1276), de *Lumere as lais*, of *Lamp* [of *Candle*] *for the Laity*. Een moderne commentator veroordeelde de *Lumere* als een 'saai werk dat zonder gevoel voor stijl is geschreven'.[5] Hoe dan ook, de titel maakt duidelijk dat de verhandeling was bedoeld voor een leek. Het feit dat dit werk samen met in de landstaal vertaalde apocalypsen verscheen, duidt aan dat ook die kunnen zijn gemaakt voor leken en niet voor geestelijken.

NOTEN

1. Sandler, '*Lumere as lais* and its Readers' (2012), pp. 80–81.
2. C. M. Kauffmann, *Biblical Imagery in Medieval England, 700–1550* (Londen, 2003), p. 166.
3. Morgan, 'Illuminated Apocalypses' (2005).
4. Sandler, '*Lumere as lais* and its Readers' (2012), pp. 89–90.
5. Legge, *Anglo-Norman Literature* (1963), p. 215.

LITERATUUR

M. Dominica Legge, *Anglo-Norman Literature and its Background* (Oxford, 1963), pp. 214–218.

Nigel J. Morgan, 'Illuminated Apocalypses of Mid-Thirteenth-Century England: Historical Context, Patronage and Readership', in *The Trinity Apocalypse (Trinity College Cambridge, ms R.16.2)*, red. David McKitterick (Londen, 2005), pp. 3–22.

Nigel Morgan, 'Latin and Vernacular Apocalypses', in *The New Cambridge History of the Bible*, 4 dln. (Cambridge, 2012–2015), II: *From 600 to 1450*, red. Richard Marsden en E. Ann Matter (2012), pp. 404–426.

Lucy Freeman Sandler, 'The Lumere as lais and its Readers: Pictorial Evidence from British Library ms Royal 15 D ii', in *Thresholds of Medieval Visual Culture: Liminal Spaces*, red. Elina Gertsman en Jill Stevenson (Woodbridge, 2012), pp. 73–94.

32

HET HOLKHAM BIJBELS PRENTENBOEK

De Bijbel in beeld

De Holkham Bijbel begint op een ongebruikelijke manier: een zittende kunstenaar kijkt over zijn schouder naar een staande man die is gekleed in de witte tuniek en zwarte mantel en *capuce* (of capuchon) van een dominicaner broeder (ill. 32.2).[1] De tekening is nu behoorlijk versleten, waarschijnlijk doordat het boek een tijd ongebonden is geweest, maar de woorden van beide mannen in rijmende coupletten op de tekstrollen naast hen zijn nog te lezen. De broeder, met nadruk gebarend, zegt tegen de kunstenaar dat hij 'het goed en nauwkeurig moet doen want het wordt getoond aan belangrijke mensen' (*Ore feres been e nettement kar mustre serra a riche gent*). De kunstenaar antwoordt: 'Inderdaad, dat zal ik zeker doen en, als God me in leven laat, zult u nooit meer een ander boek zoals dit zien' (*Si frai voyre e Deux me doynt vivere Nonkes ne veyses un autretel livere*). Bijna achthonderd jaar later blijft de grootspraak van de kunstenaar over het unieke van zijn werk onaangetast: niets overtreft het Holkham Bijbels prentenboek, met zijn combinatie van Bijbelse scènes uit het Oude en het Nieuwe Testament en verklarende tekst in rijm in het Frans en tekstrollen. Zoals moderne geleerden zeiden: 'dit is een vreemd en prachtig voorwerp.[2]

Het manuscript krijgt zijn bijnaam van Holkham Hall in Norfolk, waar de graven van Leicester het in hun collectie hadden, totdat het in 1952 in het bezit kwam van Engeland. Het boek beeldt niet de volledige Bijbel uit, maar slechts drie delen: het gedeelte van Genesis tot Noach (ff. 2-9), aangevuld met apocriefe versies van het leven van Christus (ff. 10-38) en Openbaring (ff. 39-42v). De verfijnde en gedetailleerde afbeeldingen domineren de tekst en waren eigenlijk als eerste voltooid; bij de normale productie van middeleeuwse boeken was dat andersom.[3] De ruimte die over was voor de titels, is relatief klein in vergelijking met de grootte van de afbeeldingen[4]; de woorden vallen vaak vreemd in de marges of onderaan de pagina's, en ze zijn ongelijk rondom de illustraties geschreven. Sommige afbeeldingen gaan verder in het tekstblok, zoals bij de boom der kennis in de voorstelling van de val en de verdrijving uit het paradijs (ill. 32.1).

De bijschriften bij de afbeeldingen in het eerste deel van het manuscript

Bijbels prentenboek, in het Frans. Londen, ca. 1320-1330.

- 285 × 210 mm
- ff. 42
- Additioneel 47682

32.1 | De val, en de verdrijving van Adam en Eva uit de tuin Eden, f. 4.

Eue tot au deble disaunt · Cet pomer icy le fruit portaunt
Si vous veez icy furet. En meme la gise a adam fet. Caunt estoit en cel monte. E ount adam + eue lesse. Vint le deable + a eue dist. Keest ceo q' deux vous defendist. le fruit q' est en ce pomer. Est tute sa force + son poer. Pren la pomme si la mangez E caunt
ke il seet vous sarez. Eue de ceu estoit tro feble. E meintenant ele cru le deble. Ele prist la pomme + la mordist. E adam de la meyn la prist. Un aungel tut meintenaunt vint
Ou une espeie tut a maint. hors de paradis les alla buter. Lur vie en secle laburer

Boven
32.2 | Een broeder en de kunstenaar in gesprek, aan het begin van het boek, f. 1 (detail).

Tegenover
32.3 | Johannes met zijn symbool van een adelaar, en (onder) de duivel en Christus, en de annunciatie, f. 11v.

Quide tu les almes
Que ira pas lungement
Ave maria gra plens dns tecu

veniſt
Coment un angel aparuth a pastureus ou ioye muth. Gl'a in excelsis chantant. E dist alez lo
er li tut pusant. veez la signe de grant poer. Alez tot ne fetes targer. li un a lautre grant poer
mettoit pur dire le chant q le angel chantoit. li un dist Glum glo ceo ne est rien Allums la
noun la saverums been.
Coment les pastureus de lur cheuerie. ffeseient ioye a la virge marie. E le chant q le
angel out chaunte. En le honour de la natiuite. Songen al le reid one stevene.
Also þe angel song þat cam fro heuene
Te deum & Gloria. la contenance veiez cea.
Gl'a in excelsis deo & in tra
Te deū laudamus

32.4 | **De aankondiging aan de herders, en (onder) de aanbidding van herders, f. 13.**

zijn bijna allemaal geschreven in versvorm in Anglo-Normandisch Frans (daarna veranderen ze in proza). Deze rijmende coupletten doen denken aan de rijmende dialogen van middeleeuwse mysteriespelen, die een paar dezelfde onderwerpen beschreven, waarbij de aandacht vooral lag op de jeugd van Christus en zijn lijden.[5] In sommige gevallen, zoals op de openingsafbeelding van de broeder en de kunstenaar, zijn de titels zelfs te zien als tekstrollen. Een ander voorbeeld is te zien aan het begin van de evangeliecyclus (ill. 32.3), waar de annunciatie wordt voorafgegaan door een ongebruikelijke dialoog tussen Christus en de duivel, waarin de komende gebeurtenissen worden voorspeld:

Satanas, quey pense tu fere?
Quide tu les almes tutes a tey trere?
I[l] ne ira pas lungement issy:
Le tens est venu que ieo en ara merci.

Satan, wat denk je te doen?
Wil je alle zielen naar je toe trekken?
Dat zal niet lang meer zo zijn:
De tijd is voor mij gekomen om genade te tonen.[6]

Net zoals in de spelen zijn een paar meer gebruikelijke verzen in Latijn geschreven in plaats van in het Frans. Bijvoorbeeld wanneer de engel Gabriël de Maagd begroet: *Ave maria gr[ati]a plen[a]s [sic] d[omi]n[u]s tecu[m]* ('Gegroet Maria, vol van genade, de Heer is met u'), en haar antwoord, beide geschreven in rood (ill. 32.3). De andere taal in het boek is Middelengels (ill. 32.4). De tekst vertelt dat toen de herders hoorden van de geboorte van Christus ze hun doedelzak bespeelden en dat ze 'met één stem ook het engelenlied zongen dat uit de hemel kwam' (*Songen alle wid one stevene Also te angel song tat cam fro hevene*), hoewel hun tekstrollen het Gloria in Latijn weergeven. De meertalige aard van de tekst duidt de drietalige realiteit van middeleeuws Engeland aan. Net zoals andere grote boeken in de landstaal werden gedomineerd door hun afbeeldingen, en vooral die in versvorm, kan het Holkham Bijbels prentenboek door een geestelijke zijn getoond, gelezen of bekendgemaakt (*serra mustre*) aan een publiek dat bestond uit belangrijke, invloedrijke of machtige mensen (*riche gent*), precies zoals op de openingsafbeelding al wordt gedacht.

NOTEN

1 Voor broeders zie de Bolognezer Bijbel, no. 28.
2 M. Dominica Legge, *Anglo-Norman Literature and its Background* (Oxford, 1963), p. 241.
3 Als in de Harley *Bible moralisée*, no. 26.
4 Vergelijk de Engelse Apocalyps, no. 27, waar de ruimte voor Bijbelse tekst en illustratie gelijk zijn verdeeld.
5 Zie de discussie in Kauffmann, *Biblical Imagery* (2003).
6 Engelse vertaling door Brown in *Holkham Bible* (2007), p. 44.

LITERATUUR

The Holkham Bible Picture Book, red. William Hassall (Londen, 1954).

The Anglo-Norman Text of the Holkham Bible Picture Book, red. F.P. Pickering, Anglo-Norman Texts, 23 (Oxford, 1971).

C.M. Kauffmann, *Biblical Imagery in Medieval England, 700–1550* (Londen, 2003), pp. 225, 231–242.

The Holkham Bible Picture Book: A Facsimile, commentaar door Michelle Brown (Londen, 2007).

John Lowden, 'The Holkham Bible Picture Book and the Bible moralisee', in *The Medieval Book: Glosses from Friends and Colleagues of Christopher de Hamel*, red. James H. Marrow, Richard A. Linenthal en William Noel (Houten, 2010), pp. 75–83.

33

HET SINT OMER PSALTER

Luisterrijk marginaal beeldwerk

Psalter, in Latijn.
Norfolk, ca. 1330 (met latere toevoegingen).

- 335 × 225 mm
- ff. 175
- Yates Thompson 14

Dit psalter, dat werd gemaakt voor een ridder van de Omer-familie van Mulbarton, ongeveer tien kilometer ten zuidwesten van Norwich, werd 'een van de laatste meesterwerken van Oost-Anglische illuminatie' genoemd.[1] De vier grote openingspagina's, voltooid in het tweede kwart van de veertiende eeuw, geven een idee van de rijkdom en complexiteit van de decoratie, die was gepland voor alle liturgische verdelingen van het psalter. (De andere delen van de decoratie werden pas in de eeuw daarop voltooid.) Elke afbeelding is ongelooflijk gedetailleerd, vooral in de marginale voorstelling die de pagina vult met diverse scènes. Het manuscript maakt deel uit van een paar uitzonderlijk oude veertiende-eeuwse Engelse psalters die in verband worden gebracht met beschermheren in East Anglia (andere zijn het Gorleston en het Douai Psalter – beide bevatten de in goudinkt geschreven inwijding van de st. Andrew-kerk, Gorleston, vlak bij Yarmouth – en het Macclesfield Psalter, ongeveer tien jaar geleden ontdekt in de bibliotheek van de graven van Macclesfield in Shirburn Castle).[2] Deze boeken worden gekenmerkt door een herkenbare Engelse schilderstijl en tonen de blijvende Engelse interesse in psalters in een tijd dat in andere delen van Noord-Europa getijdenboeken populairder waren dan boeken gericht op devotie.[3]

De openingspagina *Beatus*, die het begin van de Psalmen decoreert en illustreert, is een voorbeeld van de buitengewone complexiteit van de decoratie in het boek (ill. 33.1, 33.3). Prachtig geschilderde verfijnde figuren, dieren en gebladerte omringen de tekst. De binnenkant van de gehistorieerde initiaal 'B' is opmerkelijk gedetailleerd, met een slapende Isaï en een tak die uit zijn bovenlichaam groeit; de tak verspreidt zich in medaillons van David met zijn harp, Salomo met een zwaard en, bovenaan, de Maagd die wordt gekroond door het Kind (ill. 33.1).[4] Aan elke kant staan de aartsvaders (rechts een gehoornde Mozes met de stenen tafels van de wet), profeten die tekstrollen vasthouden, en engelen, met musici die in de buitenste delen van de letter muziekinstrumenten bespelen. De iconografie van de Isaï-stronk komt uit Jesaja's profetie 'uit de stronk van Isaï schiet een telg op, een scheut van zijn wortels komt tot bloei' (*egredietur virga de radice Iesse et*

33.1 | De stronk van Isaï, in de initiaal 'B'(*eatus*), aan het begin van de Psalmen, f. 7 (detail).

dra pestilencie non sedit.
Sed in lege domini uoluntas

flos de radice eius ascendet, Jesaja 11:1), waarin de *virga* of scheut wordt geïnterpreteerd als een verwijzing naar de *virgo*, of Maagd. Dat de stronk van Isaï is opgenomen in de Psalmen is een interessante exegetische keus omdat dit beeld meer hoort bij het evangelie van Matteüs, dat begint met de stamboom van Christus, zoals in de Bolognezer Bijbel (zie ill. 28.3). In de psalters uit East Anglia is het een innovatieve manier om David in gezelschap van musici als de psalmist te kenschetsen in een bredere context van een christologische interpretatie van de Psalmen.[5]

33.2 | Het laatste oordeel, in de initiaal 'D'(*ixit*), en in de marges (vanaf de onderste linkerhoek) het verraad, de geseling, Christus draagt het kruis, de kruisiging, de graflegging, de verrijzenis, de drie vrouwen bij het graf, Hemelvaart en Pinksteren, aan het begin van Psalm 109, f. 120.

De negen grote medaillons die hun verhaal beginnen in de linkerhoek en doorgaan tot in de rechtermarge, geven een samenvatting van Bijbelse geschiedenis zoals die is beschreven in het boek Genesis, van de schepping tot de dronkenschap van Noach (ill. 33.3). Deze scènes zijn nog meer versterkt door eromheen geplaatste kleinere medaillons en hun overvloed aan details roept veel gevoel op. Deze overvloed aan afbeeldingen is een voorbeeld van wat een geleerde noemde 'een totaal nieuw systeem van boekilluminatie waarin dicht opeengepakte verhalende illustraties in de onderste marge werden gedrukt'[6], en dat zich aan het eind van de dertiende eeuw in de Engelse kunst ontwikkelde.

De mecenas zelf is met zijn vrouw in deze marges afgebeeld. Ze verschijnen in het midden van de onderste marge boven de centrale as van de boom der kennis, met aan elke kant een afbeelding van de waarschuwing en de val. Het wapen op het schild en gewaad van de man zijn die van Omer, en daarom is hij misschien sir William van St. Omer († na 1347). We kunnen ons sir William en zijn vrouw voorstellen als ze hun psalter openen en zichzelf knielend zien, opkijkend naar het verhaal over de daden van de gezegende man te midden van verschillende visuele herinneringen aan de schepping en verlossing van de mensheid.

Deze iconografische elegantie is aanwezig in de initialen en marges van de andere originele schilderwerken. Bijvoorbeeld, de 'D'(*ixit*) van de eerste letter van Psalm 109 ('De Heer zei tegen mijn Heer') is een afbeelding van Christus bij het laatste oordeel terwijl hij zijn wonden laat zien, met engelen die op trompetten blazen en de naakte doden die uit hun doodskisten verrijzen (ill. 33.2). De marginale medaillons voor deze psalm beelden het lijden en latere gebeurtenissen uit, van het verraad in de linkerhoek onderaan tot Pinksteren in de rechterhoek bovenaan; de tweede 'Heer' wordt geïnterpreteerd als een verwijzing naar Christus. Daarom zijn veel afbeeldingen in en om deze belangrijke verdelingen van het Omer Psalter een visueel commentaar op de tekst, en brengen ze vooral de psalmen typologisch op één lijn met het Nieuwe Testament.

Literatuur

Lucy Freeman Sandler, *Gothic Manuscripts*, 1285–1385, 2 dln., A Survey of Manuscripts Illuminated in the British Isles, 5 (Londen, 1986), II, no. 104.

C.M. Kauffmann, *Biblical Imagery in Medieval England, 700–1500* (London, 2003), pp. 212–214.

Stella Panayotova, 'The St Omer Psalter', in Scot McKendrick, John Lowden en Kathleen Doyle, *Royal Manuscripts: The Genius of Illumination* (Londen, 2011), no. 33.

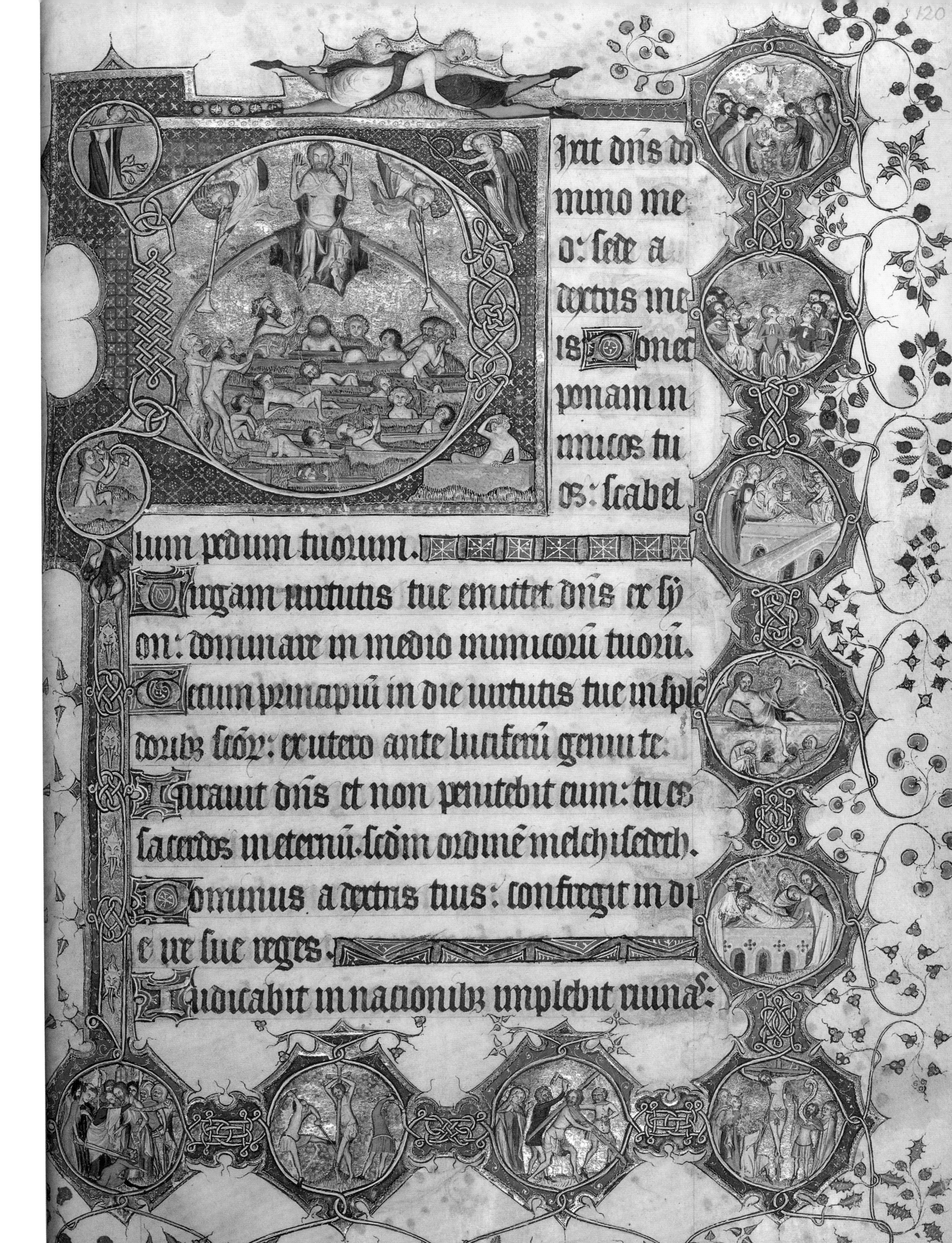

120

ixit dñs do
mino me
o: sede a
dextris me
is. Donec
ponam in
imicos tu
os: scabel
lum pedum tuorum.
Virgam virtutis tue emittet dñs ex sy
on: dominare in medio inimicorũ tuorũ.
Tecum principiũ in die virtutis tue in sple
doribz scõr: ex utero ante luciferũ genui te.
Iuravit dñs et non penitebit eum: tu es
sacerdos in eternũ. scdm ordinẽ melchisedech.
Dominus a dextris tuis: confregit in di
e ire sue reges.
Iudicabit in nacionibz implebit ruinas:

tum suum dabit in tempore suo.
Et folium eius non defluet: et omnia q̄
cumq; faciet prosperabuntur.
Non sic impii non sic: sed tamquam pul
uis quem proicit uentus a facie terre.

33.3 | In de medaillons van links naar rechts: de schepping; de val van de opstandige engelen en de schepping van Eva; de waarschuwing en de val; de verdrijving uit het paradijs; Adam bewerkt de grond, Eva spint, het offer van Kaïn en Abel en de moord op Abel; Lamech doodt Kaïn en de dood van Jabal, aan het begin van de Psalmen; f. 7 (detail).

NOTEN

1 Richard Marks en Nigel Morgan, *The Golden Age of English Manuscript Painting, 1200–1500* (Londen, 1981), p. 80.

2 Additioneel 49622; Douai, Bibliothèque municipale, MS 171; Cambridge, Fitzwilliam Museum, MS 1–2005.

3 Voor een ander voorbeeld zie het Queen Mary Psalter, no. 30.

4 Voor een andere stronk van Isaï in een psalter zie het Winchester Psalter, ill. 20.1.

5 Vergelijk David als de psalmist in het Vespasiaanse Psalter, ill. 3.1, het Lotharius Psalter, ill. 7.2 en het Melisende-Psalter, ill. 19.2.

6 Kauffmann, *Biblical Imagery* (2003), p. 212.

34

DE BIJBEL VAN CLEMENS VII

Een pauselijke bijbel

Bijbel, in Latijn.
Napels, ca. 1330-1340 (met latere toevoegingen)

- 360 x 245 mm
- ff. 507
- Additioneel 47672

In de veertiende eeuw was Napels befaamd als belangrijk artistiek centrum. Tijdens de regeerperiode van Robert van Anjou (r. 1309-1343) trok de stad vooraanstaande kunstschilders aan, zoals Pietro Cavallini († na ca. 1330) uit Rome, Simone Martini († 1344) uit Siena en Giotto († 1337) uit Florence. Ook werd hier een rijkelijk geïllustreerde bijbel geproduceerd, bestemd voor een niet-geïdentificeerde beschermheer. Het boek dankt zijn huidige naam aan een latere eigenaar, de eerste tegenpaus, Clemens VII (r. 1378-1394), die zijn heraldieke wapens eraan heeft toegevoegd tijdens zijn verblijf in de Franse stad Avignon (ill. 34.1).

De bijbel van Clemens VII is een sprekend bewijs van hoezeer het huis Anjou in Napels en de pausen in Avignon rijke culturen omarmden. Deze *Biblia pulcra*, die in 1340 in pauselijk bezit kwam, staat qua schoonheid op eenzame hoogte. De kijker raakt nog steeds gefascineerd door de overvloedige illuminaties in deze kopie van de Latijnse Vulgaat. Op elke pagina versieren rijke kleuren en goud de prachtig geschreven tekst, die wordt benadrukt door geschilderde initialen en spijlkaders van bloeiend gebladerte, waarschijnlijk in navolging van oudere voorbeelden uit Salerno. Elke belangrijke verdeling van de tekst wordt verlucht door een gehistorieerde initiaal, net als verscheidene scènes aan het begin van veel Bijbelboeken. Marginale miniaturen leggen de nadruk op het begin van elk Bijbelboek en bij een paar, vooral bij Daniël, Handelingen en Openbaring, wordt het verhaal vervolgd op de pagina's erna (in deze drie boeken, respectievelijk zeven, zes en elf pagina's; ill. 34.1-34.7). De eerste paar marginale illustraties van het boek staan in medaillons, zoals in oudere Bolognezer bijbels[1], maar de rest is rechthoekig en opvallend gekaderd door uitbreidingen in de spijlranden.

Hoewel veel illustraties in de initialen en de randen relatief klein zijn, zijn ze bijzonder rijk aan figuratieve details en sfeervolle omgeving. De zeven geïllustreerde panelen aan het begin van Ruth bijvoorbeeld vestigen de aandacht op de belangrijkste momenten van de eerste en laatste hoofdstukken van het boek (ill. 34.1). Om het verhaal zo volledig mogelijk te vertellen beeldt de illuminator soms opeenvolgende scènes af binnen een enkel

34.1 | In de initiaal 'I'(*n*): Noömi, Elimelech en hun twee zonen reizen naar Moab; Elimelech wordt begraven; Noömi's zoon trouwt met Ruth en Orpa; en Noömi's zonen worden begraven (Ruth 1:1-5). In de onderste marge: Noömi zegt vaarwel tegen Orpa en Orpa keert terug, terwijl Ruth en Noömi naar Bethlehem gaan (Ruth 1:6-19); de wapens van Clemens VII; Boaz trouwt met Ruth; en Ruth bevalt van Obed (Ruth 4:9-17). Aan het begin van het boek Ruth, f. 93 (detail).

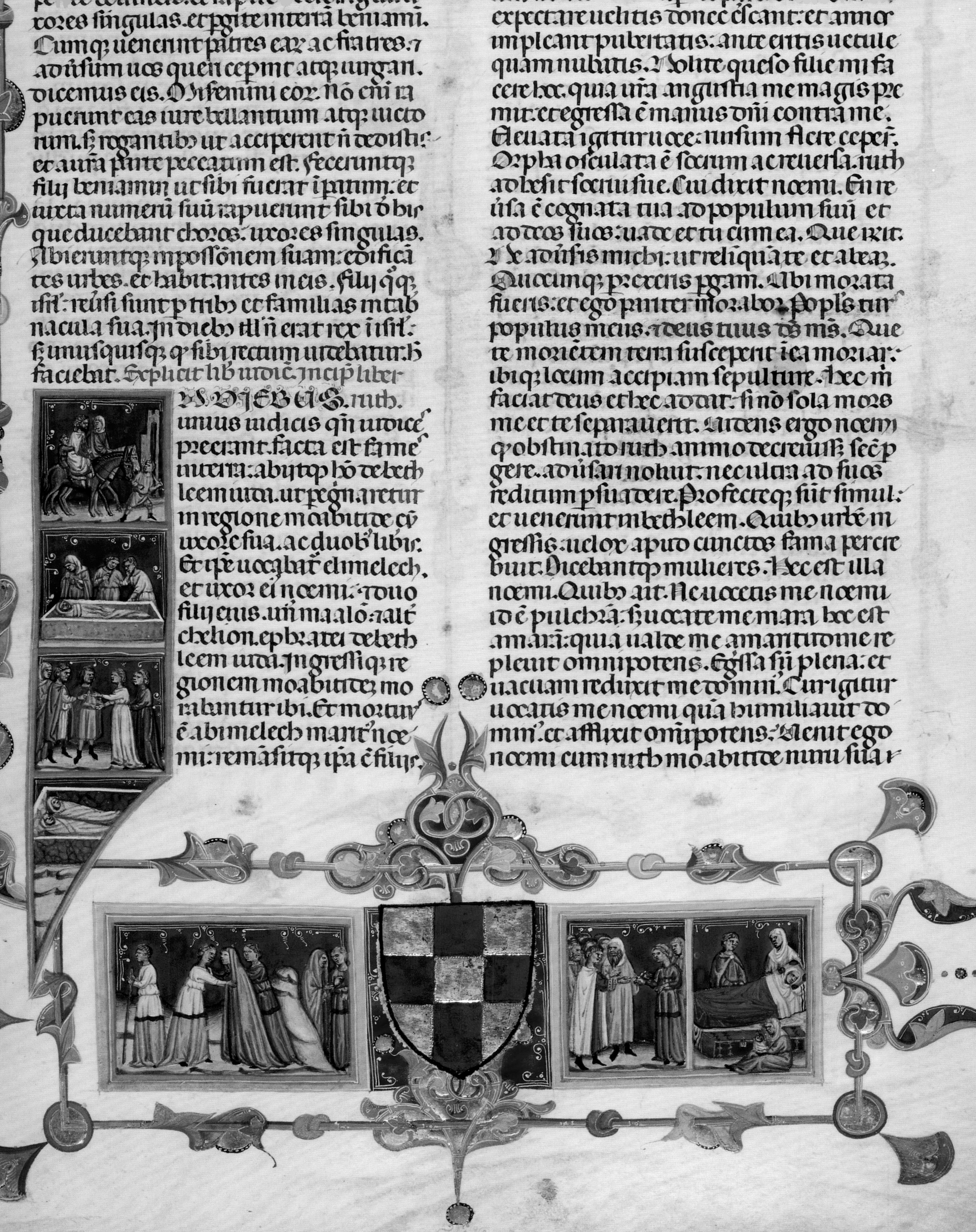

qui ...
plectetur natos tuos usque dum venio:
et predica illis: quoniam exuberant fontes mei
et gratia mea non deficiet. Ego esdras precep
tum accepi a domino in monte Oreb. ut
irem ad israel. ad quos cum venirem, reproba
verunt me. et respuerunt mandatum domini. J
deo vobis dico gentes que auditis et intel
ligitis. Expectate pastorem vestrum. requiem
eternitatis dabit vobis: quoniam in proximo est:
ille qui in fine seculi adveniet. Parati e
stote ad premia regni. quia lux perpetua lu
cebit vobis per eternitatem temporis. Fugite u
mbram seculi huius. Accipite iocunditatem
glorie vestre. ego testor palam salvatorem me
um. Commendatum domini accipite. et iocundami
ni gratias agentes ei qui vos ad celestia re
gna vocavit. Surgite et state et videte nu
merum signatorum in convivio domini. qui se
de umbra seculi transtulerunt splendidas
tunicas acceperunt a domino. Recipe syon nume
rum tuum. et conclude candidatos tuos qui le
gem domini compleverunt. Filiorum tuorum quos
optabas. plenus est numerus. Roga imperium do
mini ut sanctificetur populus tuus qui vocatus est
ab initio. Ego esdras vidi in monte syon tur
bam magnam quam numerare non potui: et omnes
canticis collaudabant dominum. Et in medio
eorum erat iuvenis statura celsus e
minentior omnibus illis. et singulis eorum
capitibus imponebat coronas et magis ex
altabantur. Ego autem miraculo tenebar.
Tunc interrogavi angelum et dixi. Qui s
unt hi domine. Qui respondens dixit mihi. Hi sunt qui mor
talem tunicam deposuerunt et immortalem

sitero vestro. non tamen meo studio. Ar
guunt enim nos hebreorum studia: et im
putant nobis contra suum canonem latinis
auribus ista transferre. Sed melius esse iudi
cans phariseorum displicere iudicio. et
episcoporum iussionibus deservire: institi ut potui.
Et quia vicina est chaldeorum lingua sermoni
hebraico utriusque lingue peritissimum lo
quacem repperiens. unius diei laborem arripui.
et quicquid michi ille hebraice verbis
expressit. hoc ego accito notario. sermoni
bus latinis exposui. Orationibus vestris m
ercedem huius operis compensabo: cum gratum
vobis didicero me que iubere estis dignati
complesse. Explicit prologus. Incipit liber
tobie.

TOBIAS ex tribu et ci
vitate nep
talim que est
in superioribus
galilee super
naason post viam
que ducit ad
occidentem in
sinistro habens
civitatem sephet. cum captus esset in diebus
salmanassar regis assyriorum in captivi
tate tamen positus. viam veritatis non de
seruit ita ut omnia que habere poterat coti
die concaptivis fratribus qui erant ex eius
genere impartiret. Cumque esset iunior omnibus
in tribu neptalim: nichil tamen puerile
gessit in opere. Denique cum irent omnes ad idola

Tegenover

34.2 | In de initiaal 'T'(*obias*), Tobit is blind geworden (Tobit 2:10-11). In de onderste marge: Tobias verlaat zijn vader en moeder, vergezeld van Rafaël (Tobit 5:22-28); Tobias vangt een grote vis (Tobit 6:1-4) en Tobias gaat terug naar huis, vergezeld van zijn vrouw Sara en Rafaël. Hij geneest de blindheid van Tobit met vissengal (Tobit 11:10-18). Aan het begin van het boek Tobit, f. 187 (detail).

Bovenaan

34.3 | Jesaja ziet de troon van God (Jesaja 6:1-3), ontvangt een groot schrijftablet van God (Jesaja 8:1), en voorziet de geboorte van Christus (Jesaja 7:14, 9:6-7, 11:1-2), f. 267 (detail).

Boven

34.4 | Daniël interpreteert Nebukadnessars visioen van de boom die beschutting en steun biedt aan verschillende wezens (Daniël 4:4-26), f. 332v (detail).

Ommezijde

34.5 | Een engel laat Johannes de val van Babylon en haar koningin zien; koningen en handelaren jammeren en treuren om haar, en de engel gooit een grote steen in de zee (Openbaring 18:1-24), f. 472 (detail).

opa eius. In poculo quo miscuit uobis
miscete illi duplum. Quantum glorificauit
se ⁊ in delicijs fuit: tantum date illi tormentum
et luctum. Quia in corde suo dicit. Sedeo
ut regina et uidua non sum. ⁊ luctum
non uideo. ⁊ ideo in una die uenient
plage eius. mors. ⁊ luctus. ⁊ fames. et i
gni comburetur. quia fortis ē ds qui iu
dicabit illam. Et flebunt ⁊ plangent se
sup illam reges terre qui cum illa for
nicati sunt ⁊ in delicijs uixerunt. cum
uiderint fumũ incendii eius longe stan

i. et misit in mare dicens.
ctu mittetur babilon illa ci
gna et ultra iam non inue
t uox citharedor et musicor
anentium et tuba non au
ea amplius . et omnis ar
erit in ea quia ars non in
in ea amplius . et uox mo
udietur amplius . et lux lu
n lucebit in ea amplius .
onsi et sponse non audiet
te amplius . Quia merca

paneel. Omdat hij elke verwarring bij het lezen van de vijfde afbeelding (links van het schild) wil voorkomen, maakt hij duidelijk onderscheid door Orpa, Noömi en Ruth consequent in dezelfde kleur kleding af te beelden. Ook de vier scènes die zijn gekozen voor het begin van het apocriefe boek Tobit, zijn vakkundig gestructureerd (ill. 34.2). Het begin van het verhaal, de blindheid van Tobit, wordt benadrukt in de ruime openingsinitiaal. In de marge eronder zijn Tobias' vertrek en terugkeer met de engel Rafaël een kader voor de belangrijke scène waarin Tobias de vis vangt die de blindheid van zijn vader zal kunnen genezen.

Ook de visioenen van Jesaja, Nebukadnessar en Johannes zijn indringend door het gevoel voor detail en verwondering over deze gebeurtenissen die erin naar voren komen (ill. 34.3, 34.5). Een intens blauwe achtergrond, de algehele helderheid van de kleuren en speciale aandacht voor realistische details geven de onderwerpen diepgang en benadrukken het visionaire karakter van Jesaja's woorden (ill. 34.3). De boom uit Nebukadnessars droom is een prachtige maar donkere aanwezigheid en domineert op een van de elf illustraties in Daniël (ill. 34.4). Het spectaculairst is de reeks van twintig afbeeldingen die is ontworpen voor het boek Openbaring. In elke kleine ruimte heeft de kunstenaar veel figuren geplaatst en hij is er goed in geslaagd om een groot deel van de voorstellingswereld van Johannes' visioen weer te geven (ill. 34.6-34.7). Hoewel er geen andere illuminaties zijn toegeschreven aan de schilder

34.6 | In zijn visioen ziet Johannes (onder) het lam, aanbeden door de oudsten, de vier levende wezens en ontelbare engelen pakken het verzegelde boek van de Ene die op de troon zit (Openbaring 5:6-14); en (rechts) het lam, aanbeden door de oudsten, opent het boek, verbreekt de zegels en laat daarmee de vier ruiters en de zielen van degenen die zijn gedood vanwege hun getuigenis van God vrij (Openbaring 6:1-10), f. 469 (detail).

34.7 | **Johannes ziet het heilige Jeruzalem, 'versierd met een schittering als van een edelsteen' (Openbaring 21:9-27), f. 473 (detail).**

die verantwoordelijk is voor deze miniatuur meesterwerkjes, denkt men dat de kunstzinnige stijl van Pietro Cavallini als voorbeeld heeft gediend. Zijn opmerkelijke schilderij van het laatste oordeel is nog steeds in oorspronkelijke staat aanwezig in de Basiliek van Santa Cecilia in Trastevere, in Rome.

De bijbel van Clemens VII maakte tientallen jaren deel uit van de pauselijke collecties. Na de dood van Raymond de Gramat, abt van Monte Cassino, is het boek in 1340 in beslag was genomen door Benedictus XII (r. 1334-1342), en het bleef in Avignon totdat Benedictus XIII (r. 1394-1422) zich begin vijftiende eeuw terugtrok ten zuiden van Peñiscola aan de oostkust van Spanje. Waarschijnlijk is het daarna in Aragon gebleven en gaf Clemens VIII (r. 1423-1429) het aan koning Alfons V (r. 1416-1458). Toen het boek in Avignon was, hebben Clemens VII of Benedictus XIII een vervangend blad aan het eind van Openbaring (ill. 34.5) laten toevoegen en verluchten. Het is bekend dat men tot in de zestiende eeuw verloren gegane geïllumineerde pagina's verving, wat bewijst dat de bijbel nog ten minste een eeuw werd gebruikt.

Literatuur

Andreas Bräm, *Neapolitanische Bilderbibeln des Trecento: Anjou-Buchmalerei von Robert dem Weisen bis zu Johanna I*, 2 dln. (Wiesbaden, 2007), I, vooral pp. 106–108, 406–407.

Cathleen A. Fleck, *The Clement Bible at the Medieval Courts of Naples and Avignon: A Story of Papal Power, Royal Prestige and Patronage* (Farnham, 2010).

Noten

1 Zie de Bolognezer Bijbel, no. 28.

35

HET TETRAEVANGELION VAN TSAAR IVAN ALEXANDER

Slavische wedijver van Byzantijnse pracht en praal

Vier evangeliën, in Slavisch of Bulgaar lettertype.
Tarnovo, 1355-1356.

- 335 × 240 mm
- ff. 286
- Additioneel 39627

De regeerperiode van Ivan Alexander (r. 1331-1371) was een hoogtepunt in de Bulgaarse culturele geschiedenis. Zijn kopie van de evangeliën, vertaald in de Slavische taal, is het vermaardste bewaard gebleven voorbeeld van Bulgaarse middeleeuwse kunst. De makers van dit boek, waarschijnlijk werkzaam in de hoofdstad Veliko Tarnovo, konden putten uit een lange traditie van Byzantijnse boekproductie en iets recentere Slavische uitvoeringen. Bovendien was er een nieuwe opleving van het tsarenbewind en men verdedigde de christelijke cultuur op de Balkan toen de macht van de Byzantijnse keizer wegebde en die van de Ottomaanse Turken groeide. Het boek was niet gemaakt om, zoals de schrijver Simeon het uitdrukte: 'gewoon mooi te zijn door zijn decoratie … maar vooral om het innerlijke goddelijke Woord, de openbaring en de heilige visie te verkondigen. Het bevat nu 367 'bezielende afbeeldingen van de Heer en Jezus'. Het manuscript, ooit aan de buitenkant rijkelijk gedecoreerd en gebonden in een zilveren boekband, werd waarschijnlijk op belangrijke feestdagen tijdens kerkdiensten in de aanwezigheid van de tsaar en zijn familie tentoongesteld. Bovendien was het bedoeld om hen na hun dood eeuwig te herdenken.

Aan het begin van het boek weerspiegelt een indrukwekkend twee pagina's groot portret, ontworpen in de traditie van Byzantijnse keizerlijke portretten, het artistieke erfgoed van zijn schepper en de keizerlijke ambities van de tsaar. Op deze afbeelding ontvangen tsaar Ivan Alexander en zijn familie Gods zegen. Op de rechterpagina (ill. 35.1) is de tsaar afgebeeld met keizerlijke regalia en wordt hij vergezeld door zijn tweede vrouw, Theodora, een bekeerde Jodin, en door hun twee zonen, Ivan Shisman (r. 1371-1395) en Ivan Asen († 1388?). Op de linkerpagina staan de drie dochters van de tsaar; de oudste, Kera Thamara, staat naast haar man, de despoot Constantijn. Ivan Alexander is ook afgebeeld in het gezelschap van de vier evangelisten aan het slot van hun evangelie (ill. 35.2). En hij staat tussen Abraham en de Maagd Maria op een grote illustratie van het laatste oordeel (ill. 35.3). Deze portretten geven de samenhang van de seculiere en religieuze rol van de tsaar weer.

35.1 | Tsaar Ivan Alexander, zijn vrouw en twee zonen, gezegend door God, f. 3.

Ommezijde (links)
35.2 | Christus stijgt op naar de hemel; zijn discipelen en de Maagd Maria kijken toe; en tsaar Ivan Alexander ontvangt de zegen van Marcus, aan het eind van het Marcusevangelie, f. 134v.

Ommezijde (rechts)
35.3 | Het laatste oordeel, met tsaar Ivan Alexander tussen de patriarch Abraham en de Maagd Maria (linksonder), in het Marcusevangelie, f. 124.

† Ѳеѡдра въ Х҃а Б҃а вѣрнаа
и новопросвѣщеннаа
ц҃рца и самодръжица
всѣмь
блъгаромь
и грькомь:
† Иѡанъ Алеѯандръ
въ Х҃а Б҃а вѣренъ ц҃рь
и самодръжецъ
всѣмь блъгаромь
и грькомь
Иѡ Шишманъ
ц҃рь с҃нъ
великаго ц҃ря Иѡ
Алеѯандра
Иѡанъ Асѣнъ
ц҃рь
с҃нъ
ц҃ревъ

на недѫжныѫ рѫкы възложѫтъ, и
здрави бѫдѫтъ · г҃ь же іс҃ по гл҃ании
ѥго ѥже къ нимъ · възнесе са на не
беса, и сѣде ѡ деснѫѫ б҃а · они же и
шедше проповѣдаахѫ
вьсѫдоу · г҃оу поспѣшь
ствоуѫщоу · и слово оутврь
ждаѫщоу · послѣствоуѫ
щими знамении, аминь:

Іѡ алеѯа
ст҃ы ма

и́ли о̀ часѣ · никтоже не вѣсть · ни а́гге
ли иже сѫть на нб҃сехъ · ни сн҃ъ тъ
кмо ѿц҃ъ · блюдѣте сѧ и бдите · и мо
ли́те сѧ · не вѣсте бо ѡ когда врѣмѧ прї
идеть :

ЄУАГГЕЛІЄ СТОГО МАТѲЕА

Книга родъства Іу Хва. сна
Двда. сна Авраамль. авраа
мъ роди Ісаака. Ісаакъ же роди
Іакова.

Поздѣ же бывшоу. прииде чл҃къ богатъ
ѿ аримаѳеꙗ. именемь іѡсифъ. иже
и тъ оучилъ сѧ бѣ оу ї҃са. съи приступи
къ пилатоу. проси тѣла ї҃сва. тогда
пилатъ повелѣ дати тѣло ї҃сво. и при
емъ тѣло іѡсифъ. обвитъ е плаща
ницеѭ чистоѭ. и положи е въ новѣмь
своемъ гробѣ. иже исѣче въ камени.

De Bijbelse tekst van het boek is net zo overvloedig gedecoreerd. Elk evangelie begint met een grote geïllumineerde titel met portretten van de evangelisten en profeten (ill. 35.4). Ongeveer honderd geïllumineerde miniaturen illustreren het leven en de leer van Christus, zoals verteld door elke evangelist, met de nadruk op zijn jeugd, de wonderen, de parabels en het lijden. Door het viervoudige verhaal van de evangeliën en de overvloed aan illuminaties zijn veel episoden een aantal keer geïllustreerd. De meeste scènes zijn relatief oppervlakkig, horizontaal uitgebeeld, maar soms bestaat een scène uit twee of drie gelijksoortige beeldverhalen die verticaal op de pagina zijn geplaatst (ill. 35.3, 35.5) of zijn ze beperkt tot een kleinere ruimte in het tekstblok. De meest gedetailleerde, zoals de geslachtslijst van Christus in Matteüs (ill. 35.6), laten zien dat de makers van het boek elke pagina zorgvuldig hebben gepland.

Geen enkele keuze was het oorspronkelijke idee van de schrijvers en kunstenaars van het boek van de tsaar, want het is duidelijk dat ze zijn gebaseerd op de illuminaties van een net zo'n buitengewoon Byzantijns manuscript (verdwenen). De miniaturen in een fries en de keuze van de onderwerpen komen het meest overeen met een opmerkelijk elfde-eeuws manuscript van de evangeliën, nu in Parijs, dat vermoedelijk voor keizer Isaäk I Komnenos (r. 1057-1059) was gemaakt in het Stoudiosklooster in Constantinopel.[1] Daarnaast is er nog een andere even oude Byzantijnse kopie van de evangeliën, nu in de Laurenziana bibliotheek in Florence, die eenzelfde uitgebreide reeks van bijna driehonderd miniaturen in een fries heeft.[2] De portretten van de abt in het Stoudios-tetraevangelion zijn vervangen door portretten van de tsaar. Het portret van de keizerlijke familie aan het begin van het verloren gegane Byzantijnse manuscript, waarvan de andere illustraties in dit boek afgeleid zijn, kan als voorbeeld hebben gediend voor het familieportret waar het tetraevangelion mee opent. Latere Slavische manuscripten van de evangeliën die gelijksoortige portretten en miniaturen in een fries bevatten, geven weer dat men respect had voor zo'n soort tetraevangelion uit de zeventiende eeuw.

Na de dood van de tsaar viel het Bulgaarse Rijk uiteen en Tarnovo viel in 1393 in Turkse handen. Kort erna werd het boek van de tsaar waarschijnlijk meegenomen naar Moldavië en gekocht door de Moldavische heerser, prins Alexander (r. 1042-1432). Later, waarschijnlijk in het begin van de zeventiende eeuw, kwam het boek terecht in het st. Pauluskloster (Agiou-Pavloukloster) op de berg Athos in Noord-Griekenland. In 1837 stuitte baron Robert Curzon (1810-1873) tijdens zijn reizen door het oostelijke Middellandse Zeegebied op het tetraevangelion en kon hij het aanschaffen als souvenir van zijn bezoek.

Vorige pagina's (links)

35.4 | Matteüs zit en houdt zijn evangelie vast (midden), met God en cherubijnen (boven) en Abraham en Isaak (onder), aan het begin van het Matteüsevangelie, f. 6.

Vorige pagina's (rechts)

35.5 | Christus aan het kruis, met de honende menigte en bloedend door de wond van de lans (onder), en op het moment van zijn dood (boven), met de doden, oprijzend uit hun graf door de aardbeving, in het Matteüsevangelie, f. 84.

Tegenover

35.6 | De geslachtslijst van Christus, met Juda en zijn broers (boven), koning David (midden) en koning Salomo en de koningen van Israël (onder), f. 7.

Literatuur

Bogdan D. Filov, *Miniaturite na Londonskoto Evangelie na Tsar Ivan Aleksandra/Les miniatures de l'évangile du roi Jean Alexandre à Londres* (Sofia, 1934).

Ekaterina Dimitrova, *The Gospels of Tsar Ivan Alexander* (Londen, 1994).

Byzantium: Faith and Power (1261–1557), red. Helen C. Evans (New York, 2004), no. 27.

Noten

1 Parijs, BnF, MS grec 74.

2 Florence, Biblioteca Medicea Laurenziana, MS Plut. 6.23.

Двдь же црь роди соломона отъ у

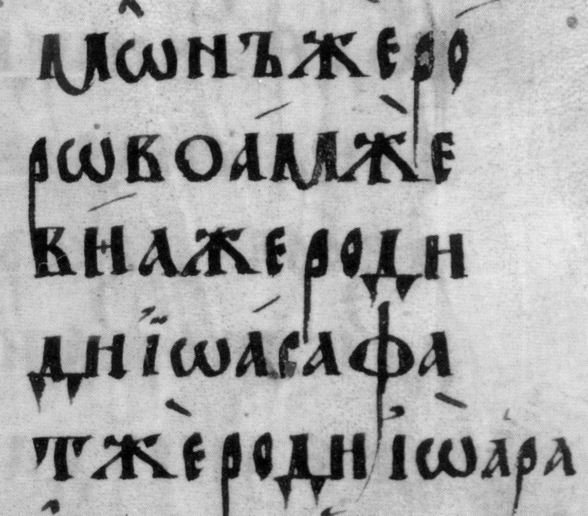

рииныѧ · соломонъ же ро
ди ровоама · ровоамъ же
роди авиѧ · авиа же роди
аса · асъ же роди іѡсафа
та · іѡсафатъ же роди іѡара
ма · іѡарамъ же роди озиѧ · ози
а же іѡафама · іѡафамъ же роди
ахаза · ахазъ же роди езекиѧ · езе
кіа же роди манасиѧ ·

36

EEN *BIBLE HISTORIALE* OF HISTORIEBIJBEL VAN KAREL V

De Bijbel als geschiedenis

Historiebijbel is de algemene benaming voor navertellingen in proza van met name historische Bijbelboeken. In Nederland zijn er twee middeleeuwse historiebijbels bekend. In Engeland was de *Bible historiale* verreweg de meest gebruikte kopie van een middeleeuwse versie van de Bijbel in het Frans. Met meer dan honderd bewaard gebleven kopieën1 was deze bijbel toegankelijk voor aristocratische leken uit de veertiende en vijftiende eeuw doordat geleerden aan de Universiteit van Parijs tijdens de twee eeuwen ervoor met de Bijbel hadden gewerkt. De *Bible historiale* is ronduit een vertaling van de *Historia scholastica* door Petrus Comestor († 1178). Daarin verklaart hij de letterlijke betekenis van de Bijbelverhalen van Genesis tot de tijd van Christus. Het theologie-onderwijs van Comestor diende als bron voor de *Bible Historiale*. Tussen 1291 en 1297 werden twee versies van deze vertaling samengevoegd door Guyart des Moulins, een geestelijke uit Artois. Maar door de meeste nog bestaande kopieën wordt aangetoond dat de *Bible Historiale* tijdens de veertiende eeuw een complexere tekst heeft gekregen. De anonieme *Bible du XIIIe siècle*, die vlak voor 1274 werd voltooid, is van speciaal belang voor de *Bible historiale complétée*, zoals deze versie bij geleerden bekend staat. De samenstellers van de *Bible historiale complétée* konden met een volledige vertaling van het Oude en Nieuwe Testament, gebaseerd op de gestandaardiseerde versie van de Vulgaat die rond 1230 werd gebruikt door de stedelijke universiteit en de boekhandels, en de *Bible du XIIIe siècle*, de beperkte Bijbelse uitleg van Comestor aanvullen en parafrasen door volledige vertalingen vervangen. Er bestaan niet minder dan negentig of honderd kopieën van de *Bible historiale* in deze herziene vorm.

Het manuscript in zijn huidige vorm is een belangrijke kopie van de *Bible Historiale complétée moyenne* (de derde van vijf langere versies). In het eerste deel is Guyarts tekst aangevuld met volledige vertalingen van Job en het psalter; in het tweede deel staan vertalingen van de wijsheidsboeken, de kleine en grote profeten, 1 en 2 Makkabeeën en het volledige Nieuwe Testament; alle zijn gebaseerd op de *Bible du XIIIe siècle*. Ondanks deze radicale veranderingen bestaan de openingsteksten nog steeds uit Guyarts voorwoord

Bible historiale complétée moyenne (Genesis tot Openbaring), in Frans. Parijs, 1357.

- 390 x 295 mm
- ff. 264 (dl. 1), ff. 242 (dl. 2)
- Royal 17 E. vii (2 dln.)

36.1 | De Drie-eenheid en de vier evangelisten, aan het begin van het voorwoord van Guyart des Moulins, dl. 1, f. 1 (detail).

Ommezijde (links)
36.2 | Petrus Comestor schrijft zijn tekst (links) en geeft het aan Willem, aartsbisschop van Sens (rechts), dl. 1, f. 2v (detail).

Ommezijde (rechts)
36.3 | Koning Salomo geeft zijn zoon Rechabeam (linksboven) instructies, beveelt dat het kind waarom twee vrouwen vechten, wordt gedood (linksonder), oordeelt over drie mannen (rechtsonder) en beveelt hen op hun vaders lichaam te schieten (rechtsboven), aan het begin van Spreuken, dl. 2, f. 1 (detail).

Ci commence la Bible
hystoriaus. ou les hystoires
escolastres. C'est li prohemes
de celui qui mist ce livre de la
tin en françois.

Pource que
li dyables
qui chascu[n]
iour en pe
chie destour
be et enord
dist les cu
ers des hommes par oyseuse
et par mil las qu'il a tendu[z]
pour nous prendre. et en
trer en nos cuers. Com cil
qui onques ne cesse de gue
tier comment il nous puisse
mener a pechie pour nos ames
traire en son puant enfer.
avecques lui. Est il mestier
a nous clers et prestres de
sainte eglise. qui devons es
tre lumiere du monde. que
nous apres nos heures et nos
oroisons entendons a aucu
ne bonne euvre faire. si que
li peres des dampnes. Quant
il nous vient assaillir ne
nous truisse oyseus par quoy
il ait achoison de legierement
entrer en nos cuers. Et nous
face cheoir par pechie. Pre
mierement par pensee. Et
apres par euvre. Si devons
sur toute riens fuir oyseuse.
Et entendre touziours a fai
re aucune bonne euvre qui
a dieu plaise. et au dyable
soit contraire et ennuieuse.
Et pource que li dyables qui
maintes foiz m'a fait pechier

ge a larcevesque de senz pour
son ouvrage corrigier se mestier
en eust.

Honnorable pere,
et son chier seigneur
Guillaume par
la grace de dieu ar-
cevesque de sens.
Pieurs sers Guiart prestres
doiens de s. pieres. bonne vie.
et bonne fin. La cause pourquoy
ien ay pris le travail de cest ouvrage. fu la grant instance de la
requeste et de la proiere mes com-
paingnons. liquel comme il
eussent hystoire de la sainte es-
cripture qui trop estoit bries et
neant exposee. me contraindrent
par force de prieres a ceste euvre
entreprendre. a laquelle il peus-
sent avoir recours pour la cure
de lystoire attaindre. Si sui
en telle maniere ales avant
que ie nay neus lessie de la verite des diz et des faiz des peres
ne riens de nouvel ni ay adiouste. encore soient nouvelles cho-
se plaisans a oir et a assouag[er]
oreilles. Or ay ie tout commen-
cie ceste euvre a la description
du monde que moyses fist de
nre premier pere adam. et ai me-
ne le ruissel des hystoires iusques
a la ascention nre seigneur. et lesse a plus sages de moy a expos[er]
la parfondeur des misteres. liquel puent et les choses anciennes raconter. et nouvelles
faire. Et dedenz ces hystoires
des peres. ai ie ente et mis me-
ler des hystoires des paiens. qui
dedenz ceste euvre sont mellees.
et qui appartiennent a la raison des temps des hystoires des
peres devant diz. et les ay a dedenz entees. aussi com li ruissel
qui ist dune riviere. et raem-
plist toutes les fosses quil treuve au chemin de la riviere. et pour
ce ne lesse mie la riviere son dis-
cours. Mais pource que le mau-
vais griesse et rude a mestier
de lyme. ai ie garde de la lyme
a vous biau pere pour ceste euvre corrigier. par quoy nos cor-
rections li doint par la volente
de dieu resplendeur. et vre aucto-
rite pardurable. Et en toutes
choses est diex beneis.

En ceste maniere le quiee
este euvre de cest traittie
doien prestre translatai a laide
de dieu a la tres grant instance
de nos prieres pour faire lais
personnes entendre. les hystoires
des escriptures anciennes. par
lors quil avient mon pays de
senz pour excuse sen aucune a
aprendre en lordenance du
rommans. Car vraiement de
la verite ne suis ie de riens issus
ne volente ny ai adiouste. ainz
ay poursui cest saint mestres
en hystoires en toutes les choses qui en rommans doivent es-
tre par raison translatees. Si
pri et loz clers entendans escriptures. qui cest ouvrage li-
ront que sil y treuvent a corrig[ier]
que la lyme de leur senz. vueille
lymer mon rude engin et corrigier. Et dont vous sachiez que iay
translate les livres hystoriaux
de la bible selonc le texte de la bible. et selonc hystoires les escolastres si com devant est dit.
Si ay escript le texte de la bible
premierement de grosse lettre. et
puis apres en ordenees les hystoires de plus deliee lettre. Et pour
ce que quant il y a pou a exposer
par hystoires. ie les ay mises
en gloses et ay poursui mon
ouvrage en ceste maniere iusques
en la fin. A mon commencement
soit la grace du saint esprit.
et laide de la benoite vierge marie Amen. Cest li prohemes
du mestre en hystoires de la creation du ciel empiree. et des quatre elemens. et de la premiere
confusion du monde. selonc
la bible.

En palais de roy
et dempereur
appartient .iiii.
mansions. Ce
est a savoir.
Auditoire ou-
quel il fait ses iugemens. Et
comme a chascun son droit.
Chambre. en laquelle il repose. Et cenaille ou salle en
laquelle il donne ses mengiers.
En ceste maniere vous empe-
rers qui commande aux vens

Icy commencent les parabo
les salemon filz du roy dauid.
Les pa
raboles
salemō
filz dauid
roys de
iherusalē
a sauoir
sapience
et discipline a entendre para
bole de prudence. et a receuoir
enseignement de doctrine.
et iustice et iugement en loy
aute et droiture. Que seulz soit
donnez aus petis. Cest a dire
aux humbles. Et que science
soit donnee aux ioennes. Et
lentendement a ceulx qui en
ont mestier. Le sage faur pl9
sage parra. Et celui qui entēt
bien en sara miex gouuerner
soy et autres. Et aparceuera pa
raboles et interpretations. et
les figures. et les paraboles
des sages. et la paour mō seig
neur. Cest commencement de
sapience. Li sot despisent sapi
ence et doctrine. Mon filz oy
la discipline de ton pere. et ne
lesse mie la loy de ta mere. que
grace soit adioustee et mise.
sur ton chief. et fermail dor a
ton col. Mon filz se li pecheur ta
lentent ne les croy mie. Cest
a dire se losengiers te losengēt
ne les croy mie que il ne te
decoiuent. Se il te dient vien
auec nous. metons agues pour
sanc. reponnons las pour
contre la iustice pour le poure
Engloutissons cōme enfer
tout vif. Et tout entier com
me descendant en la fosse. No9
trouuerons toute precieuse
substance. Et emplirons no9
maisons de despueilles. Mete
sort auec nous. Nous aurons
une seule bourse. Mon filz ne
va pas o eulz. Mes deuee ton
pie de leur sentes. Car certes lē
pies queurent en mal. Et
se hastent a espandre sanc.
La roys est pour nient getee

SAINT

Ci commencent les euuangilles
cest assauoir saint mahi. sait
marc. saint luc. saint iehan. p
mierement leuuangile saint
mahieu. qui se commence p la
genealogie des abraham iusq

Josaphath en
iam engend
engendra io
gendra acha
ezechie. Eze
nassem. M

ra. ioram so
am. Ozyas
. Joathas en
rez engendra
ngendra ma
es engendra

La genera
cion de ihu
crist estoit
en tel mani
ere. Come
marie me

Vorige pagina's

36.4 | Matteüs als tollenaar zit in het tolhuis met een stapel gouden munten, en hij wordt benaderd door drie Joden (links); en de geboorte (rechts), aan het begin van het Matteüsevangelie, dl. 2, f. 134 (detail).

Links (boven)

36.5 | Abraham vecht te paard tegen andere koningen, in Genesis, dl. 1, f. 17 (detail).

Links (onder)

36.6 | De duif komt met een olijftak terug naar de ark waar Noach, zijn gezin en de dieren zijn, in Genesis, dl. 1, f. 11v (detail).

van zijn versie uit 1297 en zijn vertaling van het voorwoord van Comestor. De titel van elke tekst is afgebeeld met de relevante auteur (ill. 36.2). Negen andere manuscripten die halverwege de veertiende eeuw in Parijs zijn gemaakt, hebben een gelijke versie van de *moyenne* tekst.

Net zoals alle andere bewaard gebleven kopieën is deze historiebijbel rijk geïllustreerd. In een reeks van negentig illuminaties hebben twee prachtige pagina's elk een illustratie die twee derde van de ruimte, bestemd voor de tekst, inneemt, en een overdadige rand van geïllumineerde stijlen en klimopranken (ill. 36.1, 36.3). Deze twee belangrijke openingspagina's van het manuscript zijn verder versierd met busteportretten, vogels en een bas-de-page, waarop naast een leeuw spelende apen zijn afgebeeld. Het begin van de evangeliën wordt ook benadrukt door een ongewone miniatuur van twee kolommen breed met Matteüs als tollenaar, als toevoeging van een conventioneler evangelistenportret, en de geboorte (ill. 36.4, het evangelistenportret is niet getoond). Deze vijf illustraties zijn in de één-kolomstijl van de andere 85 miniaturen geschilderd. Bijna al deze andere kleinere illustraties, waarbij klimopranken staan, geven het begin van een nieuw Bijbelboek aan, met uitzondering van Genesis, waarbij 22 miniaturen staan, en het psalter, waar de miniaturen de traditionele acht verdelingen aangeven.[2]

Hoewel de miniaturen zijn gestileerd op basis van gangbare patronen zijn de menselijke figuren op natuurlijke wijze afgebeeld. Velen zijn gekleed in veertiende-eeuwse kleding, en dit verandert Salomo bijvoorbeeld in een middeleeuwse koning (ill. 36.3) en Abraham in een ridder (ill. 36.5). Ook de dieren zijn herkenbaar (ill. 36.3-36.6). Alle kleine en grote illustraties zijn uitgevoerd in een verfijnde semi-grisaille (grauwschildering): de kleding van de figuren is geschilderd in schaduwen van zwarte verf, en alleen huid, haar, rekwisieten, natuurlijke kenmerken en achtergronden zijn geschilderd in andere kleuren, inclusief weelderig aangebracht goud. Elke scène is geplaatst in een vierblad van driekleurige randen. Elk vierblad is geplaatst in een rechtlijnig kader en de ruimten ertussen zijn gevuld met sappige gouden bladeren. Esthetisch gezien spreekt het geheel van een bewust ingehouden overvloed.

Hoewel de delen niets zeggen over een eigenaar, zijn ze gemaakt voor Karel V van Frankrijk (r. 1364-1380) voordat hij koning werd. De illuminator, die bekend staat als de Meester van de Bijbel van Jean de Sy, heeft absoluut voor Karel en zijn vader, Jan II de Goede (r. 1350-1364) gewerkt. Van Karel is ook bekend dat hij een paar kopieën van de *Bible historiale* had, en volgens een auteur uit dezelfde tijd heeft hij elk jaar van zijn leven de hele Bijbel gelezen. Misschien heeft Karel door het verlies van zijn vaders *Bible historiale* aan de Engelsen na de slag bij Poitiers in september 1356[3] dit manuscript in 1357 als vervanging laten maken.

NOTEN

1 Zie ook de *Bibles historiales* van Karel van Frankrijk en Eduard IV, no. 40 en 42.

2 Voor deze verdelingen zie het Vespasiaanse Psalter, no. 3.

3 Nu Royal 19 D. ii.

LITERATUUR

Margaret T. Gibson, *The Bible in the Latin West* (Notre Dame, IN, 1993), no. 21.

John Lowden, 'Bible historiale: Genesis to the Apocalypse', in Scot McKendrick, John Lowden en Kathleen Doyle, *Royal Manuscripts: The Genius of Illumination* (Londen, 2011), no. 22.

Guy de Lobrichon, 'The Story of a Success: The Bible historiale in French (1295–ca.1500)', in *Form and Function in the Late Medieval Bible*, red. Eyal Poleg en Laura Light (Leiden, 2013), pp. 307–331 (vooral p. 319).

37

DE PADUAANSE PLATENBIJBEL

Het Oude Testament in beeld

Bibbia istoriata (Exodus tot Jozua), in het Italiaans. Padua, ca. 1390-1400

- 325 × 230 mm
- ff. 80
- Additioneel 15277

Weinig overgebleven manuscripten evenaren de Paduaanse Platenbijbel in een overdaad aan Bijbelse voorstellingskunst. Nu verdeeld tussen Londen en Rovigo[1], bevat dit boek iets minder dan negenhonderd illuminaties van het verhaal van de Pentateuch, de eerste vijf boeken van de Bijbel, en de boeken Jozua en Ruth. Bijna driehonderd pagina's beelden het verhaal van Genesis uit en tweehonderd dat van Numeri. Als in het boek oorspronkelijk ook het boek der Rechters had gestaan (wat kan, want geïllumineerde octateuchs zijn niet ongewoon), dan zou het bijna duizend illustraties bevatten. Onder de kostbaarheden van veertiende-eeuws schilderwerk dat vervaardigd is in de Noord-Italiaanse stad Padua, in navolging van Giotto's beroemde muurschilderingen in de Arenakapel, is geen enkel schilderwerk op het gebied van beeldende verhalen ambitieuzer dan dit boek.

Het Londense deel van het manuscript, dat Exodus tot Jozua uitbeeldt, is representatief voor het hele boek. Afbeeldingen domineren de pagina; de tekst is duidelijk van minder belang.[2] Er zijn vijf pagina's die bijna helemaal in beslag worden genomen door één enkele afbeelding; drie in Exodus, waarop in volgorde de ark van het verbond, de zevenarmige menora van de tempel en Aäron als hogepriester staan (ill. 37.1), en twee aan het begin van respectievelijk Leviticus en Numeri, die bijna identieke afbeeldingen zijn van de tabernakel. Op bijna elke andere pagina nemen vier, of soms drie, apart gekaderde afbeeldingen veel van de ruimte op het perkament in (ill. 37.2-37.4). Boven en onder de afbeeldingen staat de titel in een Venetiaans dialect, waarvan de langste uit een paar regels bestaat en de kortste uit nog minder dan een regel. Alle titels beginnen met *Como* ... ('Hoe') en vestigen duidelijk de aandacht op de verhalen. Afbeeldingen en titels zijn door opeenvolgende Romeinse cijfers met elkaar verbonden. Ze zijn naast elke afbeelding en titel geschreven met rode inkt; de volgorde gaat terug naar I aan het begin van elk Bijbelboek. Bij de illustraties worden de hoofdpersonages door een naam in cursief schrift getypeerd, in plaats van het formele

37.1 | Aäron als hogepriester, gekleed in heilige kleding (Exodus 40:13), f. 17v.

El capitolo de questo Aaron summo sacerdoto si è scrito a doe carte oltra questa.

quatro coltrie del tabernaculo.

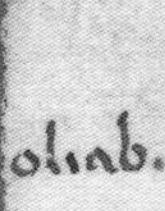

fo de pelle de molton fate rosse. e la quarta fo de pelle de molton fate lacure. e per fare tute le uestimēte sacerdotale e tute le altre cosse necessarie al sacrifitio ali quale dui homini Dio si de tanta scientia e tanto intellecto che li sape fare de oreuexaria e de marangonia e de ogni altra arte tuto quello che se lugo a questo fato intriegamentre.

Como Beselehel e Oliab so compagno lauora de oreuexaria le cosse necessarie al sacrifitio e a larch

del tabernaculo

[illegible] Responde Balaham eo pecca e no saueua che tu stessi contra de mi.

sel te despiace che no ge uaga e retornero in drio. Responde lo agnolo ua via cum quisti e guarda no parlare altro se no quello che te comandero che tu debi dire.

Como Balaham ua via cum li ambassadore al Re Balach per consentimento del Agnolo.

Como el re Balach aldando che Balaham uegniua da ello ge uene in contra infina ale confine del so teren e si ge disse per que caxon no si tu uegnu tosto da mi abiandote manda li ambassadore te pensaui tu forsi mo che no te possesse pagare dela toa uia. Responde Balaham ecco che sum qua. No te pensare che

possa altro dire se no le parole che dio me metera in la mia bocha. Finite queste parole li [illegible]

vn parenta da laltro e che le possession romagna continuamentre in la soa propria tribu e questi si e li co damenti e li iudisii che vole mesier domenedio.

Como queste cinque serore. Maala thersa Egla Melcha Noa le quale tute cinque serore fo fiole de salp aad del tribo de Manasse fiolo de Joseph se marida tute cinque in vn trato e qui si nen sposa e si tolse cu homini del tribu e del parenta de Manasse del quale parenta si era sta so pare salphaad sico che le possessi le quale ge era tocha per heredita de so pare salphaad no andesse in altro tribo ne in altro parenta cha in parenta.

346

noa | melcha | egla | tersa | maala

Vorige pagina's (links)

37.2 | De ark van het verbond en de tabernakel worden gemaakt (Exodus 36); Mozes en Aäron kiezen Besaleël en Oholiab om de ark en tabernakel te maken; en Besaleël en Oholiab werken aan de heilige draagbomen voor de ark, ze prepareren het hout voor de tabernakel en weven een dekkleed voor de ark en tabernakel, f. 15v (detail).

Vorige pagina's (rechts)

37.3 | Bileam komt de engel van de Heer tegen, rijdt op de ezelin naar Moab, ontmoet koning Balak en krijgt op de top van Bamot-Baäl het Israëlische volk te zien (Numeri 22-23), f. 50 (detail).

Tegenover

37.4 | Mozes velt een oordeel over de voorwaarden voor het huwelijk van de vijf dochters van Selofchad (linksboven), en de dochters van Selofchad zijn verloofd en trouwen met hun neven (rechtsboven en rechtsonder) (Numeri 36:1-12), f. 56 (detail).

boekschrift dat voor titels werd gebruikt. De enige doorlopende teksten in het boek zijn twee pagina's met uitgebreide titels voor de drie paginagrote illustraties in Exodus, en zestien pagina's met Bijbelse passages die in verband staan met de tien geboden, dertien aan het eind van Leviticus en drie aan het eind van Numeri.

Hoewel ze van elkaar zijn te onderscheiden door de verschillende schilderstijlen, hebben de kunstenaars die de illustraties hebben gemaakt hun onderwerpen op vrijwel dezelfde manier benaderd. Beiden volgen de titels als middelpunt van een verhalende en letterlijke benadering van de Bijbel, en ze hebben de figuren op een naturalistische manier en vaak in kleding uit die tijd uitgebeeld. Als gevolg daarvan geven verscheidene miniaturen, zoals die van de ambachtslieden die werken aan de tabernakel (ill. 37.2), de moderne kijker gedetailleerde typeringen van het toenmalige Italiaanse leven. De kunstenaars hebben hun figuren ook uitgebeeld met een opvallend gevoel voor tijdloosheid door de fysieke omvang te benadrukken met volumineuze kleding, die het menselijk lichaam van top tot teen bedekt. Bijna alle deelnemers aan het Bijbelse verhaal zijn afgebeeld op een oppervlakkige voorgrond, met hun voeten dicht bij het lagere kader van de miniaturen en hun hoofd in een of twee horizontale randen in de bovenste helft van de afbeeldingen. Architectuur en interieur geven de gebeurtenissen eerder een kader dan dat ze rondom de figuren zijn gezet. Om de kijker te helpen bij het lezen van de afbeeldingen zijn de individuele figuren consequent in hetzelfde kostuum afgebeeld, zoals in de verhalen van Besaleël en Oholiab, die de tabernakel maken (ill. 37.2), en van Bileam, de profeet van de Moabieten (ill. 37.3).[3] Een vergelijking met muurschilderingen die rond 1370 in Padua zijn gemaakt, zoals die van Altichiero in de st. Jacobskapel van de Basiliek van San Antonio, geeft aan dat de kunstenaars die verantwoordelijk waren voor de illustraties van de Paduaanse Platenbijbel het kunstzinnige monumentale schilderwerk uit hun tijd hebben toegepast. Bovendien hebben ze misschien oudere beeldende cycli, zoals oude christelijke manuscripten, als voorbeeld genomen en werden ze beïnvloed door joodse commentaren op de Bijbel.

Met zijn overdadige illustraties en tekst in de landstaal heeft het manuscript een grote affiniteit met andere opmerkelijke boeken die eind veertiende en begin vijftiende eeuw in Padua zijn gemaakt voor leken. Een zeer royaal geïllustreerd kruidenboek in het Italiaans bijvoorbeeld, nu ook in de British Library, bevat de heraldieke wapens van de heersende Carrara-familie.[4] Maar er is geen enkel specifiek bewijs dat verwijst naar de eigenaar van de Platenbijbel.

Literatuur

La miniatura a Padova dal Medioevo al Settecento, red. Giordana Canova Mariani (Modena, 1999), no. 59, pp. 465–470.

Noten

1 Rovigo, Biblioteca dell'Accademia dei Concordi, Silvestri MS 212.

2 Vergelijk het Holkhams Bijbels prentenboek, no. 32.

3 Dezelfde overeenkomst is gebruikt in de Bijbel van Clemens VII, no. 34.

4 Egerton 2020.

38

DE *BIBLIA PAUPERUM* VAN DE KONING

Het Oude Testament geopenbaard in het Nieuwe Testament

***Biblia Pauperum*, in Latijn.**
Den Haag, c. 1395-1400.

- 175 × 385 mm
- ff. 31
- King's 5

Het Oude en het Nieuwe Testament zijn allebei belangrijke delen van de christelijke Bijbel. Hoewel ze in de tweede eeuw radicaal werden verworpen door de ketterse Marcionieten, werden de joodse geschriften erkend als geïnspireerde teksten van het nieuwe geloof. Bovendien werd vanaf het begin in de christelijke leer en Bijbelcommentaren het Oude Testament gezien als de belofte die in het Nieuwe Testament werd onthuld. De heilige Augustinus heeft het bondig samengevat: *in vetere Novum lateat et in Novo Vetus pateat* ('Het Nieuwe Testament ligt verborgen in het Oude en het Oude wordt onthuld in het Nieuwe').[1]

De *Biblia Pauperum* is een wezenlijk voorbeeld van deze typologische benadering van de Bijbel. Beschreven als 'het meest intellectuele erudiete middeleeuwse Bijbelse commentaar, die tekst en afbeelding combineert op een opmerkelijk niveau'[2], stamt dit complexe werk waarschijnlijk uit het dertiende-eeuwse Frankrijk en de context van de dominicaner Bijbelstudie.[3] Door de dertig tot veertig afbeeldingen die van een titel waren voorzien, leerde het laatmiddeleeuwse publiek hoe jeugd en lijden van Christus werden aangekondigd door verscheidene geschiedenissen in het Oude Testament, en door deze latere gebeurtenissen, die zijn beschreven in het Nieuwe Testament, nader werden uitgelegd. Meer dan tachtig bewaard gebleven manuscripten, verschillende blokboeken en oude gedrukte edities getuigen van de populariteit van het werk. Maar ondanks zijn moderne naam waren deze exemplaren van de *biblia pauperum* niet bedoeld voor de armen, maar voor de geletterde religieuzen en leken. Het huidige boek is de rijkste kopie van de *biblia pauperum* die er bestaat en het is vernoemd naar zijn aanwezigheid in de koninklijke bibliotheek van George III (r. 1760-1820). Het is ook een van 'de diepgaandste innovatieve geïllustreerde manuscripten die tegen het eind van de middeleeuwen werden gemaakt'.[4] Het is waarschijnlijk in Den Haag gemaakt binnen de hofcultuur van de hertog van Holland, Albrecht van Beieren (1336-1404).

De 31 pagina's brengen de *biblia pauperum* naar een nieuw artistiek niveau. Ze hebben hoofdzakelijk de stijl van oudere manuscripten. In het

38.1 | Judas verraadt Christus, f. 12 (detail).

Auctoritates
Ezechi
Jheremi
Dauid
V Alloquitur blande
ioab hic punitor
nephande · pro pa
cem xpe tradic
te traditor iste. verba gerens
blanda triphon parat arma nephanda.

38.2 | Judas verraadt Christus, geflankeerd door twee tegenhangers uit het Oude Testament: Joab die Abner verraderlijk vermoordt (2 Koningen 3:27) en Tryfon die Jonatan en de Joden misleidt (1 Makkabeeën 12:39-45); f. 12.

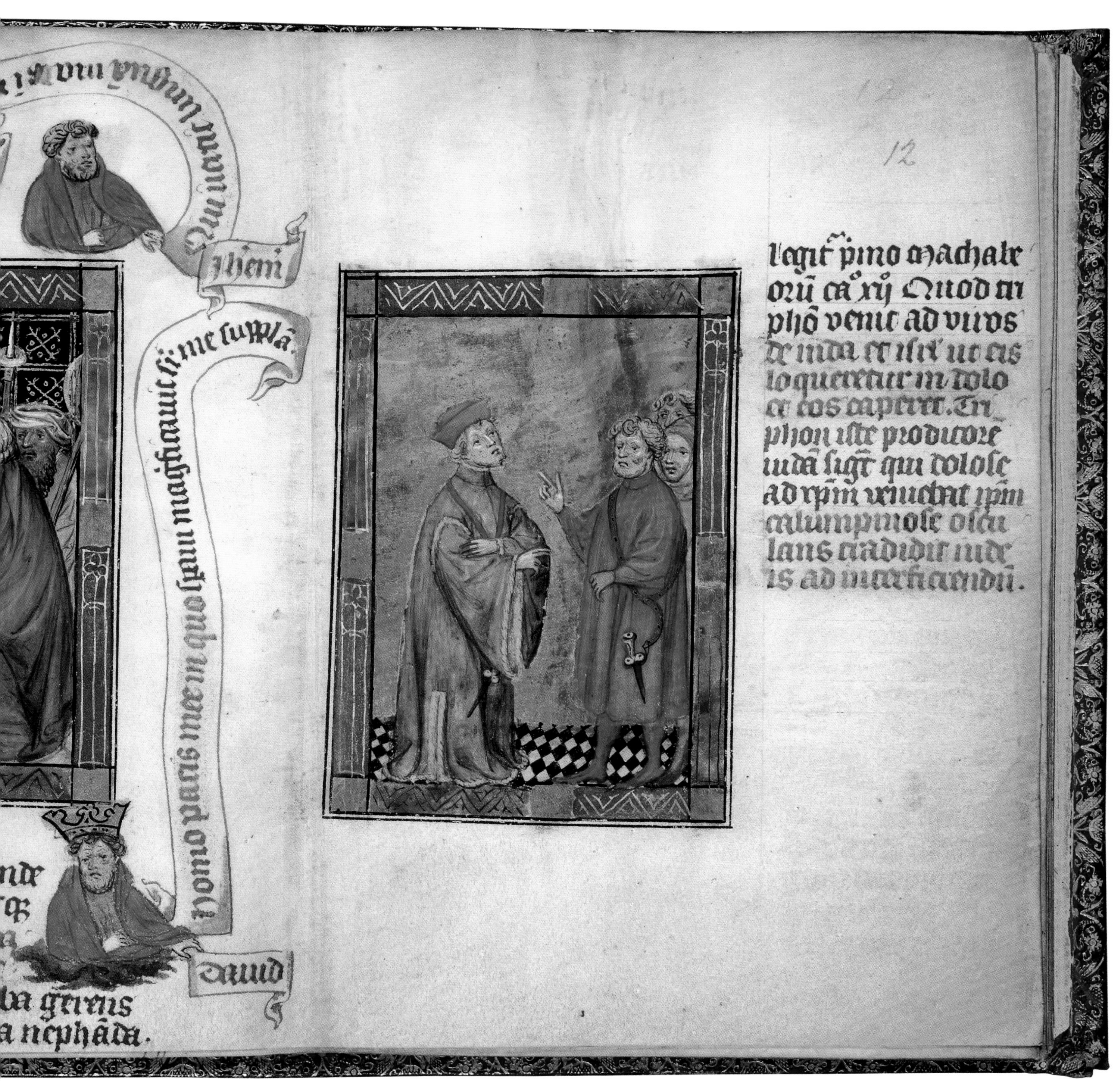

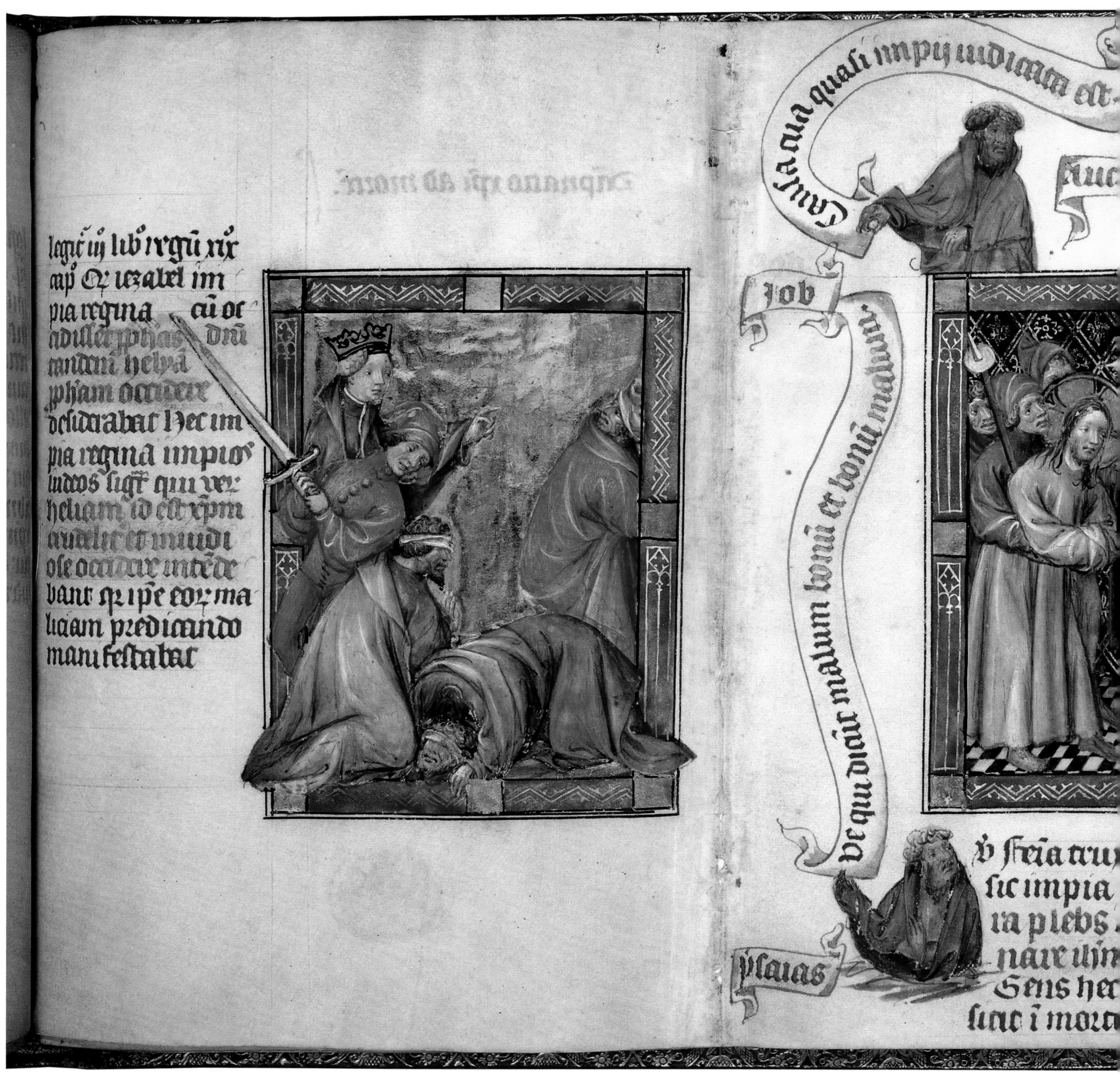

38.3 | Pilatus wast zijn handen voor Christus, geflankeerd door twee tegenhangers uit het Oude Testament: koningin Izebel die de executie van de profeten van de Heer beveelt (1 Koningen 18:13) en koning Darius die beveelt dat Daniël in de leeuwenkuil moet worden geworpen (hoewel de titel hem verkeerd typeert als Nebukadnessar) (Daniël 6:17); f. 13.

Auctoritates
Causa tua quasi impii iudicata est.
Job
Qui convertitis in absinthium iudicium
Amos
Ve qui dicitis malum bonum et bonum malum.
saias
Accipere personam impii in iudicio non est bonum.
Salomō.

38.4 | **Pilatus wast zijn handen voor Christus, f. 13 (detail).**

midden van elke pagina staan bij een onderwerp van het Nieuwe Testament vier *auctoritates*, busteportretten die koning David of profeten uit het Oude Testament uitbeelden (ill. 38.1-38.4). Onder het miniatuur staan cryptische Latijnse verzen die in verband staan met het centrale onderwerp uit het Oude Testament. Bij de portretten staan citaten of parafrasen van teksten uit het Oude Testament, geschreven op tekstrollen zoals tekstballonnetjes in moderne strips. Links en rechts staan twee scènes uit het Oude Testament met nog meer Latijnse teksten, die de scènes samenvatten en hun relatie tot het Nieuwe Testament benadrukken (ill. 38.2, 38.3). De makers van oudere kopieën rangschikten hun materiaal in twee reeksen van drie afbeeldingen boven elkaar op elke pagina of in een reeks tegenover elkaar met een gat.

Maar degenen die verantwoordelijk waren voor dit boek, hebben de presentatie helemaal opnieuw ingedeeld. Daardoor hebben ze een uniek soort boek gemaakt, gevormd van brede, rechthoekige perkamentbladen, die elk twee keer verticaal werden gevouwen om drie gekoppelde pagina's te krijgen; de buitenste pagina's werden over de middenpagina's gevouwen. De nieuwe boekbinding laat de bladen niet gevouwen zien, maar in het oorspronkelijke boek waren ze gevouwen en in de eerste vouw genaaid (de gaatjes van de steken zijn te zien op ill. 38.2-38.3). Om de hele reeks afbeeldingen te zien, moest de lezer van toen de twee delen met het Oude Testament uitvouwen, waarbij zowel deze als het centrale onderwerp van het Nieuwe Testament tevoorschijn kwamen.

Een voorbeeld illustreert wat de bedoeling was van het oorspronkelijke boek. Het twaalfde blad legt de aandacht op het verraad van Judas ten opzichte van Christus (ill. 38.2). In de centrale afbeelding grijpt Judas Jezus vast en wil hij hem de beroemde kus geven, terwijl Petrus door het illustratiekader heen uithaalt om Malchus met zijn zwaard te raken (ill. 38.1-38.2). Buiten het kader staan bij vier bustes, Ezechiël, Jeremia, Habakuk en David, teksten die te maken hebben met verraad. Het citaat uit de Psalmen bijvoorbeeld, klaagt over het verraad door 'mijn beste vriend op wie ik vertrouwde' (Psalm 41:10). De cryptische Latijnse verzen eronder verbinden de centrale scène uit het Nieuwe Testament met de onderwerpen van de miniaturen rechts en links, die ook de aandacht vestigen op verraad. De begeleidende tekstaankondigingen van Judas gaan over de verraderlijke Joab uit 2 Samuel en Tryfon uit 1 Makkabeeën. Dan volgt Pilatus die zijn handen in onschuld wast (ill. 38.3). Hier leggen de Oude Testament teksten van Job, Amos, Jesaja en Salomo de nadruk op verdraaiing van gerechtigheid en degenen die 'het recht in alsem veranderen' (Amos 5:7). Volgens de begeleidende teksten illustreren de miniaturen van het Oude Testament tekstaankondigingen van mensen uit de geschiedenis van Israël wiens kwaadwillige invloed zorgde voor de kruisiging van Christus: Izebel, die alle profeten van de Heer wilde doden, inclusief Elia; en de Babyloniërs, die de aarzelende koning Darius dwongen om Daniël in de leeuwenkuil te werpen.

NOTEN

1. *Quaestiones in Heptateuchum*, 2:73.
2. Christopher de Hamel, *The Book: A History of the Bible* (Londen, 2001), p. 158.
3. Voor de dominicaner bijbels zie de Bolognezer Bijbel, no. 28.
4. Marrow, 'Art and Experience' (1996), p. 114.

LITERATUUR

James H. Marrow en anderen, *The Golden Age of Dutch Manuscript Painting* (New York, 1990), no. 2.

Biblia pauperum: King's ms 5, British Library, London, 2 dln. (Luzern, 1993–1994), I: *Facsimile*; II: *Commentary in English, French and German*, door Janet Backhouse, James H. Marrow en Gerhard Schmidt.

James H. Marrow, 'Art and Experience in Dutch Manuscript Illumination around 1400: Transcending the Boundaries', *Journal of the Walters Art Gallery*, 54 (1996), 101–117 (108–115).

39

DE GROTE BIJBEL VAN DE KONINGEN VAN ENGELAND

Een laatmiddeleeuwse reuzenbijbel

Bijbel, in Latijn.
Londen, ca. 1410-1413.

- 630 × 430 mm
- ff. 350
- Royal 1 E. ix

Elk boek met pagina's van meer dan vijftig centimeter lang is een monument voor de buitengewone vaardigheden van de makers en de extravagante ambitie van degenen die ervoor betaalden. Een paar bewaarde Bijbelse manuscripten zijn reusachtig. In de collectie van de British Library is alleen het huidige boek zo groot, en streeft het met zijn grote formaat bijna alle boeken uit de Angelsaksische, Karolingische en Romaanse periode die dit het dichtst benaderen, voorbij.[1] Alleen de Stavelot-bijbel (no. 16) benadert deze grootte. In andere collecties zijn de opmerkelijke bijbels, die in andere talen 'Atlantische bijbels' worden genoemd, redelijk vergelijkbaar. Ze zijn vernoemd naar de mythologische reus Atlas die de wereld op zijn schouders droeg, zijn in het elfde-eeuwse Italië gemaakt.

Onder de geïllumineerde kopieën van de Bijbel is dit exemplaar ook een belangrijk historisch relict. Het bevat 'de laatste grote Bijbelse reeks in de Engelse middeleeuwse boekillustratie', aldus een moderne schrijver.[2] Het heeft voor elk boek van het Oude en Nieuwe Testament een grote illustratie, geschilderd in de initiaal, en de buitenkant van de letter dient meer als een kader waardoor men de driedimensionale fictieve ruimte van het beeld kan zien dan als een letter die gelezen kan worden. Aan het begin van het boek Jona heeft de kunstenaar door de inkorting van de middelste horizontale balk van de letter 'E' in één landschap twee opeenvolgende episodes afgebeeld (ill. 39.1). Slechts zelden valt de driedimensionale ruimte van de illustratie samen met de initiaal. Een voorbeeld hiervan is te zien aan het begin van Ruth (ill. 39.2), waar het centrale onderwerp van de illustratie, Ruth, wordt benadrukt door Boaz' wijzende vinger, die in een schuine hoek over de initiaal 'I' ligt.

Naast de initialen met Bijbelse onderwerpen beelden 58 initialen met Bijbelse onderwerpen Hiëronymus, de eerste kerkvader en vertaler van de Bijbel, uit.[3] Elk van deze afbeeldingen geven het begin van een van Hiëronymus' prologen bij een Bijbels boek aan. Hiëronymus wordt afgebeeld als een geleerde in een met boeken beladen studeerkamer, waarmee zijn auteurschap erkend wordt van de prologen voor en

39.1 | Jona wordt van een schip overboord gegooid in de bek van een grote vis, en aan wal buiten een stad uitgespuugd, aan het begin van het boek Jona, f. 232v (detail).

Et ascendit in ioppen et inuenit nauem

39.2 | Ruth leest aren op de akkers terwijl mannen het graan maaien, en Boaz attendeert een bediende op haar, aan het begin van het boek Ruth, f. 62v (detail).

vertaling van de Bijbel (ill. 39.3). Ook draagt hij de in de dertiende eeuw geïntroduceerde hoofdbedekking van de kardinaal (*galero*), die traditioneel was geworden als een (ouderwetse) verwijzing naar zijn leidersrol in de vroege kerk.[4] Op veel afbeeldingen wordt Hiëronymus vergezeld door een veel jongere man (ill. 39.4). Deze illustraties lijken vooral de overdracht van de Bijbel te benadrukken, wat het duidelijkst naar voren komt in de scènes waarin Hiëronymus deze persoon een boek overhandigt. Bovendien waren ze waarschijnlijk bedoeld om een verbinding te maken tussen de oude Bijbelse tekst en de eigenaar voor wie het manuscript uit het begin van de vijftiende eeuw was bedoeld. De inspirerende variatie die de kunstenaars dit onderwerp hebben gegeven, benadrukt niet alleen hun artistieke vaardigheid, maar ook de functionele rol van de zich herhalende verbinding tussen de tekst en de lezer.

Een ander boeiend kenmerk van het manuscript is dat het apocriefe evangelie van Nikodemus is opgenomen en geplaatst tussen het evangelie

39.3 | Hiëronymus zit in zijn studeerkamer voor een grote boekenkast, aan het begin van zijn proloog voor 1 Kronieken, f. 94v (detail).

van Johannes en Handelingen. Hoewel het hier geen evangelie wordt genoemd maar een *Tractatus passionis Christi secundum Nichodemum* ('Verhandeling van het lijden van Christus volgens Nikodemus'), heeft deze tekst dezelfde status als de 27 canonieke boeken van het Nieuwe Testament gekregen. Het put zijn verslag van het proces, de dood en de verrijzenis van Jezus uit de evangeliën, maar voegt er ook iets aan toe. Een van deze episodes is geïllustreerd in de openingsinitiaal (ill. 39.6). Hier staat de boodschapper die door Pilatus was gestuurd om Jezus gevangen te nemen, maar 'hij kende Jezus, aanbad hem en spreidde zijn mantel ... over de grond (*agnoscens eum adoravit et fasciale ... expandit in terra*). Hier biedt de kunstenaar een gevoels- en associatieve verbinding met de lezer die, zoals de boodschapper, Christus moet erkennen en aanbidden.

Ondanks een voortdurende discussie over het aantal verluchters en hun identiteit die verantwoordelijk waren voor de afbeeldingen, is men het er nu over eens dat het boek in de eerste twintig jaar van de

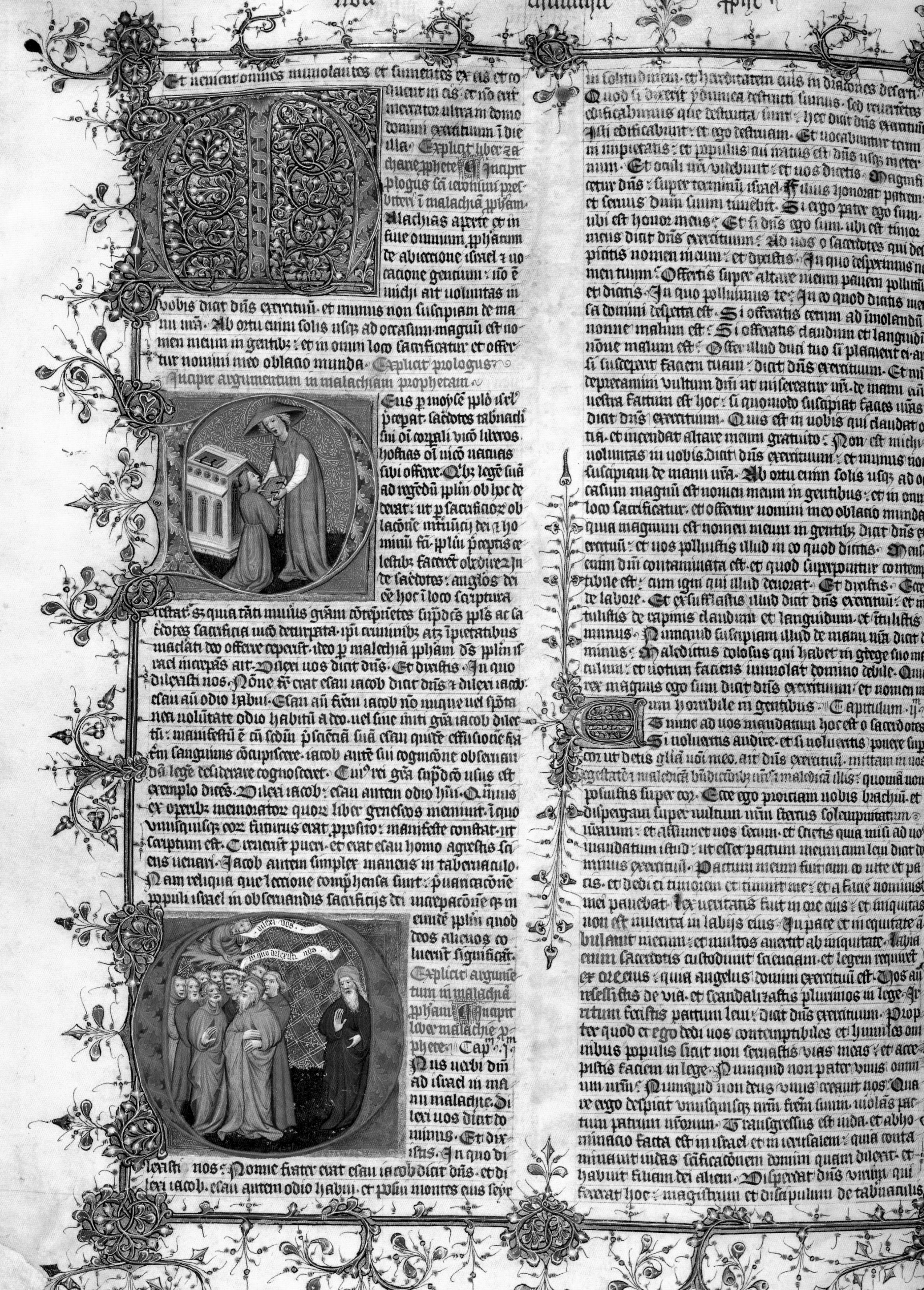

Et venient omnes immolantes et sumentes ex eis et co-
quent in eis. et non erit
mercator ultra in domo
domini exercituum in die
illa. Explicit liber za-
charie prophete. Incipit
prologus sancti ieronimi pres-
biteri in malachiam prophetam.
Malachias aperte et in
fine omnium prophetarum
de abiectione israel et vo-
catione gentium. non est
michi ait voluntas in
vobis dicit dominus exercituum. et munus non suscipiam de manu vestra. Ab ortu enim solis usque ad occasum magnum est nomen meum in gentibus: et in omni loco sacrificatur et offertur nomini meo oblatio munda. Explicit prologus.
Incipit argumentum in malachiam prophetam.
Deus per moysen populo israel
precepit sacerdotes tabernaculi
sui omni corporali vicio liberos
hostias omni vicio vacuas
sibi offerre. Qui cum legem suam
ad ingenium populum ob hoc de-
derat: ut per sacrificiorum ob-
lationem immunditiis deditum hominum populum preceptis ce-
lestibus faceret obedire. Inde
sacerdotes angelos di-
ci hoc in loco scriptura
testatur. Sed quia tanti muneris gratiam contempnentes supradicti populi ac sacerdotes sacrificia vicio deturpata ipsi criminibus atque impietatibus
maculati deo offerre ceperunt. ideo per malachiam prophetam deus populum israel increpans ait. Dilexi vos dicit dominus. Et dixistis. In quo
dilexisti nos. Nonne frater erat esau iacob dicit dominus. et dilexi iacob.
esau autem odio habui. Esau autem fratrem iacob non umquam vel sponta-
nea voluntate odio habitum a deo. vel sine merito gratia iacob dilec-
tum: manifestum est cum sedem per se factam suam esau quietem effusione fra-
terni sanguinis concupiscere. iacob autem sui cognomine observan-
dam legem desiderare cognosceret. Cui rei gratia supradicto usus est
exemplo dicens. Dilexi iacob: esau autem odio habui. Omnis
ex operibus memoratur quorum liber geneseos meminit. In quo
unusquisque eorum futurus erat proposito: manifeste constat. ut
scriptum est. Creverunt pueri. et erat esau homo agrestis ve-
nator. Iacob autem simplex manens in tabernaculo.
Nam reliqua que lectione comprehensa sunt: per increpationem
populi israel in observandis sacrificiis dei increpationem et in
eminentem populum quod
deos alienos co-
luerunt significat.
Explicit argumen-
tum in malachiam
prophetam. Incipit
liber malachie pro-
phete. Capitulum i.
Onus verbi domini
ad israel in ma-
nu malachie. Di-
lexi vos dicit do-
minus. Et dixi-
stis. In quo di-
lexisti nos. Nonne frater erat esau iacob dicit dominus. et dilexi iacob. esau autem odio habui. et posui montes eius soli-

in solitudinem. et hereditatem eius in dracones deserti.
Quod si dixerit ydumea destructi sumus. sed revertentes
edificabimus que destructa sunt: hec dicit dominus exercituum.
Isti edificabunt. et ego destruam. Et vocabuntur termi-
ni impietatis: et populus cui iratus est dominus usque in eternum. Et oculi vestri videbunt. et vos dicetis. Magnifi-
cetur dominus: super terminum israel. Filius honorat patrem:
et servus dominum suum timebit. Si ergo pater ego sum:
ubi est honor meus? Et si dominus ego sum. ubi est timor
meus dicit dominus exercituum? Ad vos o sacerdotes qui des-
picitis nomen meum: et dixistis. In quo despeximus nomen tuum? Offertis super altare meum panem pollutum:
et dicitis. In quo polluimus te? In eo quod dicitis mensa
domini despecta est. Si offeratis cecum ad immolandum:
nonne malum est? Si offeratis claudum et languidum:
nonne malum est? Offer illud duci tuo si placuerit ei. aut
si susceperit faciem tuam: dicit dominus exercituum. Et nunc
deprecamini vultum dei ut misereatur vestri. de manu enim
vestra factum est hoc. si quomodo suscipiat facies vestras
dicit dominus exercituum. Quis est in vobis qui claudat os-
tia. et incendat altare meum gratuito? Non est michi
voluntas in vobis. dicit dominus exercituum: et munus non
suscipiam de manu vestra. Ab ortu enim solis usque ad occasum magnum est nomen meum in gentibus: et in omni
loco sacrificatur. et offertur nomini meo oblatio munda.
Quia magnum est nomen meum in gentibus dicit dominus exercituum: et vos polluistis illud in eo quod dicitis. Mensa
domini contaminata est. et quod superponitur contemp-
tibile est: cum igni qui illud devorat. Et dixistis. Ecce
de labore. Et exsufflastis illud dicit dominus exercituum: et intulistis de rapinis claudum et languidum. et intulistis
munus. Numquid suscipiam illud de manu vestra dicit dominus? Maledictus dolosus qui habet in grege suo mas-
culum: et votum faciens immolat domino debile. Quia
rex magnus ego sum dicit dominus exercituum: et nomen meum horribile in gentibus. Capitulum ii.
Et nunc ad vos mandatum hoc est o sacerdotes.
Si nolueritis audire. et si nolueritis ponere sup-
er cor ut detis gloriam nomini meo. ait dominus exercituum. mittam in vos
egestatem et maledicam benedictionibus vestris et maledicam illis: quoniam non
posuistis super cor. Ecce ego proiciam vobis brachium. et
dispergam super vultum vestrum stercus solempnitatum
vestrarum: et assumet vos secum. et scietis quia misi ad vos
mandatum istud: ut esset pactum meum cum levi dicit dominus exercituum. Pactum meum fuit cum eo vite et pacis. et dedi ei timorem et timuit me: et a facie nominis
mei pavebat. Lex veritatis fuit in ore eius: et iniquitas
non est inventa in labiis eius. In pace et in equitate am-
bulavit mecum: et multos avertit ab iniquitate. Labia
enim sacerdotis custodiunt scientiam. et legem requirent
ex ore eius: quia angelus domini exercituum est. Vos autem
recessistis de via. et scandalizastis plurimos in lege. Ir-
ritum fecistis pactum levi: dicit dominus exercituum. Propter quod et ego dedi vos contemptibiles et humiles omnibus populis sicut non servastis vias meas: et acce-
pistis faciem in lege. Numquid non pater unus omnium nostrum? Numquid non deus unus creavit nos? Qua-
re ergo despicit unusquisque nostrum fratrem suum. violans pactum patrum nostrorum? Transgressus est iuda. et abho-
minatio facta est in israel et in ierusalem: quia contami-
navit iudas sanctificationem domini quam dilexit. et
habuit filiam dei alieni. Disperdet dominus virum qui
fecerit hoc: magistrum et discipulum de tabernaculis

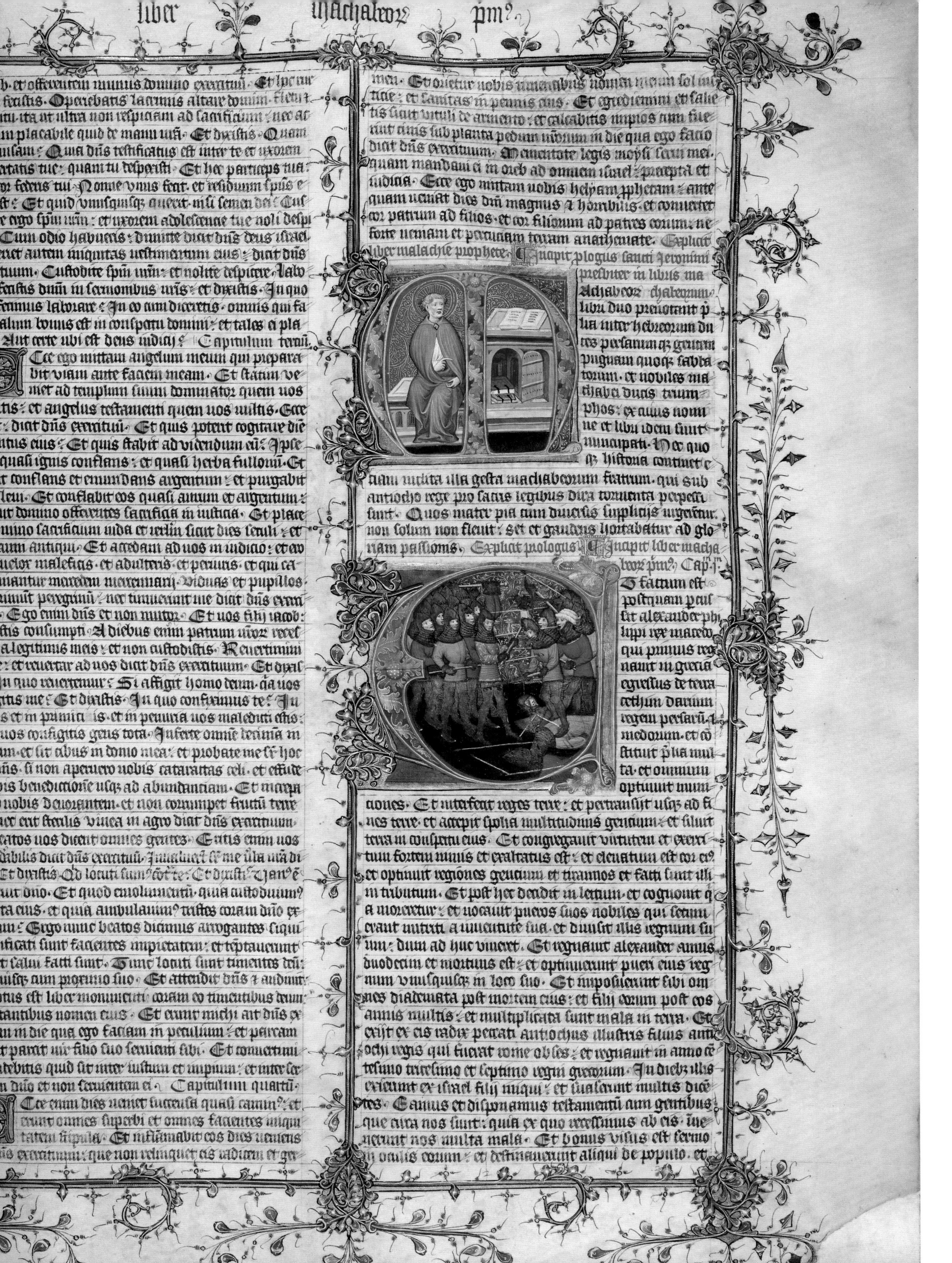

Vorige pagina's

39.4–39.5 | Hiëronymus toont zijn boek aan een knielende jongeman; Maleachi vertelt opnieuw over Gods berisping aan de Joden; Hiëronymus zit in zijn studeerkamer; en Alexander de Grote vecht te voet met koning Darius van Perzië; aan het begin van de prologen voor en de boeken van Maleachi en 1 Makkabeeën, ff. 239v-240 (details).

Tegenover

39.6 | Als Christus voor Pilatus verschijnt, spreidt een man zijn hermelijnen mantel uit voor Christus' voeten, aan het begin van het evangelie van Nikodemus, f. 282 (detail).

vijftiende eeuw is vervaardigd door kunstenaars die werkten in Londen, hun opleiding in de Lage Landen hadden gekregen en waarschijnlijk daarvandaan kwamen. Zoals in andere even oude luxe manuscripten toonden deze immigranten bij hun onderwerp grote interesse in de naturalistische afbeelding van menselijke figuren en de ruimten die ze innemen. Recent onderzoek heeft ook uitgewezen dat deze bijbel het enige boek is dat apart wordt beschreven in het testament van Hendrik V (r. 1413-1422), met de opmerking dat het voor die tijd behoord heeft aan de vader van de koning, Hendrik IV (r. 1399-1413), en dat deze *magna Biblia* ('grote Bijbel') was bestemd voor de toekomstige Hendrik VI (r. 1422-1461, 1470-1471). De Engelse koningen na hem verwierven verscheidene kopieën van de *Bible historiale*, waarin uitgekozen Bijbelse teksten en de begeleidende commentaren waren vertaald in het Frans.[5] De reuzenbijbel bood zijn koninklijke publiek een directe verbinding met de oude tekst van de Vulgaat. Het gigantische formaat ervan kan betekenen dat het werd bewaard op een lessenaar in een studeerkamer.

Literatuur

Jenny Stratford, 'The Royal Library in England before the Reign of Edward IV', in *England in the Fifteenth Century. Proceedings of the 1992 Harlaxton Symposium*, red. Nicholas Rogers (Stamford, 1994), pp. 187–197 (p. 194).

Kathleen L. Scott, *Later Gothic Manuscripts, 1390–1490*, 2 dln., A Survey of Manuscripts Illuminated in the British Isles, 6 (Londen, 1996), II, no. 26.

Joanna Fro ska, 'The Great Bible', in Scot McKendrick, John Lowden en Kathleen Doyle, *Royal Manuscripts: The Genius of Illumination* (Londen, 2011), no. 23.

noten

1 Zie de Canterbury Royal, Moutier-Grandval, Stavelot-, Worms-, Floreffe- en Arnstein-bijbels, no. 5, 6, 16, 21–23.

2 Scott, *Gothic Manuscripts* (1996), II, p. 105.

3 Voor Hiëronymus zie het Vespasiaanse Psalter en het Lotharius Psalter en de Worms-bijbel, no. 3, 7 and 21, en 'One Thousand Years of Art and Beauty', pp. 12–13.

4 In tegenstelling tot het Lotharius Psalter, ill. 7.3.

5 Zie ook de *Bibles historiales* van Karel V en Eduard IV, no. 36 en 42.

40

DE *BIBLE HISTORIALE* VAN KAREL VAN FRANKRIJK

Wijsheid leren uit de Bijbel

Grande Bible historiale à prologues (Genesis tot Openbaring), in het Frans. Parijs, ca. 1420.

- 460 x 330 mm
- ff. 296 (dl. 1), ff. 251 (dl. 2)
- Additioneel 18856, 18857

Bewaard gebleven kopieën van de *Bible historiale* bevatten een paar van de uitgebreidste reeksen met Bijbelse voorstellingen die aan het eind van de middeleeuwen zijn gemaakt.[1] Vooral de *Grand Bible historiale à prologues* is rijk aan illustraties. De tekst in de meest uitgewerkte versie van de *Bible historiale* bestaat niet alleen uit de Franse vertaling van oudere versies van 1 en 2 Kronieken, 1 en 2 Ezra en Nehemia (ill. 40.3), maar bevat ook prologen in de landstaal zoals van Jan van Blois, kapelaan van hertog Jan van Berry († 1416).

Dit manuscript is een bijzonder fraaie en weelderige kopie van de Bijbeltekst. Gemaakt in Parijs door een paar vooraanstaande boekkunstenaars uit het eerste kwart van de vijftiende eeuw, bevat het tweedelige boek niet minder dan 141 illustraties. Het formaat waarin zijn makers de Bijbelse tekst presenteerden, werd gebruikt voor boeken die bestemd waren voor de bibliotheken van Franstalige aristocraten uit die periode. Zo beschouwd heeft deze *Bible historiale* meer gemeen met even oude manuscripten van andere teksten in de landstaal dan met de manuscripten van Latijnse vroomheid of studie. De illustraties ervan zijn typerend voor de producten van de commerciële kunstenaars die de lekenmarkt van bibliotheekboeken bedienden; conventioneel in veel afbeeldingen maar soms iconografisch innovatief en complex. Zo'n uitgebreide tekst werd consequent in beide delen toegepast.

De geïllustreerde openingspagina van het eerste deel (ill. 40.1) is opmerkelijk. Deze pagina die het begin van een van de voorwoorden van de *Bible historiale*, afkomstig van Petrus Comestors *Historia scholastica*, aangeeft, biedt een uitgebreid visueel commentaar op theologische wijsheid. Dit commentaar putte zijn materiaal uit Bijbelse en andere christelijke literatuur als vervanging voor de conventionelere afbeeldingen van de Drie-eenheid vergezeld door de evangelisten, die kenmerkend is voor vele andere *Bible historiales*. De Drie-eenheid wordt weergegeven door een driedeling, maar nooit afgebeeld. In het midden van de illustratie is een vertrek met geestelijken te zien; de drie deuren in het

40.1 | Vrouwe Wijsheid, Mozes en Petrus geven instructies, omringd door de evangelisten (onder), en scenes uit het leven van de Maagd (links) en Christus (rechts), aan het begin van een van de voorwoorden van de *Grande Bible historiale*, additioneel 18856, f. 3 (detail).

Ego ex ore altissimi prodii primo
genita ante omnem creaturam
Ego feci in celis ut oriret lumen
indeficiens. et sicut nebula texi
omnem terram
Girum celi circuivi sola. et pro
fundum abyssi penetravi.
Beatus qui audit me qui vi
gilat ad fores meas tota die ob
servat ad postes ostii mei.
Meum est consilium. et equitas
mea est. prudentia et fortitudo
Per me reges regnant. et legum
conditores iusta decernunt.
spes
fides
caritas
De la creation du ciel empire et des quatre
elemens et de la premiere confusion du mõde
le ou salle en la quelle il donne ses men
gers.
N palais de roy et de
empereur appartient
a avoir trois man
sions. Cest assavoir
auditoire ou consi
toire ou quel il fait
ses iugemens et don
ne a chascun sō droit.
Chambre en la quel
le il repose. Et cenail
N ceste maniere
nre - empereres
qui commande
aus vens et a la
mer et a le monde
pour auditoire ou
quel toutes choses
sont faites a son
commandement
et a la voulente de

vertrek zijn van links naar rechts *Spes* ('Hoop'), *Caritas* ('Liefdadigheid') en *Fides* ('Geloof') getiteld. In de ruimte aan de linkerkant geeft Mozes, herkenbaar aan zijn traditionele hoorns[2], het lam aan het Hebreeuwse volk; de twee stenen tafelen, die de wet voorstellen, staan op een altaar achter hem. In de randdecoratie links staan twee medaillons die de annunciatie (onder) en de tenhemelopneming van de Maagd afbeelden. Rechts van het vertrek predikt een apostel, waarschijnlijk Petrus, voor een menigte; op een altaar boven hem staan een boek en een kelk, symbolen voor het Woord en Christus' offer. In de rand aan de rechterkant staan nog twee medaillons waarin de Hemelvaart (boven) en Pinksteren te zien zijn. In het midden van de hele afbeelding geeft een derde figuur instructies aan een andere menigte. In dit geval is degene die instrueert, een gekroonde vrouw met vleugels die een boek

LINKS

40.2 | De Drie-eenheid, geflankeerd door de vier evangelisten, aan het begin van het Matteüsevangelie, additioneel 18857, f. 148 (detail).

BOVEN

40.3 | Koning Cyrus geeft het bevel om de Tempel van Jeruzalem opnieuw te bouwen, aan het begin van 1 Ezra, additioneel 18856, f. 207 (detail).

La lignee iudas tendra sa tente a tout son ost par devers orient si sera le prince naason le filz ad
minadab et fu la some de tous les combatans de toute ceste lignee .lxxiiij. mil. et .vjc. dencoste iudas tendi
ses tentes devers orient aussi la lignee ysachar et fu leur princes nathanael le filz suar et la some des coba
tans de ceste lignee fu .liiij.m et .iiijc. dencoste ysachar tendi ses tentes devers orient la lignee zabulon si fu le pri
ces heliable filz helon et la some des combatans de ceste lignee fu .lvij.m et .iiijc. ainsi furent es heberges iudas
devers orient .C.iiij.xx et .vj.m qui aloient premerain par leurs compaignies devers midi tendi ses tentes la lignee
ruben et fu leur prince helisseur filz sedeur et la some des combatans de ceste lignee fu .xlvj.m et .v. dencoste ruben
tendi ses tentes devers midi aussi la lignee symeon si fu leur prince salamihel le filz suri saddai et la some des
combatans de ceste lignee fu .lix.m et .iij. dencoste symeon tendi ses tentes la lignee gad si fu leur prince heliasaph le

40.4 | **De twaalf stammen van Israël verzamelen zich om te worden geteld door Mozes en Aäron, aan het begin van Numeri, additioneel 18856, f. 78 (detail).**

vasthoudt; het publiek omvat, links, wereldlijke en geestelijke leiders, en rechts een bisschop en kerkleraren. Om de inhoud van haar leer te verklaren houdt ze een paneel met Latijnse tekst voor zich. Dit paneel bevat passages uit het deuterocanonieke boek Wijsheid (24:5-6, 8), uit Spreuken (8:34, 8:14-15) en uit een van de invloedrijkste filosofische teksten uit de vroegchristelijke periode, 'De consolatione philosophiae' ('Over de vertroosting der wijsbegeerte') van Boëthius (Boek 4, vers 1).[3] In elk geval is wijsheid het onderwerp, en het is duidelijk de vrouwelijke personificatie van deze deugd, Wijsheid, die de menigte onderwijst. Boven deze scènes zweeft God, geflankeerd door Maria, Johannes de Doper en de engelen. Om hun gezag te geven zijn twee profeten in de bovenste rand en de vier evangelisten in twee gehistorieerde initialen en twee medaillons afgebeeld (de medaillons zijn niet te zien op ill. 40.1). Slechts één ander manuscript van de *Bible historiale* doet een poging tot zo'n ambitieuze exegese in zijn openingsillustratie.[4]

De nadruk op wijsheid aan het begin van het eerste deel wordt versterkt door het beeld van Salomo als leraar aan het begin van het tweede deel (zie fig. 1). Hier ligt de afgebeelde leer van wijsheid dichter bij het leven van het publiek waarvoor het manuscript is geschreven. Minder abstract dan zijn oudere tegenhanger geeft deze afbeelding een voorbeeld van de wijze leider. De traditionele afbeelding voor de opening van het eerste deel van de *Bible historiale*, de Drie-eenheid, is verplaatst naar het begin van het Matteüsevangelie. In plaats van dat Matteüs gewoon is afgebeeld, heeft de kunstenaar alle vier evangelisten rondom de Drie-eenheid afgebeeld (ill. 40.2).

De overvloed aan illustraties en de deelname van een van de prominentste kunstenaars die er in die tijd aan hebben gewerkt, namelijk de Meester van het Bedford-getijdenboek, waren voor eerdere geleerden een aanwijzing dat het boek was bestemd voor een lid van de Franse of Engelse koninklijke familie. Hoewel dit nog steeds een speculatie is, bewijzen heraldieke wapens die aan de pagina's zijn toegevoegd dat het manuscript later werd doorgegeven aan Karel van Frankrijk, de jongere broer van koning Lodewijk XI, toen hij tussen 1465 en 1469 hertog van Normandië was (ill. 40.1, 40.4).

NOTEN

1 Zie ook de *Bibles historiales* van Karel V en Eduard IV, no. 36 en 42.

2 De traditie om Mozes met hoorns af te beelden, stamt af van de beschrijving in de Vulgaat dat hij op zijn hoofd 'hoorns had door het gesprek met de Heer' (*cornuta esset facies sua ex consortio sermonis Dei*) nadat hij de tafelen met de wet had ontvangen (Exodus 34:29).

3 Voor deuterocanonieke boeken zie 'One Thousand Years of Art and Beauty', p. 10.

4 Harley 4381.

LITERATUUR

Millard Meiss, *French Painting in the Time of Jean de Berry: The Limbourgs and their Contemporaries* (New York, 1974), pp. 364, 379.

M.W. Evans, 'Boethius and an Illustration to the Bible historiale', *Journal of the Warburg and Courtauld Institutes*, 30 (1967), 394–398 (vooral 397).

Pamela Tudor-Craig, 'The Iconography of Wisdom and the Frontispiece to the Bible historiale, British Library, Additioneel Manuscript 18856', in *The Church and Learning in Later Medieval Society: Essays in Honour of R.B. Dobson, Proceedings of the 1999 Harlaxton Symposium*, red. Caroline M. Barron en Jenny Stratford (Donnington, 2002), pp. 110–127.

41

EEN NEDERLANDSE HISTORIEBIJBEL

Op zoek naar persoonlijke devotie

Utrechtse bijbel (Genesis tot Ester), in het Nederlands. Utrecht, ca. 1440-1445.

- 390 x 285 mm
- ff. 298
- Additioneel 15410

Noord-Nederland was een van de centra van de protestantse reformatie, waar rechtstreekse betrokkenheid van leken bij de Bijbeltekst werd benadrukt. In de voorafgaande eeuwen kon men in ditzelfde gebied de Bijbel in de landstaal lezen. Volgens recent onderzoek[1] werden ongeveer 430 manuscripten met delen van de Bijbel vertaald in Middelnederlands, waarvan vele vaker waren gemaakt voor leken dan voor religieuze ordes.

De weelderigste boeken die in deze context werden gemaakt, staan nu bekend als de Utrechtse bijbels. Deze manuscripten, waarvan ongeveer twintig tussen 1430 en 1480 in Utrecht werden geschreven en geïllumineerd, zijn nu befaamd om hun rijke illustratie van het Bijbelverhaal. Een paar boeken bevatten honderd miniaturen die zijn gemaakt door professionele kunstenaars. Hoewel het aantal Bijbelboeken die in de Utrechtse bijbels staan varieert, onderscheiden ze zich door een of twee Middelnederlandse teksten, die respectievelijk in 1360-1361 in Brabant en in het begin van de vijftiende eeuw in Noord-Nederland werden voltooid. Terwijl de Bijbelse tekst in ouder werk wordt vergezeld door de Historia scholastica van de Parijse geleerde Petrus Comestor († 1178), richt de nieuwe vertaling zich slechts op de woorden van de Bijbel zonder commentaar. Zoals de proloog in de Utrechtse bijbel al duidelijk maakt, ligt de nadruk op de historische en letterlijke interpretatie van de Bijbel en niet op de allegorische of morele betekenis.[2] Alles bij elkaar bieden de Utrechtse bijbels een helder en prijzenswaardig verhaal van het historische verleden, en het lezen ervan was bedoeld als steun voor leken die op zoek waren naar persoonlijke verlossing.[3]

Deze Utrechtse bijbel is een fraai exemplaar in zijn soort. Zoals in andere gelijksoortige bijbels is de tekst beperkt gebleven tot geselecteerde boeken van het Oude Testament in proza. 22 boeken, puttend uit de vertaling van 1360-1361, bevatten belangrijke canonieke teksten (de octateuch, 1 en 2 Samuel[4], Daniël, Ezechiël en Habakuk) en boeken die in moderne protestantse bijbels als apocrief worden beschouwd (het gebed van Manasse, Tobit, 1 en 2 Ezra, Judit en Ester). Het commentaar

41.1 | Koning Salomo oordeelt, aan het begin van Rechters, f. 160 (detail).

LINKS

41.2 | Elkana staat tussen zijn twee vrouwen, Peninna met haar kinderen en een huilende, kinderloze Hanna, aan het begin van 1 Samuel, f. 177v (detail).

TEGENOVER

41.3 | Elia brengt het vuur uit de hemel naar de boden van koning Achazja (links); herhaaldelijk opgeroepen bezoekt hij uiteindelijk de gewonde koning en voorziet zijn dood; aan het begin van 2 Koningen, f. 231v (detail).

van Comestor is toegevoegd aan de relevante sectie van de Bijbeltekst en is gemarkeerd als *scholastica historia* of geschreven in rode inkt. Het begin van Habakuk en Manasse wordt slechts door een grote geïllumineerde initiaal verduidelijkt, maar de andere boeken openen met een illustratie. In het geval van Genesis is er een kolomhoge afbeelding van de zeven scheppingsdagen, een marginale miniatuur van Abraham en Isaak, en een volledig gedecoreerde rand. Ergens anders leidt een enkele kolombrede illustratie elk boek in en wordt deze benadrukt door een gedeeltelijke randdecoratie. De miniaturen, rijk van kleur en gesitueerd in een omgeving uit die tijd, accentueren de letterlijke en rechtstreekse benadering van de tekst.

Dit boek is net zoals andere Utrechtse bijbels het werk van verschillende commerciële boekkunstenaars. Vier kunstschilders waren verantwoordelijk voor de illustraties, grote initialen en randdecoratie. Elke illustratieopdracht was zorgvuldig in series gepland: één miniaturist maakte de illustraties voor Genesis, een tweede schilderde de vier miniaturen die Exodus en Deuteronomium inleiden, een derde maakte

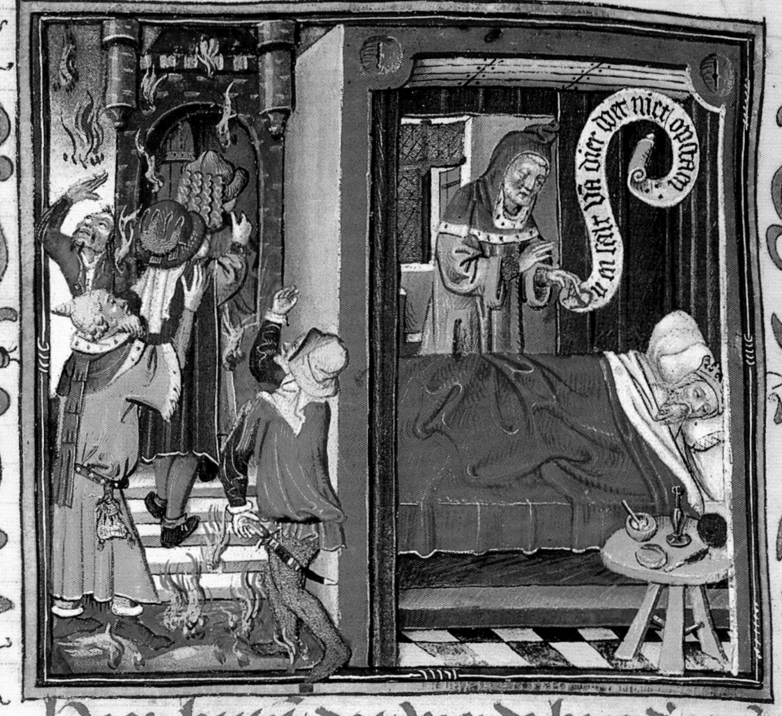

wer En die van amo en die va moab
en die va arabien qme i iuda omtrent
engaddy En doe iosephat bede inde
tempel so verstercte ne iahel zacha
rias zone die prophete en seide O
iuda en iherusale en wilt niet
ontsien Ghi selt morgen wt trec
ken en die here sal mit v wesen
En iosephat toech wt en sloech die
viande en verjagedese En doe isra
el der viande gheselde roefde in dage
so hiet hi die valeye die stat der be
nedictien om dat hi vrienscappe
had ghemaect mitten coninc van
israel so wert sijn volc in die zee te
broken daer die text af seyt

Meer dandere Text

Van iosephats woerde ende
sine wercke die hi dede ende
sine striden en sijn si niet bescreue
inden boeke der woerden vande da
ghen der coningen van iuda Mer hi
dede oec af vanden lande die ouer
blive vander drochheden die ouer
bleuen waren in aza sijns vaders
dagen En doe en was ne gheen
coninc ghemaect in edom En die
coninc iosephat had ghemaect ene
vloet inder zee die vare soude in
ophir om gout mer si en mochte
niet gaen Want si worden te bro
ken in asiongaber Doe seide otho
zias achabs zoen tot iosephat mijn
knapen sellen gaen mit dine kna
pen in die schepe en iosephat en wou
de En iosephat sliep mit sinen va
ders en hi is mit hem begrauen
in dauid sijns vaders stede En io
ram sijn zone regneerde ouer he

In iosephats Heydensche yeesten
dagen was die negende coninc
vanden latinen siluius carpetus
En die tiende siluius tyberius En
na hem wert die riuiere die ty
bere ghenoemt diemen te vore abul
la hiet Die elfte coninc was siluius
agrippa Text der bibelen

Othozias achabs zone begoste
te regneren bouen israel in sama

Hier begint dat vierde boec der coninge

Moab brac sijn
gheloefte na die
dat achab doot
was en ghinc is
rael af En o
chosias viel do
re die tralie va
sijnre cameren
die hi hadde in
samarien En
hi qual en hi
zende bode en
seide tot hem Gaet en
neemt raet aen belzee
bub den god van ackers
of ic sal mogen te liue bliue van deser
ziecheit En theren engel sprac tot he
lyam van thesby en seide Stant op en
ganc in scoonnincs van samarie bode
ghemoete en sels tot hem segghe En is
ne gheen god in israel dat ghi gaet
om raet te neme van belsebub de god
van ackers Om die zake seit die he
Du en sels vande bedde niet gaen daer
du op geleghe bis. Mer du sels die doot
sterue En helyas ghinc wech en die
boden keerden weder tot othosia En
hi seide hem waer om si di weder co
men En si antwoerden hem Een
man quā ons te ghemoete En hi sei
de ons Gaet en keert weder toten

Moab plach
te sijn onder
de co va isrl

soude mogen in duutsche verclaren
elc te sijnre stat Die ioden en hebben
in dit boec niet die historie van su
samme noch der kinderen lof noch
die sagen van bel En vanden drake
Daer wij af seggen selle claerlick
elc te sijnre stede

Hier beghint daniels boec Cap. I.

Nabugodonosor de coninc
van babilonie
quam te iheru
salem in ioa
chims tiden
van iuda der
de iare van si
nen rijc ende

41.4 | **Daniël bidt in de leeuwenkuil (links); Habakuk, die eten brengt naar de maaiers in het veld, wordt door een engel gedragen om in plaats daarvan Daniël eten te geven (Daniël (Gr.) 3:33-38), aan het begin van Daniël, f. 265 (detail).**

de zeven miniaturen voor Jozua tot 2 Samuel, en de laatste schilderde hetzelfde aantal voor Tobit tot Ester. Door het werk zo te verdelen konden verschillende kunstenaars tegelijkertijd aan delen van het boek werken en de productie ervan op een commerciële manier versnellen. De bijdrage van de boekillustratie van de derde kunstenaar (ill. 41.1-41.3) is verreweg het meest vakkundig onderlegd, hoewel de Nederlandse instructies in de marge van de relevante pagina's een leidraad voor hem zijn. Tegelijk geven ze aan dat hij niet de persoon was die het werk coördineerde, zoals je zou verwachten.

Het gaat hier om de 'Meester van Katharina van Kleef', die zo genoemd werd na zijn opmerkelijke illuminatie van het getijdenboek, nu in New York, dat rond 1440 werd gemaakt voor Katharina van Kleef (1417-1476), de hertogin van Gelre.[5] Hij is wijd en zijd erkend als een van de innovatiefste en fascinerendste kunstenaars aan het eind van de middeleeuwen. Drie van de vijftien manuscripten die door hem zijn geïllumineerd, zijn Utrechtse bijbels. En in dit boek brengt deze anonieme illuminator zijn Bijbelse onderwerpen tot leven en geeft hij ze een naturalistische charme. Bij het begin van het boek Rechters bijvoorbeeld wordt een mogelijk formele oordeelsscène door de kunstenaar verlevendigd door een breed palet, een variëteit aan gebaren en poses van de figuren en anekdotische details (ill. 41.1). Voor 1 Koningen heeft de Meester van Katharina van Kleef een traditioneel onderwerp op een nieuwe manier afgebeeld, en de positie van Peninna en Hanna scherp onderscheiden door ze opvallend verschillende kleding en houding te geven (ill. 41.2). Hanna's bedachtzame en terneergeslagen houding geeft duidelijk aan dat ze overhoopligt met de levendige interactie tussen Peninna en haar kinderen. De aantrekkelijke afbeelding van Daniël in de leeuwenkuil (ill. 41.4) werd gemaakt door een medewerker van de Meester van Katharina van Kleef.

LITERATUUR

Sandra Hindman, *Text and Image in Fifteenth-Century Illustrated Dutch Bibles* (Leiden, 1977), pp. 3, 10, 13, 67, 85, 137.

James H. Marrow en anderen, *The Golden Age of Dutch Manuscript Painting* (New York, 1990), no. 42.

Rob Dückers en Ruud Priem, *The Hours of Catherine of Cleves: Devotion, Demons and Daily Life* (New York, 2010), pp. 55, 58, no. 20.

NOTEN

1 Suzan Folkerts, 'Reading the Bible Lessons at Home: Holy Writ and Lay Readers in the Low Countries', *Church History and Religious Culture*, 93 (2013), 217–237 (p. 224).

2 Hindman, *Text and Image* (1977), p. 23.

3 Geert Warnar, 'Het verlossende woord: De Utrechtse bijbels (ca. 1430–1480) in context', *Ons Geestelijk Erf*, 83 (2012), 264–282.

4 Voor de octateuch zie de Paduaanse Platenbijbel, no. 37; het eerste tot en met het vierde boek van Koningen worden in de Utrechtse Bijbel 1 en 2 Samuel en 1 en 2 Koningen genoemd.

5 New York, Morgan Library, MS M. 917 en MS M. 945.

42

DE *BIBLE HISTORIALE* VAN EDUARD IV

Een bijbel passend voor een koning

Bible historiale (Tobit tot Handelingen), in het Frans. Brugge, 1470 (schrift) en ca. 1479 (illuminatie).

- 435 × 320 mm
- ff. 239
- Royal 15 D. i

Samen met twee tegenhangers[1] is het huidige manuscript beschreven als de mooiste Franse bijbel die ooit is gemaakt.[2] Door de 77 miniaturen, die veel onderwerpen uit het Oude en Nieuwe Testament illustreren, is het absoluut een van de overdadigste geïllustreerde bijbels.

Bovendien zijn elf illustraties van de Bijbelse onderwerpen ontworpen met een kunstzinnige ruimdenkendheid en uitgestrektheid, waardoor ze zich onderscheiden van andere laatmiddeleeuwse Bijbelse miniaturen. De bijbel is een sprekende getuige van de pracht en praal van het hof van Eduard IV (r. 1461-1483), door een bezoeker aan Engeland beschreven als 'het prachtigste ... van het hele christendom'.[3]

Terwijl de meeste oudere kopieën van de *Bible historiale* werden gemaakt in Parijs[4], werden dit boek en zijn tegenhangers gemaakt in Brugge. Halverwege de vijftiende eeuw was Brugge een van de levendigste commerciële en artistieke centra van Europa en het wemelde er van vaklieden die voor rijke cliënten manuscripten van een hoge kwaliteit konden produceren. Zoals in veel van dit soort boeken is de verluchting van het huidige manuscript het resultaat van een samenwerking tussen verschillende kunstenaars. Tien van de elf grote miniaturen, het prominentste kenmerk van het boek, waren een bijdrage van een leidinggevende kunstenaar die werkte met een getalenteerde assistent. In afbeeldingen zoals Belsassars feest (ill. 42.1) maakten de twee illuminatoren een opvallende compositie, waarbij de eenvoudige basis wordt verlevendigd door een ruim aangebracht energiek palet en de introductie van een aantal gecompliceerde figuurposes. Ondanks hun grote formaat richten alle illustraties zich bijna helemaal op één episode. Aanvullende scènes werden verbannen naar donkere hoeken in de miniaturen en worden door de kijker gemakkelijk over het hoofd gezien. De twee miniaturisten putten uit een voorraad patronen van individuele figuren en groepen om hun schilderwerken samen te stellen. Bronnen voor de indrukwekkende kruisiging (ill. 42.5) bijvoorbeeld zijn onder andere een oudere Nederlandse gravure van hetzelfde onderwerp voor

42.1 | Terwijl hij aan een feestmaal zit, kijkt koning Belsassar vol afschuw naar een hand die iets op de wand schrijft, in het boek Daniël, f. 45 (detail).

Mane thechel phares

Este hystoire
de iudich trās
lata saint Ihe
rosme de caldieu
en latin A la requeste et
priere des saintes vierges
eustochiu et paul[illegible] quat

de grans pierres quar
Laquelle il appella ecb
tanis Et en fist les m
de lxx. coutees de hault
Et auoient despesseur
xxx. coutees Et l
se commença fort a glo

Au quart io[ur]
apres holo
fernes fist
appareillier
ung grant
soupper a ses gens / Et ap
pella bagao son chastre ou

Car il me tourneroit a
grant honte entre les
assiriens se elle meschap
port ainsi Dont
ala bagao a Judich / Et
luy dist / ha a bonne pu
celle / nayes une honte

Vorige pagina's (links)
42.2 | Judit houdt het hoofd van de Assyrische generaal Holofernes vast, die ze heeft onthoofd in zijn tent buiten de belegerde stad Betulia terwijl hij dronken was; op de achtergrond draagt zij zijn hoofd op de punt van haar zwaard naar de stad, in het boek Judit, f. 66v (detail).

Vorige pagina's (rechts)
42.3 | De Assyriërs vinden het onthoofde lichaam van Holofernes als het Joodse leger de stad verlaat om ze aan te vallen; op de achtergrond wordt het hoofd van Holofernes op een spies boven de stad gehesen; in het boek Judit, f. 76v (detail).

Links
42.4 | Judas geeft de zilverstukken die hij heeft gekregen voor het verraad van Christus weer terug, en pleegt zelfmoord, in de evangeliënharmonie, f. 346 (detail).

Tegenover
42.5 | Christus sterft aan het kruis tussen de twee misdadigers, terwijl Maria in de armen van Johannes valt, de andere twee vrouwen kijken vol verdriet op en de centurio en soldaten praten met elkaar, in de evangeliënharmonie, f. 353 (detail).

de twee misdadigers, en een paneelschildering van de kruisiging door de gevierde Nederlandse schilder Rogier van der Weyden († 1464) voor de gekruisigde Christus.

De enige grote miniatuur die niet door deze twee kunstenaars is geschilderd, de dood van Holofernes (ill. 42.2), was een bijdrage van een schilder die met een meer getemperd palet werkte, meer interesse had in het afbeelden van ruimte en de voorkeur gaf aan het lichtspel in plaats van vormen. Een vergelijking van deze afbeelding met de volgende miniatuur in het boek, die de ontdekking van de dode Holofernes illustreert (ill. 42.3), maakt het verschil zichtbaar tussen de verschillende bijdragen aan het manuscript. De getalenteerde assistent die zijn medewerking aan de grote illustraties had verleend, maakte ook een van de 66 eenkoloms-miniaturen (ill. 42.4) en heeft die zorgvuldig geschilderd in semi-grisaille, een techniek die beperkt kleur toevoegt aan het zwart-wit van grisaille.[5] Een derde en vierde kunstenaar waren verantwoordelijk voor alle andere miniaturen, met uitzondering van twee kleine miniaturen en de verfijnde geïllumineerde randen die bij alle illustraties staan (ill. 42.6). Samen vormen de illustraties een doorlopend

Ainsi que
ceste tourbe
mauldicte
des juyfz
menoit

le cyreneem qui leur sam
bloit fort et robuste pour
soustenir et porter ceste croix
Auquel voulx voulsist
il ou non ilz la chargerent

visueel verhaal dat gaat van het boek Tobit (ill. 42.6) tot Handelingen; het bevat ook de boeken Jeremia, Ezechiël, Daniël (ill. 42.1), Judit (ill. 42.2-42.3), Ester en Makkabeeën, en een evangeliënharmonie waarin de aparte verhalen van de vier evangelisten met elkaar zijn verweven tot één verhaal (ill. 42.4-42.5).[6]

Net als zo veel van zijn koninklijke voorgangers wilde Eduard IV een paar van de mooiste boeken bezitten die op het continent waren gemaakt. Als gevolg daarvan bouwde hij een opmerkelijke collectie op van overvloedig uitgevoerde Zuid-Nederlandse manuscripten die de aristocratische smaak voor Franse educatieve en historische teksten weerspiegelden en verlevendigd waren door kleurrijke illuminaties. Aan het begin van het huidige manuscript noemt de schrijver, Jan du Ries, in een inscriptie het jaartal van het manuscript, 1470, en zijn beschermheer, Eduard. Maar het boek lijkt oorspronkelijk niet voor de Engelse koning bestemd te zijn geweest. Eduards naam en titels zijn duidelijk over een uitwissing geschreven en ze waren geen onderdeel van de originele tekst van Du Ries. Ander bewijs toont aan dat het boek veel later voor Eduard was voltooid. De twee tegenhangers die samen het overblijfsel van zijn *Bible historiale* zijn, zijn gedateerd op 1479, en dat komt overeen met wat we nu weten over de belangrijkste periode van Eduards verzameldrift van Nederlandse geïllumineerde manuscripten. Een gedetailleerde analyse van de rand- en heraldieke decoratie (zie ill. 42.6) en een analyse van de kleding van de figuren bevestigen dat de decoratie van dit boek ook onderdeel was van die actie rond 1479. Waarschijnlijk bleef de ambitie van de planners van deze kopie van de *Bible historiale* in de voorafgaande jaren door gebrek aan een beschermheer met voldoende interesse en geld onvervuld tot een aantal jaar na het schrijven van de tekst, toen het schilderwerk voor de Engelse koning helemaal werd voltooid.

42.6 | Tobit is blind geworden door vogelpoep, terwijl hij slaapt in zijn huis; buiten, Tobits zoon Tobias praat met de engel Rafaël, die is vermomd als reiziger; aan het begin van het boek Tobit, f. 18.

Literatuur

Samuel Berger, *La Bible française au Moyen Age: étude sur les plus anciennes versions de la Bible écrites en prose de langue d'Oil* (Parijs, 1884), pp. 389–390.

Thomas Kren en Scot McKendrick, *Illuminating the Renaissance: The Triumph of Flemish Manuscript Painting in Europe* (Los Angeles, 2003), no. 82.

John Lowden, 'Bible historiale: Tobit to Acts', in Scot McKendrick, John Lowden en Kathleen Doyle, *Royal Manuscripts: The Genius of Illumination* (Londen, 2011), no. 53.

Scot McKendrick, 'The Manuscripts of Edward IV: The Documentary Evidence', in *1000 Years of Royal Books and Manuscripts*, red. Kathleen Doyle en Scot McKendrick (Londen, 2013), pp. 149–177.

Noten

1 Royal 18 D. ix en Royal 18 D. x.

2 Berger, *La Bible* (1884), p. 389.

3 Gabriel Tetzel, februari 1466, geciteerd in Charles Ross, *Edward IV* (Londen, 1974), p. 259.

4 Zie de *Bibles historiales* van Karel V en Karel van Frankrijk, no. 36 en 40.

5 Voor grisaille zie de *Bible historiale* van Karel V, no. 36.

6 Voor evangeliënharmonie zie 'One Thousand Years of Art and Beauty', p. 15.

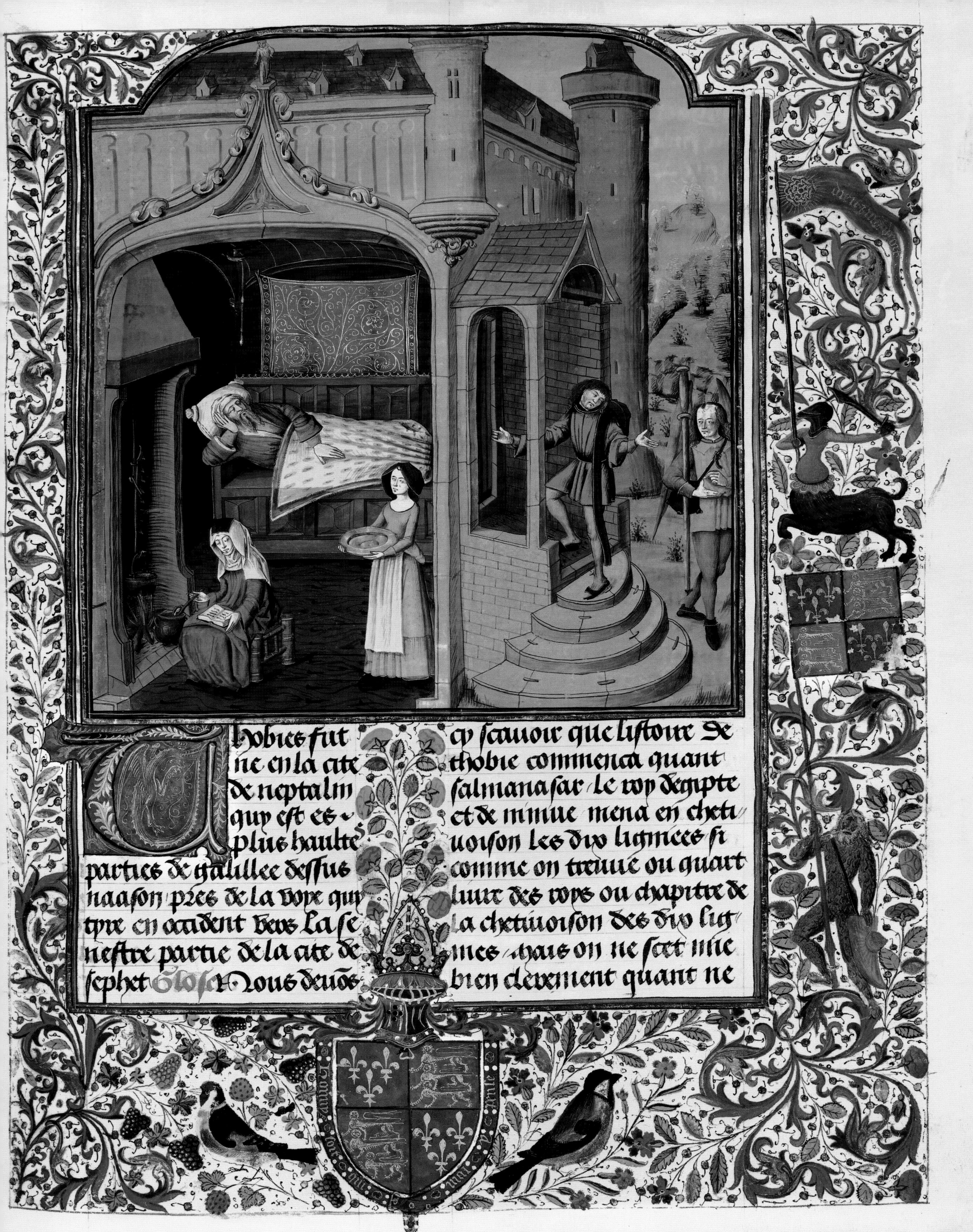

Thobies fut
ne en la cite
de neptalim
quy est es
plus haulte
parties de galillee dessus
naason pres de la voye qui
tyre en occident vers la se
nestre partie de la cite de
sephet Glose Nous devons

cy scavoir que listoire de
thobie commenca quant
salmanasar le roy degipte
et de ninive mena en cheti
voison les dix lignees si
comme on treuve ou quart
livre des roys ou chapitre de
la chetivoison des dix lig
nees mais on ne scet mie
bien clerement quant ne

43

HET EVANGELIARIUM VAN KARDINAAL FRANCESCO GONZAGA

Een renaissancistisch evangeliarium van een kardinaal

Vier evangeliën, in Grieks
Rome, 1478.

- 310 x 215 mm
- ff. 299
- Harley 5790

Tegen het eind van de vijftiende eeuw had de paus iets van de voormalige glorie van Rome hersteld. Tijdens de eeuw ervoor was het pausdom naar de Franse stad Avignon verbannen, ondergedompeld in het Groot Schisma toen meer dan één persoon stelde dat híj de paus was.[1] Toen het pausdom weer in Rome was gevestigd, werd de tijdelijke leiding over de stad vervolgd en kunst en onderwijs weer tot leven gebracht. Tegen de tijd dat het huidige manuscript werd gemaakt, bezat paus Sixtus IV (r. 1471-1484) de grootste boekencollectie in West-Europa en gaf hij opdracht tot de bouw van wat een van 's werelds beroemdste gebouwen zou worden, de Sixtijnse kapel.

Het boek, dat bekend staat als het evangeliarium van kardinaal Francesco Gonzaga, is een opmerkelijk kunstwerk dat in Rome tijdens de renaissance werd gemaakt. In het boek staan drie evangelistenportretten van Marcus, Lucas en Johannes (het portret van Matteüs is verdwenen), en geïllumineerde *incipit*-pagina's voor alle vier evangeliën. Elk van deze illuminaties is aandacht waard. In het geval van de portretten (ill. 43.1-43.2) is de kunstzinnige taal duidelijk die van de Italiaanse vijftiende eeuw in plaats van Byzantijns.[2] Het perspectief, naturalisme en palet van de portretten, gecombineerd met de Romaanse gewaden van alle figuren en de jeugdige Johannes, bevestigen dat dit het werk is van een Italiaanse illuminator die in de voetstappen is getreden van renaissancistische schilderstukken. Andere kenmerken zoals de lessenaars met drapering van Marcus en Johannes (ill. 43.1-43.2) kunnen duiden op gebruik van veel oudere westerse voorbeelden.[3] Tot op heden is geen andere illuminatie echt toegeschreven aan dezelfde kunstenaar. Maar hij is verantwoordelijk voor de vier titelvignetten, de grote initialen en de drie marginale figuren die bij de opening van de evangeliën verschijnen (ill. 43.3-43.7). Hoewel de stijl en iconografie Byzantijns is, bevatten de titelvignetten niet alleen decoratie in de renaissancestijl die identiek is met die in de kaders van de portretten, maar ze komen ook overeen met de leer van de kerk van Rome. Het titelvignet voor Matteüs bijvoorbeeld

43.1 | Marcus zit buiten aan zijn tafel en pauzeert tijdens het schrijven van zijn evangelie, vergezeld van zijn symbool van de leeuw, aan het begin van het Marcusevangelie, f. 87v (detail).

Ommezijde
43.2–43.3 | Buiten zittend aan zijn tafel schrijft Johannes zijn evangelie, vergezeld van zijn symbool van de adelaar; en (ertegenover) Christus, met een boek in zijn hand, maakt een zegenend gebaar, geflankeerd door de aartsengelen Michaël en Gabriël, en (in de rechtermarge) Johannes de Doper; aan het begin van het Johannesevangelie, ff. 232v-233.

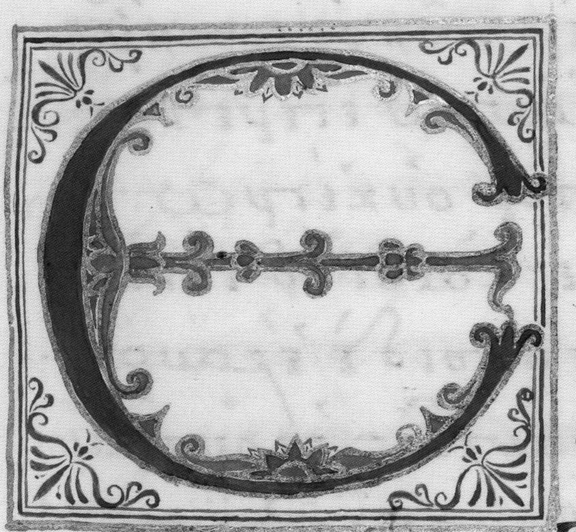

Ἐν ἀρχῇ ἦν ὁ λόγος·
καὶ ὁ λόγος ἦν
πρὸς τὸν θεόν.
καὶ θ(εὸ)ς ἦν ὁ λόγος·
οὗτος ἦν ἐν ἀρχῇ
πρὸς τὸν θ(εό)ν·
πάντα δι' αὐτοῦ
ἐγένετο· καὶ χωρὶς αὐτοῦ ἐγένετο
οὐδὲ ἕν, ὃ γέγονεν· ἐν αὐτῷ
ζωὴ ἦν· καὶ ἡ ζωὴ ἦν, τὸ φῶς
τῶν ἀν(θρώπ)ων· καὶ τὸ φῶς ἐν τῇ σκο-
τίᾳ φαίνει· καὶ ἡ σκοτία αὐτὸ

Tegenover (boven)

43.4 | Christus staat tussen de bustes van Maria en Petrus, maakt een zegenend gebaar, met (in de medaillons) de aartsengelen Michaël en Gabriël, bij de openingspagina van het Matteüsevangelie, f. 4 (detail).

Tegenover (onder)

43.5 | Christus met een boek in zijn hand, tussen de profeten Jesaja en Jeremia met geschreven tekstrollen, bij de openingspagina van het Marcusevangelie, f. 88 (detail).

(ill. 43.4) bevat een Byzantijnse *Deësis*, maar die staat niet bij Petrus en Johannes de Doper, wat traditioneel is.[4] Bij beide en aan het begin van het Johannesevangelie zegent Christus in het Latijn en niet in het Grieks. Opvallende Byzantijnse kenmerken zijn de aartsengelen die de *labara* (Byzantijnse standaarden van autoriteit; ill. 43.3)[5] vasthouden, en de Blachernitissa (ill. 43.7), een Moeder Godsicoon vernoemd naar een beroemde afbeelding die wordt bewaard in de Blachernenkerk in Constantinopel. De moeder van God (in Grieks, *Theotokos*) wordt afgebeeld in gebed, met het Christuskind in een medaillon voor haar borst.

Het evangeliarium van kardinaal Gonzaga was, net zoals de meeste andere Bijbelse manuscripten, gekopieerd vanaf een ouder manuscript. Het is opmerkelijk dat men kan zien dat niet alleen de tekst maar ook de karakteristieke *incipit*-pagina's zijn afgeleid van het voorbeeld. Alleen dit andere evangeliarium, nu in het Vaticaan[6], bevat zulke kenmerkende gehistorieerde titelvignetten en marginale figuren. De illuminator, die geen kennis van het Grieks had, kopieerde de titels, die de verschillende afgebeelde personages identificeren, niet van zijn Byzantijnse voorbeeld. Maar dankzij de bijschriften in het Vaticaanse boek kunnen we elke figuur in de kopie benoemen. De flankerende figuren in de titelvignetten van de evangeliën van Matteüs, Lucas en Johannes (ill. 43.3-43.4, 43.7) zijn de aartsengelen Michaël (links) en Gabriël (rechts). De twee profeten aan het begin van het Marcusevangelie zijn Jesaja en Jeremia; de twee marginale figuren aan het begin van het Lucasevangelie zijn de evangelist en Theofilus, aan wie het evangelie is opgedragen (ill. 43.7). We kunnen ook bevestigen dat de Romaanse Petrus bij de openingspagina van het Matteüsevangelie (ill. 43.4) David vervangt en niet Johannes de Doper. Alles bij elkaar is het boek van kardinaal Gonzaga de fascinerendste kopie van Griekse evangeliën die tijdens de renaissance in Italië zijn gemaakt.

Zoals voor veel boeken uit deze latere periode van manuscriptproductie geldt, weten we veel over de personen die met het boek in verband staan, maar weinig over hun motivatie en bedoeling. Aan het eind van het manuscript vertelt een paginalange inscriptie dat het kopiëren van de Griekse tekst van de vier evangeliën op 25 april 1478 in Rome werd voltooid. De transcriptie werd gedaan door de Kretenzer schrijver Ioannes Rhosos († 1498) en kardinaal Francesco Gonzaga (1444-1483) heeft ervoor betaald. Rhosos, die zich kort na de val van Constantinopel in 1453 in Italië vestigde, was een populaire keus voor geleerden en verzamelaars die kopieën van Griekse klassieke teksten wilden hebben. Een jaar eerder voltooide hij voor Gonzaga het Griekse deel van een tweetalige kopie van de Ilias en de Odyssee, nu in het Vaticaan.[7] Onder Rhosos' bewaard gebleven boeken valt deze kopie van de evangeliën toch op als een onderscheidende keus, met weinig parallellen.[8]

Francesco, een jongere zoon van Ludovico Gonzaga (1414-1478), de

Links

43.6 | Theofilus ontvangt het Lucasboek, bij de openingspagina van het Lucasevangelie, f. 143 (detail).

Tegenover

43.7 | De Blachernitissa, geflankeerd door de aartsengelen Michaël en Gabriël, en (in de rechtermarge) Theofilus ontvangt het Lucasboek, bij de openingspagina van het Lucasevangelie, f. 143

machtige heerser over Mantua en beroemde beschermheer van de kunstschilder Andrea Mantegna, werd in 1461 tot kardinaal gekozen en kwam het jaar erop in Rome aan. Daar zette hij een belangrijke boeken- en kunstwerkencollectie op. Zijn persoonlijke secretaris, Giovanni Pietro Arrivabene († 1504), de latere eigenaar van de evangeliën, was een leerling van de humanist Francesco Filelfo. In tegenstelling tot zulke humanisten kende de kardinaal geen Grieks en hij heeft misschien een kopie van de evangeliën in de originele taal gebruikt om te laten zien en om aanzien te krijgen.

Literatuur

David S. Chambers, *A Renaissance Cardinal and his Worldly Goods: The Will and Inventory of Francesco Gonzaga* (1444–1483) (Londen, 1992), pp. 61–62.

The Painted Page: Italian Renaissance Book Illumination, 1450–1550, red. Jonathan J.G. Alexander (Londen, 1994), p. 106.

Robert S. Nelson, 'Byzantium and the Rebirth of Art and Learning in Italy and France', in *Byzantium: Faith and Power (1261–1557)*, red. Helen C. Evans (New York, 2004), p. 523.

noten

1 Zie de Bijbel van Clemens VII, no. 34.

2 Vergelijk het Guest-Coutts Nieuwe Testament en de Burney, Griekse Harley en tsaar Ivan Alexander evangeliaria, no. 9, 18, 24, 35.

3 Fabrizio Crivello, 'Motivi altomedievali tra Bisanzio e Rinascimento: nota sugli evangelisti dell'Evangelario Harley 5790', in *Miniatura: lo sguardo e la parola*, red. Federica Toniolo en Gennaro Toscano (Milan, 2012), pp. 292–295.

4 Voor de *Deësis* zie het Melisende-Psalter, no. 19.

5 Voor de *labara* zie het Winchester Psalter, no. 20.

6 Vaticaanstad, BAV, mss Rossi 135–138.

7 Vaticaanstad, BAV, mss Vat. gr. 1626, 1627.

8 Een zeldzame parallel is het psalter dat hij in 1478 heeft gekopieerd (Harley 5737).

πειδήπερ πολλοὶ
ἐπεχείρησαν ἀνα-
τάξασθαι διήγη-
σιν περὶ τῶν πε-
πληροφορημένων
ἐν ἡμῖν πραγμά-
των· καθὼς παρ-
έδοσαν ἡμῖν οἱ ἀπ᾽ ἀρχῆς αὐτόπται
καὶ ὑπηρέται γενόμενοι τοῦ λόγου·
ἔδοξε κἀμοὶ παρηκολουθηκότι
ἄνωθεν· πᾶσιν ἀκριβῶς· καθεξῆς
σοι γράψαι κράτιστε Θεόφιλε·

44

EEN ARMEENS EVANGELIARIUM

De evangeliën geschilderd in Perzië

Vier evangeliën, in het Armeens. Isfahan, 1608.

- 170 x 135 mm
- ff. 309
- Oriental 5737

Het christendom is lange tijd onlosmakelijk verbonden geweest met Armenië. Onder koning Tiridates III (r. 287-330) was Armenië het eerste land waar het christendom formeel werd toegestaan. Al in de vijfde eeuw werd de Bijbel in het Armeens vertaald. Als gevolg van machtsstrijd tussen twistende rijken raakte het verstrooid en koesterden de Armeniërs de Bijbel als de 'adem van God' (in het Armeens: *Astuadsashuntch*). Bijbelse teksten werden door hen overgedragen en ze gebruikten ze op zodanige manier dat van de oude vertalingen (of 'Versies') van de Bijbel alleen in handgeschreven kopieën de Latijnse Vulgaat is overgebleven.[1] Ook opdracht tot en productie van verfijnde geïllumineerde kopieën van de evangeliën verhieven ze tot een krachtige en langdurige traditie.

Een van de laatste pareltjes van die traditie vond plaats in de Perzische hoofdstad Isfahan. Hier gaven rijke inwoners van Nieuw Julfa, de Armeense wijk die was gesticht door sjah Abbas (r. 1588-1629), opdracht voor het maken van ontelbare geïllumineerde manuscripten. In het huidige manuscript worden de beschermheren en de makers van het evangeliarium uitvoerig genoemd. Volgens deze inscriptie besteedden meester (*Khwāja*) Vēlĳan en zijn vrouw Gayan een 'groot bedrag' aan de decoratie van het boek, betaald van Vēlĳans 'verdiensten uit zijn eerlijke arbeid'. Dat deden ze niet alleen 'voor de pracht van de heilige kerk en ten voordele van de kinderen van Sion', maar ook als een aandenken aan Vēlĳan en zijn familie. Genoemd worden ook de schrijver, Jikh Stepanos van Julfa (bloeitijd 1608-1637), en de kunstenaar Mesrop van Hizan (bloeitijd 1603-1652), die 'het boek verluchtte met prachtige kleuren, goud en lapis lazuli, en allerlei pigmenten'.

Vēlĳans boek is kenmerkend voor Armeense evangeliaria. Het boek begint met 17 paginagrote afbeeldingen; de rugzijde is blanco, en de meeste zijn in paren tegenover elkaar gerangschikt. Hoewel er delen van het boek verloren zijn gegaan en andere delen opnieuw zijn gerangschikt, heeft deze visuele reeks een duidelijk traject, waarin het verhaal van de verlossing vanaf de geboorte van Christus tot het laatste oordeel wordt afgebeeld. Het bereikt zijn hoogtepunt met een vroom tweeluik van de Maagd als

44.1 | Canon 6 van Eusebius' canontafels, symbolen van Abrahams altaar, met de ram die vastzit in de struiken (Genesis 22:13), f. 23 (detail).

Ommezijde
44.2–44.3 | Christus' tweede komst, aangekondigd door vier trompet spelende engelen, bij het midden van een groot kruis; aan de voet van het kruis knielt een man in gebed; (tegenover) Christus op een troon oordeelt, vergezeld van de vier levende wezens en geflankeerd door de Maagd en Johannes de Doper terwijl (onderaan) een engel en demonen strijden bij het wegen van zielen; ff. 14v-15.

15

bemiddelaarster voor haar zoon. In het voorlaatste paar van rijkelijk geschilderde afbeeldingen zijn de tweede komst en het laatste oordeel naast elkaar gezet (ill. 44.2-44.3). Aangekondigd door engelen op de vier hoeken van de aarde verschijnt een zittende Christus in een medaillon in het midden van een groot kruis. Duidelijk refererend aan de *chatsjkar* ('stenen kruis'), waar Armeniërs baden voor de zielen van de doden, ontspruiten onderaan en aan de balken van het geïllumineerde kruis bladeren en takken zoals een levensboom. Onderaan knielt de beschermheer van het manuscript en elders in het boek wordt de lezer gevraagd om voor hem te bidden. Tegenover deze illuminatie staat een afbeelding van het laatste oordeel waarop Christus, met de vier levende wezens van Openbaring (4:6-10) en geflankeerd door de bemiddelaars Maria en Johannes de Doper, het wegen van de zielen overziet. Onderaan spiest Michaël demonen die het evenwicht willen verstoren.

Meer illustraties komen voor bij de canontafels, bij het begin van elk evangelie en in 26 kleine marginale miniaturen bij de evangelietekst. In de canontafels heeft de illuminator het commentaar van de tabellen gevolgd die werden ontworpen door Stepanos, bisschop van Sjoenik († 735). Bij de zesde canon bijvoorbeeld schilderde hij niet alleen de traditionele bogen en zuilen, maar ook een ram die met zijn horens aan een boom hangt (ill. 44.1).[2] Volgens de notitie van de schrijver Jikh Stepanos (hier niet te zien) in de marge onderaan, staat deze canon 'symbool voor Abrahams altaar en hier is de boom waaraan de ram in plaats van Isaak wordt opgehangen, als symbool van Jezus Christus die zichzelf opofferde aan het kruis'. Aan het begin van elk evangelie staat een portret van de evangelist en een rijkelijk gedecoreerde pagina van de tekst. De miniatuur die het Johannesevangelie voorafgaat, volgt een lange Byzantijnse traditie; Johannes wordt afgebeeld terwijl hij zijn tekst dicteert aan zijn discipel Prochorus.[3] De tekst ertegenover (ill. 44.4) is versierd met een traditioneel geïllumineerde ϖ-vormige poort, en twee tegenover elkaar staande vogels.[4] In de rechtermarge staan de symbolen van de vier evangelisten, waarvan de bovenste, de adelaar van Johannes, een boek in zijn bek heeft en de openingsinitiaal vormt.

Van alle personen die in verband worden gebracht met dit boek, is de illuminator, Mesrop, nu het meest erkend. Geoefend in de oude artistieke tradities van de Armeense stad Hizan, ten zuiden van het Vanmeer, verhuisde Mesrop na de overwinning door sjah Abbas rond 1607 naar Nieuw Julfa. Van de 45 manuscripten waaraan Mesrop heeft gewerkt, is het huidige boek het eerste waaraan hij begon in zijn nieuwe huis en wat hij daar voltooide.

LITERATUUR

Vrej Nersessian, *Armenian Illuminated Gospel-Books* (Londen, 1987), pp. 31–35, 92–93.

Vrej Nersessian, *Treasures from the Art: 1700 Years of Armenian Christian Art* (Londen, 2001), no. 149.

Mikayel Arakelyan, *Mesrop of Xizan: An Armenian Master of the Seventeenth Century* (Londen, 2012), vooral pp. 141–142.

44.4 | De openingspagina van het Johannesevangelie, met de symbolen van de vier evangelisten die de initiaal vormen, f. 241 (detail).

NOTEN

1 Voor de versies zie 'One Thousand Years of Art and Beauty', p. 12.

2 Voor canontafels zie de Londense Canontafels, no. 1.

3 Voor Prochorus zie het Burney evangeliarium, no. 18.

4 Zie ook het Guest-Coutts Nieuwe Testament, no. 9.

45

EEN OCTATEUCH EN EVANGELIARIUM UIT ETHIOPIË

Herleving van voormalige Ethiopische pracht en praal

Octateuch, vier evangeliën en apostolische canons, in klassiek Ethiopië (Ge'ez). Gondar?, eind 17e eeuw.

- 370 × 355 mm
- ff. 209
- Oriental 481

Tegen de tijd dat dit manuscript werd gemaakt, had de christelijke boekproductie al meer dan dertienhonderd jaar een belangrijke rol gespeeld in het Ethiopische leven. In de vierde en vijfde eeuw hadden christelijke missionarissen zich verzekerd van de steun van de heersende elite en lieten ze de Bijbel vertalen in Ge'ez, een Semitische taal die nog steeds in de liturgie van de Ethiopische kerk wordt gebruikt. Ongeveer net zo lang geleden hadden boekkunstenaars geïllumineerde manuscripten van de evangeliën in het Ge'ez gemaakt. En van de dertiende eeuw tot op heden hebben Ethiopiërs een traditie van christelijke boekilluminatie onderhouden.

In dit boek zijn drie teksten in het Ge'ez samengebracht die fundamenteel zijn voor de Ethiopische kerk. De eerste, de octateuch, bestaat uit de eerste acht boeken van het Oude Testament, beginnend bij Genesis en eindigend met Ruth. De tweede wordt gevormd door de evangeliën, en de derde is een verzameling van decreten die worden toegeschreven aan de apostelen en vooral te maken hebben met wijding, plichten en gedrag van de geestelijken. Elke pagina in het boek is gedecoreerd met karakteristieke *harags*, in elkaar verweven banden in verschillende kleuren, die vanaf de veertiende eeuw werden uitgevoerd door Ethiopische illuminators. Bovendien heeft het boek kleurrijke openingspagina's voor elk Bijbelboek en voor de Canons van de Apostelen. Ze bestaan uit een volledige, gekaderde figurale illuminatie op de linkerpagina en gedetailleerde tekst op de rechterpagina. Op elke afbeelding vertegenwoordigt een van de drie grote figuren met een aureool de auteur of hoofdpersonages van de tekst. In Genesis staat Mozes klaar om uit de hand van God de stenen tafels met de wet te ontvangen; in elk van de evangeliën zitten twee evangelisten tegenover elkaar te praten over hun geschriften. Elke illuminatie is geschilderd in krachtige kleuren, met gestileerde, lijvige figuren die worden verlevendigd met geometrische patronen en een contrasterende gekleurde achtergrond als tegenwicht.

De opvallendste illuminaties in het boek zijn een inleiding voor de evangeliën. Als eerste worden Eusebius' canontafels voorafgegaan door een miniatuur die niet alleen de auteur portretteert, maar ook de persoon voor

45.1 | De Maagd rust naast haar kind, vergezeld door drie engelen en een os en ezel (boven); en (onder) de Maagd zit met het kind op haar schoot, met Jozef en de vroedvrouw Salome, een herder met twee schapen komt bij haar; f. 100v.

Ommezijde

45.2–45.3 | Jozef van Arimathea en Nikodemus halen Christus van het kruis, de Maagd reikt naar zijn rechterhand; en (ertegenover) de Maagd, Johannes, vier vrouwen en twee engelen klagen boven het dode lichaam van Christus onderaan het kruis, terwijl (rechts) Jozef van Arimathea en Nikodemus kruiden brengen voor de begrafenis van Christus; ff. 106v-107.

ኀበ፡መጽኡ፡ሐራ፡ሰማይ፡ወተወልደ፡እግዚእነ፡ክርስቶስ፡

ዮሴፍ፡ኀበ፡አንከረ። ወሰሎሜ፡እንዘ፡ተሐፅብ፡ሕፃነ፡

ኀበ፡አውረድዎ፡ዮሴፍ፡ወኒቆዲሞስ፡ለእግዚእነ፡እመስቀሉ።

ኀበ፡በከያሁ፡አንስት፡ለኢየሱስ፡ሚካኤል፡ወገብርኤል፡እንዘ፡ይኔጽሩ፡ኀበ፡እግዚእነ፡ክርስቶስ፡

wie Eusebius de uitleg van de tabellen schreef. Vervolgens wordt de oude samenstelling van de presentatie van de canontafels opnieuw geïnterpreteerd[1]; de architecturale omgeving wordt door kleur, patroon en inheems detail doorbroken. De traditionele bogen zijn veranderd in regenbogen, die verschijnen tussen bomen vol met kleurrijke vogels. Ten slotte is het meest spectaculair een opeenvolgende reeks van 24 paginagrote afbeeldingen die beginnen met de aankondiging aan Zacharias en eindigen met de verrezen Christus die wordt aanbeden door engelen, allemaal uitgelegd in titels in het Ge'ez (ill. 45.1-45.4). Deze illuminaties vormen het spirituele hart van het boek, dat was bedoeld voor vrome bezinning tijdens de liturgie op belangrijke feestdagen. Elke afbeelding is krachtig en direct. Verschillende hadden Byzantijnse voorbeelden als bron, maar ze werden bedekt met westerse motieven, details uit het Ethiopische leven, en versterkt door Ethiopische kleuren. Bij de geboorte (ill. 45.1) laat deze benadering een dramatische ietwat mystieke afbeelding zien van de Maria die in oosterse stijl naast haar kind ligt in het gezelschap van drie engelen; allen zweven als in een droom boven een westerse zittende Maagd en kind, met een peinzende Jozef en met vroedvrouw Salome die een ketel heeft om het kind in te baden. Bij de dieren wordt de lokale sfeer geïntroduceerd: de ezel, de opvallende os en het schaap dat door de herder wordt geofferd voor het Christuskind. Het overdadige gebruik van rood lijkt te anticiperen op Christus' latere offer.

De afbeeldingenreeksen hebben ook een dramatisch effect. Ontroerend vooral is het tweeluik van de kruisafneming en de rouwklacht (ill. 45.2-45.3). Hier worden de emoties die worden gevoeld door de moeder van Christus en zijn volgelingen, krachtig overgebracht door Maria's tedere aanraking van de doorboorde en bebloede hand, de liefdevolle manier waarop Jozef van Arimathea Christus' gekruisigde lichaam omhelst, en de sprekende houding en gebaren van degenen die rouwen om Christus' uitgestrekte lichaam. De hele reeks komt tot een opmerkelijke afronding in een voorstelling van het visioen van Johannes van de hemel (ill. 45.4), met Christus op een troon in een mandorla die omhoog wordt gehouden door de vier levende wezens en onderaan wordt aanbeden door engelen (Openbaring 4:1-11).

Hoewel het is gedateerd in de zeventiende eeuw, is het boek een kopie van een veel ouder manuscript dat uit een atelier van keizer David I (r. 1380/2-1412) komt. Dit voorbeeld wordt nog steeds bewaard in de Mariakerk in Amba Geshen in Noord-Ethiopië. Onze kopie kan zijn overgebracht naar de koninklijke hoofdstad Gondar voor keizer Iyasu I (r. 1682-1706) en als dat zo is, was het waarschijnlijk bedoeld voor de oprichting van Debre Berhan Selassie, dat in 1694 werd ingewijd. In dat geval waren manuscript en kerk onderdeel van wedijver met een oudere keizerlijke bescherming van kunst en kerk.

45.4 | Christus in majesteit, met de vier levende wezens, wordt aanbeden door de engelen, f. 110v.

LITERATUUR

African Zion: The Sacred Art of Ethiopia, red. Roderick Grierson (New Haven, 1996), pp. 178, 246–247, no. 107.

NOTEN

[1] Voor de canontafels zie de Londense Canontafels, no. 1.

እግዚአብሔር፡አብ፡

DE OORSPRONG VAN DE MANUSCRIPTENCOLLECTIES VAN BRITSE BIBLIOTHEKEN

Alle manuscripten in dit boek worden bewaard in de British Library, de nationale bibliotheek van het Verenigd Koninkrijk. Ze komen uit collecties die de laatste vierhonderd jaar zijn samengesteld; de 'gesloten', of historische collecties die als afzonderlijke collecties in de bibliotheek zijn gekomen; en de 'open' collecties waaraan nu alle nieuwe aanwinsten van manuscripten worden toegevoegd. De overvloed aan Bijbelse teksten in de bibliotheek komt grotendeels door verschillende individuele verzamelaars. Als een permanente herinnering en eerbetoon aan hun rol houdt elk boek van deze 'gesloten' collecties zijn 'signatuur' ofwel de naam van de oorspronkelijke verzamelaar. Voor de oprichting van de British Library in 1973 waren alle manuscripten die voorkomen in dit boek, behalve het 'St. Cuthbert Gospel' (zie fig. 5), onderdeel van de British Museum Library. De aanwezigheid van zo veel opvallende schatten in de British Library danken we dan ook aan de deskundigheid en toewijding van conservatoren van de manuscriptcollecties van het British Museum.

Cotton-manuscripten

De Cotton-collectie was samengesteld door de antiquair en politicus sir Robert Bruce Cotton (1571-1631) en werd uitgebreid door zijn zoon sir Thomas (1594-1662) en kleinzoon sir John Cotton (1621-1702). Sir John liet de hele collectie boeken en manuscripten na aan Engeland 'voor publiekelijk gebruik en voordeel'[1], en de Cotton-bibliotheek werd vanaf de oprichting in 1753 onderdeel van het British Museum. De Cotton-collectie in de British Library bevat meer dan veertienhonderd manuscripten en meer dan vijftienhonderd handvesten, tekstrollen en zegels, en het geeft de diepgaande interesse van sir Robert Cotton voor de Engelse geschiedenis aan. Het belang van zijn collectie wordt weerspiegeld in het feit dat de meeste Angelsaksische manuscripten die in deze publicatie staan, inclusief het beroemde Lindisfarne evangeliarium (no. 2), Cotton-manuscripten zijn. De manuscripten van Cotton behouden in hun signaturen een aanduiding van hun plaats in zijn bibliotheek, op een bepaalde plank onder een buste van een Romeinse keizer of ander personage.

Harley-manuscripten

De Harley-collectie werd in twee generaties samengesteld door de eerste en tweede graaf van Oxford, Robert Harley (1661-1724) en zijn zoon Edward Harley (1689-1741). De weduwe en dochter van de tweede graaf verkochten de manuscripten aan Engeland voor 10.000 pond (in die tijd een fractie van hun waarde) onder de *Act of Parliament* die ook het British Musuem oprichtte. De Harley-collectie van meer dan zevenduizend manuscripten, veertienduizend handvesten en vijfhonderd tekstrollen heeft vooral veel Bijbelse manuscripten; acht ervan staan in dit boek. De voormalige eigenaars worden weergegeven in hun titels: het gouden Harley-evangeliarium, het Harley-Psalter, het Harley Echternach evangeliarium, het Griekse Harley evangeliarium en de Harley *Bible moralisée* (no. 4, 10, 12, 24 en 26). Samen met de Cotton-collectie en die van sir Hans Sloane (1660-1753), is de Harley-collectie een van de drie basis collecties van de British Library.

Koninklijke manuscripten

De koninklijke collectie bevat bijna tweeduizend manuscripten, waarvan het merendeel is geïllumineerd. Zes ervan staan in dit boek, en ze komen grotendeels uit de bibliotheken van Engelse vorsten vanaf Eduard IV en verder. Ze omvatten de koningsbijbel van het huis van York, de *Bible historiale* (no. 42), en zijn tegenhanger uit Lancaster,

Versierde letter 'B'(*eatus*) ('Gezegende') aan het begin van Psalm 1 in het Tiberius Psalter, no. 13, Cotton Tiberius C. vi, f. 31.

de enorme 'reuzenbijbel', die apart was beschreven in het testament van Hendrik V en was bedoeld voor zijn zoon Hendrik VI (no. 39). De koninklijke collectie die nu de Old Royal Library heet om deze te onderscheiden van de huidige Royal Library en vooral in Windsor Castle werd bewaard, werd in de achttiende eeuw samengebracht met de Cotton-collectie en in 1757 door George II aan Engeland geschonken.[2]

Andere vernoemde manuscriptcollecties

Andere manuscripten die in dit boek voorkomen, komen uit de overige vernoemde collecties in de British Library. De *Biblia pauperum* van de koning (no. 38) is een van de 446 manuscripten uit de door George III samengestelde bibliotheek; deze werd in 1823 geschonken aan Engeland. Deze manuscripten staan nu bekend als de koningsmanuscripten om ze te onderscheiden van de boeken van de Old Royal Library. Het Burney-evangeliarium (no. 18) komt uit de bibliotheek van de klassieke geleerde Charles Burney (1757-1817), die in 1818 in zijn geheel was verkregen van zijn zoon Charles Parr Burney. Het st. Omer Psalter (no. 33) was een van de beroemde 'One Hundred' manuscriptencollectie van Henry Yates Thompson (1838-1928), wiens beleid was om 'meedogenloos de minst fascinerende van de gezegde honderd af te danken'[3], als hij een nieuw manuscript verwierf. 52 van zijn manuscripten vormen nu de Yates Thompson-collectie in de Library, waarvan in 1941 het meeste werd nagelaten door zijn weduwe.

Toegevoegde manuscripten

Zoals te verwachten is, verschaft de op een na grootste manuscriptencollectie in de British Library, de toegevoegde

collectie, meer dan een derde van de boeken die in deze publicatie staan. Met een aantal van 90.000 boeken en kranten, bevat de additionele collectie manuscripten die sinds 1756 zijn geschonken, aangekocht of werden nagelaten, met uitzondering van een paar grote collecties die de naam van de voormalige eigenaar of bibliotheek behouden, of die werden aangekocht met het Egerton fonds, dat onderaan wordt beschreven. De nummering van de manuscripten uit deze collectie begint bij 4101, als vervolg op de Sloane manuscripten 1-4100. Nieuwe aankopen van westerse manuscripten hebben de daaropvolgende nummers die in de series beschikbaar zijn, zoals het St. Cuthbert Gospel (additioneel 89000, zie fig. 5) dat in 2012 werd aangekocht door de British Library.

Veel van de manuscripten uit deze verzameling die in dit boek staan, werden van 1837 tot 1866 verkregen tijdens de ambtstermijn en door de inspanning van sir Frederic Madden, archivaris in het British Museum, 'een grootheid in de victoriaanse wetenschap'.[4] Dankzij zijn opmerkelijke scherpzinnigheid zijn we in het bezit van zulke belangrijke schatten als de Silos Beatus in 1840 (no. 15), de Floreffe-bijbel in 1849 (no. 22) en het Theodorus Psalter in 1853 (no. 14).

Andere manuscripten in dit boek kwamen in de Library als onderdeel van grotere collecties. Het Syrische lectionarium (no. 25) is een van ongeveer achthonderd manuscripten die in 1825 zijn verkregen uit de collectie van de reiziger Claudius Rich (1787-1820). Het tetraevangelion van tsaar Alexander (no. 35) werd in 1917 nagelaten als onderdeel van een belangrijke collectie die was samengesteld door Robert Curzon, de 14e baron Zouche (1810-1873), tijdens zijn reizen in de landen rond de oostelijke Middellandse Zee. De manuscripten die later in de twintigste eeuw werden verkregen, het Holkham Bijbels prentenboek (no. 32), en de Bijbel van Clemens VII (no. 34) horen bij een groep van twaalf manuscripten die in 1952 zijn verkregen en die daarvoor in de bibliotheek van de graven van Leicester in Holkham Hall, Norfolk, stonden.

Vier manuscripten zijn onderdeel van de twee andere open collecties. Het Armeense evangeliarium en de Ethiopische octateuch en evangeliarium (no. 44-45) komen uit de oriëntaalse collectie die verwant is aan de aanvullende collectie voor oosterse manuscripten, met een nummering die begon toen in 1867 het departement van oriëntaalse manuscripten werd opgericht. De resterende open collectie is vernoemd naar Francis Henry Egerton, 8e graaf van Bridgewater (1756-1829). Als aanvulling op 67 manuscripten liet Egerton een aankoopfonds na (het Bridgewater Fonds), dat in 1838 werd vermeerderd (het Farnborough Fonds) door Egertons neef Charles Long, baron Farnborough (1761-1838). Het inkomen van deze legaten werd door Madden gebruikt om in 1840 het Egerton evangelielectionarium (no. 17) aan te schaffen voor 23 pond en 2 shilling, en in 1845 het Melisende-Psalter (no. 19) voor 350 pond.

Literatuur

Colin G.C. Tite, *The Manuscript Library of Sir Robert Cotton*, Panizzi Lectures, 1993 (Londen, 1994).

P.R. Harris, *A History of the British Museum Library*, 1753–1973 (Londen, 1998).

Treasures of the British Library, samenstelling Nicolas Barker en anderen (Londen, 2005).

Kathleen Doyle, 'The Old Royal Library: "A greate many noble manuscripts yet remaining"', in Scot McKendrick, John Lowden en Kathleen Doyle, *Royal Manuscripts: The Genius of Illumination* (Londen, 2011), pp. 66–93.

Scot McKendrick, John Lowden en Kathleen Doyle, *Royal Manuscripts: The Genius of Illumination* (Londen, 2011).

1000 Years of Royal Books and Manuscripts, red. Kathleen Doyle en Scot McKendrick (Londen, 2013).

Catalogue of Illuminated Manuscripts Virtual Exhibitions, inclusief Scot McKendrick, 'The Burney Collection of Manuscripts in the British Library', <https://www.bl.uk/catalogues/illuminatedmanuscripts/TourBurney.asp>, en Alixe Bovey, 'Henry Yates Thompson'sIlluminated Manuscripts', *Catalogue of Illuminated Manuscripts*, <http://molcat1.bl.uk/illcat/TourYT100.asp>, bezocht op 22 maart 2016.

NOTEN

1. Tite, *Manuscript Library* (1994), p. 33.
2. Doyle, 'Old Royal Library' (2011).
3. Bovey, 'Henry Yates Thompson's Illuminated Manuscripts'.
4. Michael Borrie, 'Madden, Sir Frederic (1801–1873)', *Oxford Dictionary of National Biography* (Oxford, 2004), <http://www.oxforddnb.com/view/article/17751>, bezocht op 14 juni 2015.

VERDER LEZEN

Beryl Smalley, *The Study of the Bible in the Middle Ages*, 2e ed. (Oxford, 1952).

Bruce M. Metzger, *Manuscripts of the Greek Bible: An Introduction to Paleography* (New York, 1981).

Walter Cahn, *Romanesque Bible Illumination* (Ithaca, NY, 1982).

Jonathan J.G. Alexander, *Medieval Illuminators and their Methods of Work* (New Haven, 1992).

Margaret T. Gibson, *The Bible in the Latin West* (Notre Dame, IN, 1993).

The Oxford Companion to the Bible, red. Bruce M. Metzger en Michael David Coogan (Oxford, 1993).

The Early Medieval Bible: Its Production, Decoration and Use, red. Richard Gameson (Cambridge, 1994).

Janet Backhouse, *The Illuminated Page: Ten Centuries of Manuscript Painting in the British Library* (Londen, 1997).

Christopher de Hamel, *The Book: A History of the Bible* (Londen, 2001).

C.M. Kauffmann, *Biblical Imagery in Medieval England, 700–1500* (Londen, 2003).

In the Beginning: Bibles before the Year 1000, red. Michelle P. Brown (Washington, DC, 2006).

Scot McKendrick en Kathleen Doyle, *Bible Manuscripts: 1400 Years of Scribes and Scripture* (Londen, 2007).

Picturing the Bible: The Earliest Christian Art, red. Jeffrey Spier en anderen (New Haven, 2007).

Christian Gastgeber en Stephan Fussel, *The Most Beautiful Bibles*, red. Andreas Fingernagel (Keulen, 2008).

D.C. Parker, *An Introduction to the New Testament Manuscripts and their Texts* (Cambridge, 2008).

Christopher de Hamel, *Bibles: An Illustrated History from Papyrus to Print* (Oxford, 2011).

The New Cambridge History of the Bible, 4 dln. (Cambridge, 2012–15).

Form and Function in the Late Medieval Bible, red. Eyal Poleg en Laura Light, Library of the Written Word, 27, The Manuscripts World, 4 (Leiden, 2013).

REGISTER VAN MANUSCRIPTEN

MANUSCRIPTEN IN ANDERE COLLECTIES

TREFWOORDENREGISTER

Vet gedrukte paginanummers verwijzen naar de belangrijke geïllustreerde ingangen; *cursief* gedrukte paginanummers verwijzen naar andere illustraties.

DANKWOORD

We willen graag onze vele collega's en vrienden bedanken die hun waardevolle inzicht in verschillende aspecten van dit boek hebben gedeeld: Colin Baker, Nicolas Bell, Alixe Bovey, Claire Breay, Elisabetta Caldelli, Andrea Clarke, Christina Duffy, Sam Fogg, James Freeman, Michael Gullick, Christine Haney, Julian Luxford, Patricia Lovett, John Lowden, Francesca Manzari, Sally Nicholls, Laura Nuvoloni, Stella Panayotova, Ioanna Rapti, Paola Ricciardi, Janet Robson, Ilana Tahan, Chantry Westwell en Joe Whitlock Blundell. Sarah Biggs, Richard Gameson, David Ganz, Michael Kauffmann, Hannah Morcos, Cillian O'Hogan, Lucy Freeman Sandler en Rose Walker hebben diverse concepten nagekeken en er grootmoedig commentaar en kritiek op gegeven. We zijn ook Peter Dawson van Grade Design enorm dankbaar voor zijn geduld en prachtige ontwerp, dank aan Rosemary Roberts voor haar nauwgezette redigeerwerk, aan Susanna Ingram van Thames & Hudson voor haar punctuele en veeleisende aandacht voor de kleurbalans en juistheid van de afbeeldingen en aan David Way, Lara Speicher en Rob Davies van British Library Publications van het verleden en het heden, en aan Julian Honer van Thames & Hudons voor hun vertrouwen in dit boek en hun betrokkenheid om het te voltooien.

Originele versie gepubliceerd in het Verenigd Koninkrijk in 2016 door Thames & Hudson Ltd, 181A High Holborn, London WC1V 7QX
in samenwerking met
The British Library, 96 Euston Road, London NW1 2DB

The Art of the Bible: Illuminated Manuscripts from the Medieval World

Boekontwerp: Peter Dawson, gradedesign.com

Nederlandse uitgave

Vertaling: Marian van Ham
Redactie: Madeleine Gimpel
Vormgeving: Arno Spaansen

ISBN 978 90 435 2842 9
NUR 654